DE AFREKENING

Mark Bowden

De afrekening.
Het einde van
Osama bin Laden

Vertaald door Pon Ruiter, Joost Mulder en Theo Veenhof

2012
DE BEZIGE BIJ
AMSTERDAM/ANTWERPEN

INHOUD

Proloog   13

1. Een definitie van het kwaad   21

2. Het pad van de jihad   53

3. Te wapen   83

4. Op jacht naar een doelwit   123

5. 'Zorg alsjeblieft dat de kinderen en alle gezinnen
   uit de buurt blijven van de plaatsen die worden
   gefotografeerd en gebombardeerd.'   161

6. Verhulde onzekerheid   181

7. '… al negen jaar de manier waarop wij te werk gaan'   219

8. Eindspel   253

9. Smetjes   289

Woord van dank   315

Voor Clara en Audrey

Het indelen van mensen in groepen heeft maar één doel: iedereen het recht geven om anders te zijn, bijzonder te zijn, om te voelen en te leven op zijn of haar eigen manier. Mensen sluiten zich bij elkaar aan om dat recht te verkrijgen of te verdedigen. Maar daarbij ontstaat ook een verschrikkelijke, noodlottige misvatting: de overtuiging dat het opzetten van een groep onder de vlag van een ras, een god, een partij of een staat het doel is van het leven, en niet simpelweg een middel om iets hogers te bereiken. Nee! De enige ware, blijvende zin van de worsteling om het leven is gelegen in het individu, in zijn bescheiden eigenaardigheden en in zijn recht om die eigenaardigheden te hebben.

– Vasili Grossman, *Leven en lot*

De eigenschappen van een beweging zijn spontaniteit, impulsiviteit, dynamische expansie – en een kort leven. De eigenschappen van een structuur zijn inertie, veerkracht en een verbazingwekkend, bijna instinctief vermogen tot overleven.
– Ryszard Kapuściński, *De Shah aller Shahs*

Proloog

2007-2008

Op een herfstnacht in 2007 voerde een eenheid van het Amerikaanse Joint Special Operations Command (JSOC) in het westen van Irak een aanval uit op vermeende terroristen van al Qaida. Dit keer was het doelwit een regionale commandant die zich 'Muthanna' noemde. En tijdens deze missie kwamen de aanvallers puur bij toeval in het bezit van iets enorm belangrijks.

In een andere oorlog, in een andere tijd, zou dat een enorme opslagplaats met waardevolle wapens zijn geweest, of een serie kaarten waarop vijandelijke troepenbewegingen en posities waren aangegeven. Maar in de eenentwintigste eeuw ontdekten de commando's van JSOC iets wat net zoveel waard was: een Rolodex.

Bij de aanval vond Muthanna de dood. Uit stukken die in zijn huis werden aangetroffen, bleek duidelijk dat hij verantwoordelijk was voor de inzet van buitenlandse strijders van al Qaida en potentiële plegers van zelfmoordaanslagen over de grens tussen Syrië en Irak, waar Amerikaanse en Irakese eenheden en ook Irakese burgers te maken hadden met steeds verder oplopende aantallen slachtoffers.

Wat ze bij Muthanna aantroffen was geen echte Rolodex. Het was iets wat nog beter was: series namen en nummers, computerbestanden met namen, foto's, reisdocumenten, bonnetjes voor fotokaarten, kleren, auto's, benzine, overboekingen en nog heel veel andere gegevens over ongeveer vijfhonderd al Qaida-rekruten – vrijwel alle moedjahedien die in het recente verleden via Syrië naar Irak waren getrokken.

Eeuwenlang hebben de basistechnieken van een oorlog bestaan uit 'vuren en manoeuvreren'. Een kundige officier kon een talrijkere tegenstander verslaan door zijn mannen behendig op te stellen en hun vuurkracht effectief op een doel te richten. Nog steeds zijn dat vaardigheden die op het slagveld essentieel zijn, maar de veldslagen die vandaag de dag worden uitgevochten, gaan maar zelden meer tussen massale legers. 'Informatie, gewone en elektronische, is het "vuren en manoeuvreren" van de eenentwintigste eeuw,' zegt luitenant-generaal Michael Flynn, die momenteel de leiding heeft over het U.S. Defense Intelligence Agency.

Wat bedoelt hij daarmee?

Dat kun je mooi uitleggen aan de hand van de schat aan gegevens die werd buitgemaakt bij wat later bekend werd als de 'Sinjar-operatie'. Die gegevens speelden een belangrijke rol bij het onthoofden van al Qaida in Irak. In de zes jaar die na de aanslagen van 11 september waren verstreken, hadden de inlichtingendiensten van de Verenigde Staten, militair en niet-militair, groot en klein, berucht of geheim, door eendrachtig samen te werken het land een ongekend vermogen bezorgd om terroristische netwerken uit te schakelen. Daarvoor werden niet alleen de getalenteerde *special forces* van JSOC ingezet, maar ook supercomputers en uiterst geavanceerde software, vakkundige analisten en een uniek vermogen om alle mogelijke gegevens om te zetten in bruikbare, toegankelijke informatie: tips, documenten van ouderwetse spionnen, verslagen van verhoren, elektronisch gevolgde communicatie tussen mobieltjes en computers, beelden en andere gegevens die werden binnengehaald door drones die hoog en geruisloos boven een potentieel doel hingen en dat observeerden, dagen, weken, maanden en zelfs jaren achtereen. Al deze snippers leverden een enorme database op, met verbanden die zelden meteen duidelijk waren. Maar computers zijn in staat om verbanden te vinden die daarvóór verborgen zouden zijn gebleven: een bankrekening die wordt gebruikt door een man van Hezbollah én een al Qaida-rekruut, een adres in Najaf dat bij twee gelegenheden is bezocht door zelfmoordterroristen, een foto uit de portefeuille van een vermoorde Amerikaanse militair die op de harddisk staat van een man die wel eens een geldschieter voor terroristen zou kunnen zijn. Een computer trekt meteen bloedige lijnen tussen snippers die anders dat zouden zijn gebleven – losse snippers, zonder verbanden. Op basis van die bloedige lijnen wordt een web opgebouwd en komt een geheim netwerk in beeld. En als eenmaal alle verbanden duidelijk zijn, gaan de special forces op pad, want dan weten ze waar ze moeten toeslaan, en tegen wie.

In het geval van Sinjar nam Stanley McChrystal, de commandant van JSOC, een uniek besluit. De geheimhouding van alles wat was buitgemaakt, werd opgeheven en al het materiaal werd overgedragen aan het Combating Terrorism Center van West Point, de Amerikaanse militaire academie, zodat analisten uit allerlei disciplines ermee aan de slag konden. En wat ontdekten die? De propaganda dat al Qaida in Irak een verzetsbeweging was die in dat land was ontstaan, kon meteen de prullenbak in. De rekruten uit de documenten kwamen uit Libië, Marokko, Syrië, Algerije, Oman, Jemen, Tunesië, Egypte, Jordanië, Saoedi-Arabië, België, Frankrijk en Groot-Brittannië. Medewerkers van het Amerikaanse ministerie van Financiën brachten de financiële transacties in kaart en wisten zo vast te stellen dat de steungroep voor het al Qaida-netwerk in Irak volledig uit Syriërs bestond en onder leiding stond van een man die zich Abu Ghadiya noemde, maar in werkelijkheid Badran Turki Hashim al-Mazidih heette.

Binnen een jaar na de operatie in Sinjar was de complete top van dit in Syrië gevestigde hulpnetwerk voor al Qaida vernietigd. Bij een aanval in Syrië, in oktober 2008, vonden Abu Ghadiya, een van zijn broers en twee neven de dood. Ze behoorden allen tot de top van het netwerk. De database werd ook de basis voor

JSOC-operaties in heel Irak. De buitenlandse rekruten die niet al bij zelfmoordaanslagen waren omgekomen, werden opgespoord, en gevangengenomen of gedood.

Eind 2008 was het geweld in Irak volgens het Pentagon met 80 procent afgenomen. Deze onmiskenbare trend heeft zich voortgezet, ook na de terugtrekking van de Amerikaanse eenheden in 2011. Op dit ogenblik is het geweldsniveau nog lager dan voor de Amerikaanse inval, in 2003.

Er zijn heel wat redenen aan te wijzen voor deze verrassende ommekeer. In 2008 keerden de Irakese soennieten zich massaal tegen al Qaida. Daarbij speelde zeker een rol dat uit de in Sirjar buitgemaakte documenten was gebleken – en dat werd ook openbaar gemaakt – dat al Qaida een buitenlandse organisatie was. Een groot deel van het krediet voor die ommekeer moet gaan naar generaal Petraeus, die radicaal van strategie veranderde en overschakelde op het bestrijden van terrorisme. Die nieuwe aanpak bestond vooral uit het opvoeren van de strijd tegen 'onverzoenlijke elementen'. McChrystal zei hierover: 'Elke keer dat ik 's avonds ga slapen, heb ik het liefst meer vrienden en minder vijanden.'

Dankzij JSOC liep het aantal vijanden gestaag terug. Volgens McChrystal is de operatie in Sinjar een van de grootste doorbraken van zijn eenheid gebleken.

Om een oorlog te winnen zijn vaak nieuwe tactieken, methoden en instrumenten nodig. Na de aanslagen van 11 september 2001 bleek een al tijden bestaand principe van de nationale verdediging onhoudbaar. Osama bin Laden en al Qaida, zijn extremistische beweging, vormden een nieuw soort bedreiging, een mondiaal netwerk van intelligente, suïcidale moordenaars, met veel geld en zonder vast adres. Het enorme militaire arsenaal van de Verenigde Staten, de kernwapens, de superieure luchtmacht, het leger, de marine en zelfs de complete bureaucratie die is opgezet om over de hele wereld informatie in te winnen, te spioneren en informatie te analyseren, zijn er vooral op toegesneden om aanvallers af te schrikken. Wie zou Amerika durven aanvallen als het land snel, met dodelijke kracht en onstuitbaar terug zou slaan?

Maar als de aanvallen nu eens uit het niets kwamen? Wat dan?

Dát was na 11 september de vraag. En het antwoord was informatie. De vijand opsporen is altijd al een van de grote problemen van een oorlog geweest. Wat al Qaida deed, was dat nog een stuk moeilijker maken. Ze leefden en werkten verspreid over de hele wereld, en maakten gebruik van moderne telecommunicatie om met elkaar in contact te blijven. Zulke contacten zijn complex, verlopen wereldwijd, er worden valse namen bij gebruikt, plus alle oude en nieuwe trucs van de spionage. Hoe kom je zo'n nieuwe vijand dan op het spoor?

Het buitmaken van de 'Rolodex' in Sinjar en het uitschakelen van al Qaida in Syrië bieden het antwoord op die vraag. Zes jaar na de aanslagen van 11 september, betrokken bij twee oorlogen, met nog steeds het uitdagende spookbeeld van een op vrije voeten verkerende bin Laden voor ogen, hadden de Verenigde Staten één troost.

Ze waren erachter hoe ze terug moesten slaan.

1
Een definitie van het kwaad

11 SEPTEMBER 2001

Even voor achten, op een stralend zonnige ochtend in Chicago, reed Barack Obama over Lake Shore Drive toen de muziek uit zijn radio werd onderbroken voor een nieuwsbericht. In New York City had een vliegtuig zich in een van de torens van het World Trade Center geboord. Hij schonk er weinig aandacht aan. Hij nam aan dat een of andere ongelukkige Cessna-piloot een enorme blunder had begaan.

Voor Obama betekende The Loop, het centrum van Chicago, waar hij zijn kantoor had, een vertrouwde dagelijkse heen- en terugrit vanaf zijn huis in Hyde Park. Rechts van hem lag de vlakke uitgestrektheid van Lake Michigan en links voor hem de rijzige skyline, met als ankerpunt Sears Tower, een zwarte monoliet met op het dak een woud van antennes. Omgeven door zo veel water en de lucht boven Illinois heeft de rit soms wel iets van een vrije val in een wereld van blauw.

Obama was op weg naar het Thompson Center, het zeventien verdiepingen tellende gebouw waar het stadsbestuur zetelde, een monumentaal, glanzend bouwwerk dat met zijn gebogen spiegelglas wel iets weg heeft van een gestrand ruimteschip. Hoe opvallend de locatie ook was, wat hij er ging doen was puur routinewerk: een hoorzitting van het Joint Committee on Administrative Rules. De agenda voor vandaag beloofde uren bureaucratisch priegelwerk: regelwijzigingen voor negenendertig verschillende adviesraden, programma's, commissies en departementen.

Obama vertegenwoordigde het aan de noordrand van Chicago's South Side gelegen Dertiende District. Hij had nog twee banen: één als advocaat bij een prominente firma in Chicago en een tweede als hoofddocent constitutioneel recht aan de juridische faculteit van Chicago University. In zijn nieuwe thuisstad was hij een redelijk prominent persoon die plaatselijk werd gezien als een zeer veelbelovende jongeman, maar wiens carrière desondanks tot stilstand leek te zijn gekomen. Bij zijn gooi naar een zetel in het Congres, twee jaar eerder, was hij overtuigend verslagen in wat in feite neerkwam op een terechtwijzing. Met zijn afgeronde rechtenstudie aan Harvard en zijn positie als eerste Afro-Amerikaanse hoofdredacteur van het daar uitgegeven tijdschrift *Law Review* was zijn intellect onmiskenbaar, misschien wel té onmiskenbaar. Geloofsbrieven van een Ivy League-universiteit doen het in de grotestadspolitiek alleen goed in combinatie met een flinke scheut volkse aantrekkingskracht, iets waarover Obama niet beschikte. Wat hij wél had was 'cool', een woord dat mensen zowel op een positieve als negatieve manier met hem in verband brachten. Hij was cool in de zin dat hij over zowel stijl als aanwezigheid beschikte; hij was lang en slank, evenwichtig en charmant. Maar hij was ook cool in de tweede zin van het woord: hij maakte vaak een afstandelijke, gereserveerde en zelfs hooghartige indruk. Een maand terug was hij veertig geworden, te oud om nog als wonderkind te kunnen gelden. Zijn zwarte Jeep Cherokee was de auto van een huisvader. Met zijn vrouw Michelle had hij twee dochters, Sasha, die nog in de luiers lag, en Malia van drie.

Hij had zijn auto geparkeerd, was in een van de glazen liftschachten in het hoge atrium van het centrum omhooggegaan en zat te luisteren hoe een getuige een geschreven verklaring oplas toen overal in de kamer digitale telefoons begonnen te piepen en te tjilpen. Op zijn BlackBerry zag Obama het ene bericht na het andere verschijnen. De getuigenverklaring werd al snel overstemd door gemompel. De getuige ging stug door, maar al snel had niemand nog aandacht voor hem. Het nieuws uit het zuidelijke deel van Manhattan kwam van duizend plekken tegelijk binnenstromen. De tweede toren was geraakt. Beide vliegtuigen waren burgertoestellen. De torens stonden in brand. Dit was geen ongeluk. Dit was een gecoördineerde aanval.

Het moment was gekomen om het Thompson Center te ontruimen, en Obama verliet samen met alle andere aanwezigen het pand. Buiten op het trottoir, in gezelschap van de duizenden andere inwoners van Chicago die uit hoge gebouwen in The Loop waren geëvacueerd, dwaalden zijn ogen onwillekeurig af naar de bovenverdiepingen van de Sears Tower. Ineens leek de wolkenkrabber die het gezicht op de stad domineerde in een ander licht te staan. Hij was niet langer slechts een symbool voor de identiteit van de stad aan het meer. Hij stak omhoog als een reusachtig doelwit.

In Sarasota vroeg Mike Morell zich af er ook op hem een vliegtuig afgestormd kwam. Hij was de adviseur inzake de CIA van president George W. Bush en maakte die ochtend deel uit van de entourage van de president. In de in het westen van Florida gelegen stad was het bezoek groot nieuws. Iemand die het op Bush had voorzien zou onmiddellijk weten waar hij hem moest zoeken, en een burgervliegtuig leende zich prima voor een aanval.

Op het moment dat het eerste vliegtuig insloeg zat Morell op de achterbank van een busje dat meereed in de presidentiële autocolonne. Ze reden met hoge snelheid over Gulf of Mexico Drive op Longboat Key toen Ari Fleischer, Bush' perschef, de telefoon opnam en zich naar hem omdraaide.

'Mike, weet jij iets over een vliegtuig dat het World Trade Center heeft geraakt?'

Morell was de man tot wie ze zich wendden voor het allerlaatste nieuws als er iets opzienbarends was gebeurd. Het vliegtuig had toegeslagen terwijl zij onderweg waren, zodat hij niets had gehoord. Hij vermoedde dat het om een klein vliegtuig ging dat in slecht weer uit koers was geraakt of iets soortgelijks, maar belde het hoofdkwartier in Langley, Virginia. Het CIA operations center vertelde hem dat er een botsing was geweest, dat het om de noordtoren ging en dat het geen klein vliegtuig betrof, maar een lijntoestel.

Zoals meestal was de ervaren CIA-analist die dag al voor zonsopgang opgestaan en had hij in zijn eentje op zijn hotelkamer zijn vaste ochtendsessie met de president zitten voorbereiden. Iedere dag om acht uur leverde Morell zijn dagelijkse presidentiële briefing (PDB) af, een samenvatting van de meest actuele inlichtingendienstrapporten van overal ter wereld. De middag ervoor was hij met het presidentiële vliegtuig, de Air Force One, naar het zuiden gevlogen, voor de start van een week durende landelijke tournee ter promotie van Bush' onderwijsinitiatieven. Ze waren eerst gestopt in Jacksonville, voor een rondetafeldiscussie, en waren toen doorgereden naar Sarasota, waar ze de nacht hadden doorgebracht in het Colony Beach and Tennis Resort, op het rifeiland dat zich parallel aan de kustlijn van de stad uitstrekt.

Morells aanwezigheid had niets te maken met het onderwijsthema van die week. Net als de legerofficier die de 'football' van de president bij zich droeg, het codeerapparaat dat nodig is om een atoomaanval te kunnen autoriseren, vergezelde de CIA-adviseur Bush overal waar hij ging. Sinds Pearl Harbor was Amerika geen serieus rechtstreeks doelwit meer geweest van een aanval, zodat de ochtendlijke briefing zich doorgaans richtte op abstractere zaken – 'nationale veiligheidsvraagstukken' was een redelijke omschrijving. Terreurdreigingen waren er altijd, maar in het resumé was niets specifieks of dreigends aan de orde geweest.

Bush was er de man niet naar om uitgebreid schriftelijke rapporten te bestuderen. Hij had liever dat Morell tijdens de ochtendlijke briefing de belangrijkste punten 'klaarlegde', las de meest relevante gedeelten en stelde vragen. Voor Morell maakte dit het ochtendlijke halfuur tot een soort dagelijkse toneelopvoering op koninklijk bevel. De president genoot ervan. Hij zou het later 'een van de fascinerendste onderdelen van mijn werkdag' noemen. Het was een bedwelmende rol, maar wel een vrijwel onzichtbare. Morell is een tengere, precieze man met bril en keurig gekamd peper-en-zoutkleurig haar, een man die bestudeerd gewoontjes lijkt. Zijn pak is vaak verkreukeld en hij loopt met een onmiskenbaar niet-militaire, slungelige, licht voorovergebogen tred – het soort man dat gewoon is zich op een stoel ineen te vouwen, een en al knieën en ellebogen. In combinatie met de bleke tint van de binnenzitter maakte het dat hij er naast de potige presidentiele lijfwachten en de stoere militaire adviseurs bijna broos uitzag. Eenmaal in gesprek was Morells inzet volkomen. Hij sprak met een geprononceerd Ohio-accent en zette al fronsend, met vooruitgestoken kin, zijn ideeën lichamelijk kracht bij. Hij had het grootste deel van zijn loopbaan bij de inlichtingendienst gewerkt als Aziëdeskundige.

Tegen de tijd dat hij Morell die ochtend ontving had Bush al enkele minuten in zijn bijbel zitten lezen, was hij in het donker rond de golfbaan van de Colony gejogd, en had hij zich omgekleed en ontbeten. De briefing van die dag was hoofdzakelijk over China gegaan. Op het besprokene rust nog altijd geheimhouding, maar maanden eerder was een EP-3 van de Amerikaanse marine, een voor spionagedoeleinden gebruikt propellervliegtuig, voor de kust van het eiland Hainan in botsing gekomen met een Chinese straaljager, wat het leven had gekost aan de straaljagerpiloot en een kleine internationale crisis had uitgelokt, de eerste van Bush' presidentschap. Morell had ook nieuws uit Rusland, informatie die eveneens nog altijd geheim is, maar te maken had met de nasleep van het op dat moment recente spionageschandaal rond Robert Hanssen, dat had geleid tot een aaneenschakeling van uitwijzingen van elkaars diplomaten door beide landen. Hierna presenteerde Morell nieuwe informatie over de voortdurende Palestijnse opstand, een steeds gewelddadiger aangelegenheid die het wereldnieuws bepaalde. Een van de onderwerpen op de agenda was voor de president aanleiding om zijn adviseur nationale veiligheid, de in het Witte Huis achtergebleven Condoleezza Rice, te bellen, maar in later jaren kon niemand zich meer herinneren waar het over ging. Vergeleken met wat komen ging – alle vier de gedoemde burgertoestellen waren al in de lucht – zouden de onderwerpen op de agenda van die dag al snel nietig lijken.

Toen de briefing voorbij was vertrok Bush voor zijn geplande bezoek aan de Emma E. Booker-basisschool, waar hij om negen uur werd verwacht om in aanwezigheid van een schare televisiecamera's en verslaggevers leerlingen van groep vier voor te lezen uit een kinderboek. Het gezelschap bevond zich al in de school toen het nieuws over het tweede vliegtuig binnenkwam. Morell zat met de rest van de medewerkers van de president in een belendend klaslokaal te wachten. Er stond een tv-toestel waarop al snel videobeelden van de schokkende inslag in de zuidtoren te zien waren. Beide torens stonden inmiddels in brand.

Andrew Card, Bush' stafchef, begaf zich naar het andere lokaal om de president, die op een stoel voor de klas zat toe te luisteren terwijl de leerlingen een boek voorlazen over een als huisdier gehouden geit, het nieuws in te fluisteren.

'Een tweede toestel heeft zich in de andere toren geboord,' zei Card. 'Amerika ligt onder vuur.'

Camera's legden de verbijsterde uitdrukking op het gezicht van de president vast. Hij zou er later door sommigen om worden bespot, maar wat voor gezicht trek je als dergelijk nieuws je ter ore komt? Bush besloot rustig te blijven. Hij bleef voor in de klas tot het verhaal uit was, maar zijn houding had een abrupte verandering ondergaan. Hij was opgewekt geweest, had genoten van wat de kinderen ten beste gaven. Nu keek hij grimmig en was hij met zijn gedachten duidelijk ergens anders. Toen het verhaal ten einde was, complimenteerde hij de schoolklas en liep hij vervolgens kordaat het naastgelegen klaslokaal binnen. Op de televisie waren videobeelden van United Airlines Vlucht 75 te zien, die zich in slow motion recht in de zuidtoren boorde en in een vuurbal uiteenspatte. Fleischer overlegde met de president, die haastig wat handgeschreven notities maakte en vervolgens terugliep naar het volle klaslokaal, om daar opnieuw tegenover de camera's en verslaggevers plaats te nemen.

'Dames en heren, dit is een moeilijk moment voor Amerika,' stak hij van wal.

Vliegtuigen kwamen uit de lucht vallen, met zelfmoordkapers die de toestellen de iconische openbare gebouwen van het land in stuurden, zichzelf en de passagiers van de vliegtuigen tot ontbranding brachten en duizenden mensen doodden. Niemand wist hoeveel het er waren.

Morell vond dat ze Bush onmiddellijk naar elders moesten overbrengen. Hij liep de richting uit van een agent van de geheime dienst, maar zag dat het bewakingsdetachement hem al vooruit was. Ze stuurden hem het gebouw uit, naar de colonne motorvoertuigen. Toen de president zijn korte verklaring had beëindigd, vertrokken ze direct naar de luchthaven.

Het slechte nieuws bleef binnenstromen. Een derde vliegtuig, American Airlines Vlucht 77, had het Pentagon getroffen op het moment dat zij zich nog over Route 41 noordwaarts spoedden. Ineens leek elk hoog gebouw als de Sears Tower, elk monument, elk waardevol object, gevaar te lopen. Waar zou het volgende toestel toeslaan? Aan de schaal waarop er in die eerste uren alarm werd geslagen was niets overdrevens. Maar met de angst lokten de aanvallen ook een soort oergevoel uit, een gevoel van zelfbescherming. Niet meer dan eenenzeventig minuten nadat de noordtoren was getroffen gingen, honderden kilometers ten westen van New York, hoog boven Pennsylvania, passagiers aan boord van United Airlines Vlucht 93 eensgezind de mannen te lijf die hun vliegtuig hadden gekaapt. Het stortte neer in een akker even ten oosten van Pittsburgh, in Shanksville, Pennsylvania.

De reactie kwam onmiddellijk en strekte zich over het hele land uit. De strijdkrachten brachten ijlings gevechtsvliegtuigen in de lucht en grendelden hun bases af. Luchthavens werden gesloten, straten afgezet, gebouwen ontruimd.

In Chicago liep Obama, zodra hij zich realiseerde dat niemand op afzienbare termijn het Thompson Center weer zou binnengaan, naar zijn auto en legde het korte stukje naar zijn advocatenkantoor af. De firma Davis, Miner, Barnhill, and Galland was gehuisvest in een bakstenen herenhuis. In de kelder hadden ze een kleine vergaderruimte met een televisie, waar de medewerkers bijeen zaten om te volgen hoe de tragedie zich ontvouwde. Samen met miljoenen anderen over de hele wereld zagen ze hoe mannen en vrouwen op de bovenste verdiepingen van de torens vastzaten, nog altijd in leven, samengedromd bij vensterbanken met de vlammen in hun rug, wanhopig gebarend om hulp die hen niet kon bereiken, zich afvragend wat ze moesten doen, sommigen in een vrije val op weg naar hun dood. Ze keken toe hoe de torens vielen en stelden zich de duizenden voor die binnen gevangenzaten. Ze zagen hoe rook en vlammen opstegen uit een vernielde muur van het Pentagon.

In San Diego keek Bill McRaven toe vanuit een ziekenhuisbed bij hem thuis, waar het nog zeer vroeg in de ochtend was. Zelfs plat op zijn rug liggend had de kapitein bij de Navy SEALs een onmiskenbaar militair voorkomen. Zijn lange lichaam was slank en gespierd. Zijn stekeltjeshaar vestigde brutaal de aandacht op zijn flaporen en de bovenste en onderste helften van zijn gezicht stonden iets scheef, wat zijn lange onderkaak in een enigszins vooruitspringende hoek deed staan die vastberadenheid uitdrukte. De afgelopen tijd had kapitein McRaven niet veel anders gedaan dan zich van zijn ziekenhuisbed in zijn rolstoel laten zakken en terug.

Het was een vernederende krachteloosheid voor een fysiek ingesteld iemand als hij. Na op zijn high school in San Antonio, Texas te hebben uitgeblonken op de atletiekbaan was hij het leger in gegaan. Zoals iedereen in een elite-eenheid voor *special operations* had hij zijn leven lang mentaal en fysiek het uiterste van zichzelf geëist, iets waarvan de meeste mensen uiteindelijk de gevolgen ondervinden. Twee maanden eerder had hij een angstaanjagend parachuteongeluk gehad waarbij hij een vrije val van drieduizend meter maakte en vervolgens in botsing kwam met de geopende parachute van een andere springer. Wild om zijn as tollend, en nog maar half bij bewustzijn, was hij erin geslaagd een ruk aan zijn ontsluitingskabel te geven en het er levend van af te brengen, maar doordat zijn ene been verstrengeld zat in de vanglijnen en het andere in de hangriemen, had de kracht waarmee het valscherm zich opende hem bijna in tweeën getrokken, zijn bekken doen scheuren, zijn rug gebroken, en spierweefsel losgerukt van zijn buikwand. Gewaagde missies kon hij voorlopig wel vergeten, en zelfs als hij zo zou revalideren dat hij zijn rolstoel kon verlaten, zou hij de rest van zijn leven bijeen worden gehouden door platen en pennen.

Hij was aan het ziekenhuis ontkomen door zijn bed naar zijn huis te laten overbrengen, en dus was dat de plek waar hij die ochtend zag hoe de aanvallen zich ontrolden. Hij was niet verbitterd. McRaven accepteerde de meedogenloze manier waarop in zijn beroep de kaarten werden verdeeld. Als hij echt goed genoeg was geweest om met een team SEALS boven het slagveld te worden afgeworpen, zou het ongeluk hem nooit zou zijn overkomen, dacht hij. Voor hem was het spel uit. Dat zijn kansen op promotie waren verkeken, liet hem koud. Als het hem om een hoge rang was gegaan, was hij nooit lid geworden van de SEALS. In het leger ging het net zo; special operations was de weg naar actie in kleine teams, niet naar een leidinggevende functie, waarbij je traditioneel de verantwoordelijkheid voor steeds meer manschappen kreeg toebedeeld. De geregelde troepen beschouwden de 'ongeregelden', de special operations-teams, als... nou ja, een stelletje ongeregeld. Je koos daarvoor om later uit vliegtuigen te kunnen springen en dingen op te blazen en heel misschien, zelfs als het land niet officieel in oorlog was, jezelf op de proef te stellen tijdens een echte missie. Hij was vijfenveertig en had het laatst gediend als bevelhebber van de Naval Special Warfare Group in Coronado, een functie waarvan hij vermoedde dat het de beste baan zou blijken te zijn die hij ooit zou hebben. Wat hij zou gaan missen was de actie.

McRaven had meegevochten in de oorlog in de Perzische Golf en had zijn hele volwassen leven getraind voor gedurfde missies. Het viel onmogelijk te bepalen hoe de Verenigde Staten precies zouden reageren op deze aanvallen, maar het was duidelijk dat het land in oorlog was en dat die oorlog aan hem voorbij zou gaan.

Wie dit ook op zijn geweten had, het was niet aannemelijk dat het een ander land was. Het was waarschijnlijk een betrekkelijk kleine groep toegewijde fanatici met een hele serie verschillende uitvalsbases, moeilijk te vinden en lastig te bereiken. Oorlog brengt altijd nieuwe uitdagingen met zich mee. Een land dat door een nieuwe dreiging wakker wordt geschud, moet op de tast zijn weg vinden, en een strategie en tactiek uitdenken die naar de overwinning zou leiden. Het zou tijd kosten – in dit geval het leeuwendeel van een decennium – maar McRaven was als geen ander gekwalificeerd om te kunnen voorzien waar het op uit zou draaien. Hij had onderzoek gedaan naar special operations. Hij was er inmiddels van overtuigd – de eerste vermoedens in deze richting waren op tv al geuit – dat dit het werk was geweest van een kleine terroristische groepering die zichzelf al Qaida noemde. Mannen als McRaven hadden veel meer over al Qaida gehoord dan de meeste mensen in het land. Als het niet die groepering zelf was, dan was het eentje die erop leek. Hoe moest je een geheime, niet-landgebonden organisatie bestrijden die in het geniep geheime aanvallen voorbereidde? Die bestreed je met inlichtingen en met extreem goed getrainde speciale eenheden, zoals zijn SEALS, mannen die waar ook ter wereld snel en met precisie konden toeslaan. Hij zag het helder voor zich. Zijn team zou zonder hem ten strijde trekken.

Maar beter dan de meesten wist hij ook dat deze oorlog tijd zou gaan kosten. Op den duur zou hij genezen. En op den duur zou er heel misschien voor hem wel een manier zijn om toch mee te kunnen doen.

In Washington zag Michèle Flournoy aan de overkant van de Potomac rook opstijgen uit het Pentagon. Ze had er een hoop vrienden werken. Michèle, een op Harvard en in Oxford opgeleide wetenschapper, was op haar veertigste een van de weinige vrouwen in Washington die van nationale veiligheid hun loopbaan hadden gemaakt. Iedereen die haar kende wist dat het slechts een kwestie van tijd was voordat ze haar volgende topfunctie in het Pentagon zou bekleden, maar voor het moment betekende het feit dat ze tijdens de regering-Clinton tot senior planner op het Pentagon was benoemd dat ze nu een van de vele beleidsdeskundigen was die gedurende de eerste termijn in het Witte Huis van een Republikeinse regering eigenlijk in ballingschap waren.

Flournoy stond bekend als pleitbezorger van een internationaal georiënteerde aanpak van de landsverdediging, een aanpak die meer gebaseerd was op samenwerking en pragmatisme dan op ideologie. President Bush had op veel van de aan Defensie gerelateerde posten in zijn regering mensen gezet die sterk geneigd waren de Amerikaanse militaire macht eenzijdig in te zetten, en wel buitenlandse partners te zoeken, maar zich niet veel aan hen gelegen te laten liggen. In vredestijd waren deze filosofische verschillen hoofdzakelijk interessant voor theoretici, en speelden ze een rol in fora die te maken hadden met militaire planning en ontwikkeling. Eerder die ochtend was Flournoy op de landelijke publieke radio ondervraagd over een aantal van de initiatieven waarvoor minister van Defensie Donald Rumsfeld de aanzet had gegeven. Ze werkte voor het Center for Strategic and International Studies (csis), een tweepartijendenktank, en hielp als hoogleraar aan de National Defense University het Pentagon bij de voorbereiding van het vierjarige Defense Review, een breed strategisch meerjarenplan, dat een uiterst praktische leidraad bood voor het bepalen van de prioriteiten voor de landsverdediging. Op het moment dat de vliegtuigen begonnen in te slaan woonde ze in een gebouw tegenover het Witte Huis een bijeenkomst over internationale defensievooruitzichten bij.

Alle gebouwen in de directe omgeving werden ontruimd. Terwijl ze op Pennsylvania Avenue naar de onheilspellende rookkolom aan de overkant van de rivier stond te kijken wist ze dat alles wat ze hadden besproken ineens op losse schroeven was komen te staan, alsof iemand het hele bord had uitgeveegd. Amerika's prioriteiten op defensiegebied waren op een radicale en gewelddadige manier gewijzigd.

Ze liep een paar straten verder naar de csis-burelen, belde naar huis om te kijken of haar kinderen het goed maakten, en probeerde vervolgens tevergeefs haar vrienden in het Pentagon aan de lijn te krijgen. Ze beantwoordde daarom enkele telefoontjes van collega's en verslaggevers, onder wie de radiomedewerker met wie ze nog maar enkele uren eerder had gesproken. Ze deelde de groeiende verdenking dat de aanslagen het werk waren van al Qaida, maar op dat moment was dat nog slechts een hypothese.

Een andere Democraat in ballingschap, Thomas Donilon, bevond zich eveneens in hartje Washington, waar hij in een suite op M Street zijn jaarlijkse medische keuring onderging. Hij was zesenveertig, een leeftijd waarop jaren van lange werkdagen achter een bureau hun tol beginnen te eisen, zeker bij een forsgebouwde man als hij. Als jurist met een lange staat van dienst bij de overheid stond hij erom bekend voor drie te werken, met een steeds verder uitzakkend lichaam als bewijs. In een wereldhoofdstad van workaholics werd hij als uitzonderlijk beschouwd. In 1977 was hij de jongste naaste stafmedewerker geweest van president Carter, terwijl hij tijdens de ambtsperiode van Clinton had gediend als stafchef voor het ministerie van Binnenlandse Zaken. In 1992 had hij zich bij het campagneteam van Clinton gevoegd als stand-in voor president G.H.W. Bush en Ross Perot tijdens het oefenen van debatten. Na uren van voorbereiding had hij treffende feiten en voorbeelden paraat. Hij was vasthoudend: onveranderlijk aardig, maar een harde jongen. Hij had de neiging om onder het spreken zowel zijn boven- als ondertanden te ontbloten, wat maakte dat hij op zijn woorden leek te kauwen. In de aanloop naar een grote krachtmeting mocht Clinton graag verbaal met hem sparren. Nu, minder dan een jaar na het aantreden van het nieuwe Republikeinse bewind, begon hij gewend te raken aan het leven van een buitenstaander en zette hij zijn advocatentitel en zijn kennis van de overheidsbureaucratie in als lobbyist voor financieel dienstverlener Fannie Mae.

Toen zijn arts met hem klaar was, reed hij vanuit de garage onder het gebouw het stilstaande verkeer in. Overal in het District waren kantoorgebouwen leeggelopen. Het was alsof het voltallige leger overheidsfunctionarissen op weg was naar huis. Donilon deed een poging zijn vrouw te bellen, maar het mobiele netwerk was zo overbelast dat hij er niet doorheen kwam. Hij zette de radio aan en luisterde terwijl hij stapvoets in noordoostelijke richting huiswaarts reed met ontzetting toe. De rit duurde lang. Bij zijn thuiskomst zag hij dat ook zijn vrouw, die hun dochtertje vroegtijdig had opgehaald van haar peuterklas in Bethesda, terug was van haar werk. Ze zetten de tv aan en gingen net als de rest van het land zitten kijken.

Michael Vickers bevond zich niet meer dan enkele straten verderop in het kantoor van zijn eigen kleine denktank, het Center for

Strategic and Budgetary Assessments. Hij had hem opgericht nadat hij zijn inlichtingendienst- en militaire werk vaarwel had gezegd. Als slimme CIA-agent was hij twintig jaar eerder betrokken geweest bij de samenstelling van een clandestiene Amerikaanse missie die een bonte groep stamhoofden en islamistische extremisten moest helpen de Sovjet-Unie in Afghanistan te bestrijden, een onderneming die beschouwd werd als de grootste geheime operatie in de geschiedenis van de inlichtingendienst. Vickers, een voormalig special forces-officier, was onder zijn collega's een legende. Hij was een Nabije Oosten-expert, had uitgebreide contacten in die regio en zou met een loopbaan die zowel inlichtingenwerk als special operations omvatte uiterst geschikt blijken te zijn voor deze nieuwe oorlog. De volgende dag al zou hij weer op het Pentagon aan het werk zijn als consultant, door Rumsfeld ontboden om te helpen bepalen hoe de Verenigde Staten zouden moeten reageren.

In Bosnië bevond brigadegeneraal David Petraeus zich aan het begin van de avond op een hoofdkwartier van een Scandinavisch-Poolse politiemacht toen het nieuws binnenkwam. Petraeus, een kleine, pezige man die enigszins kromliep na zijn eigen parachuteongeval jaren daarvoor, zat met een groep internationale officieren te kijken toen de torens instortten en besefte dat zijn missie, net als die van iedere Amerikaanse soldaat, niet meer dezelfde zou zijn. Zijn verdenkingen gingen onmiddellijk uit naar al Qaida en de oprichter ervan, Osama bin Laden.

Het was geen wilde veronderstelling. Petraeus had van 1997 tot 1999 voor de Chefs van Staven gewerkt op het Pentagon, in een tijd waarin de regering-Clinton veelvuldig debatteerde over de vraag of, en zo ja hoe, er jacht moest worden gemaakt op de radicale islamistische leider. De besluiten van die tijd hielden in dat er kruisraketten werden afgevuurd op al Qaida-doelwitten in Soedan en Afghanistan, een luidruchtig gebaar dat weinig zoden aan de dijk had gezet. Bin Laden was ongrijpbaar. Nu zou de reactie veel grootschaliger zijn – en de wereld veranderen. Een van Petraeus' taken in Bosnië was de bevelvoering over een geheime gezamenlijke taskforce die bestond uit uitverkoren leden van alle dienstgeledingen. Die spoorde Servische en Kroatische oorlogsmisdadigers op door inlichtingen te verzamelen. Vervolgens sloegen ze razendsnel toe, in veel gevallen 's nachts vanuit helikopters.

Al voordat hij vertrok om naar zijn eigen hoofdkwartier terug te vliegen dacht Petraeus na over aanpassing van zijn missie.

In New York zag postdoctoraalstudent Ben Rhodes vanuit Brooklyn hoe de tragedie zich ontrolde. Hij volgde een masteropleiding creatief schrijven aan New York University, maar liefhebberde daarnaast in de plaatselijke politiek en had zich die dag laten overhalen om flyers uit te delen voor kandidaat-gemeenteraadslid Diana Reyna – het was verkiezingsdag in New York. Rhodes was in het politieke werk terechtgekomen nadat hij op zijn middelbare school in de Upper West Side van Manhattan de confrontatie was aangegaan met linkse figuren, en later op Rice University met Texaanse Republikeinen. Hij was bang dat je door afzijdig te blijven de dogmatici vrij spel zou geven. En nu stond hij langs de waterkant in Brooklyn Heights flyers uit te delen.

De vlammen en rookwolken die uit de noordtoren sloegen, waren schokkend genoeg. Rhodes nam aan dat er een ernstig ongeluk was gebeurd. Zeventien minuten later zag hij aan de overkant van de East River hoog tegen de zuidtoren een felle lichtflits, waarna van beide torens de bovenkant in lichterlaaie stond – twee reusachtige kaarsen die grote zwarte rookpluimen over de skyline van Manhattan joegen. Hij kon zijn ogen niet geloven. Uit de mobilofoon van een in zijn buurt staande agent klonk een snerpende alle-hens-aan-dekoproep, en de lucht barstte in sirenegeloei uit. Toen Rhodes zich omdraaide, zag hij dat de Brooklyn-Queens Expressway beneden hem was volgelopen met ziekenwagens met zwaailicht, en met politieauto's die zich in noordelijke richting naar Brooklyn Bridge en het verderop gelegen Manhattan spoedden.

De vlammen en rookpluimen werden niet minder. De omvang van het gebeurde was amper te bevatten. Hij stond nog altijd te kijken toen de zuidtoren instortte. Vanaf de overkant van de rivier drong geen geluid tot hem door. Geen gerommel of geraas. De wolkenkrabber zakte gewoon ineens in elkaar, vouwde zich ineen alsof hij daarvoor was ontworpen, en verdween in een grote, witte, uitpuilende wolk van puin.

Hij begon te lopen. Het leek duidelijk dat ook de noordtoren ten ondergang gedoemd was, en hij had er weinig trek in daar getuige van te zijn. De torens waren de visuele herkenningspunten van zijn jeugd in New York geweest. Het wereldbeeld van de drieëntwintigjarige omvatte niets waarin datgene paste wat hij zojuist had gezien. Als jongerejaarsstudent had Rhodes, die een bewonderaar was van Ernest Hemingway, jarenlang rondgelopen met een exemplaar van de pocketeditie van *The Sun Also Rises* in zijn achterzak. In zijn diepste wezen geloofde Hemingway dat je harde waarheden compromisloos tegemoet moest treden. Rhodes, de romanschrijver in spe, liet die dag de fictie eveneens voor wat zij was. Wat het ook was waar hij zojuist getuige van was geweest, het zou compromisloos tegemoet moeten worden getreden. Net als voor veel Amerikanen gold die getuige waren van deze gebeurtenissen, zou zijn leven nooit meer hetzelfde zijn.

Op het moment dat de torens vielen bevond president Bush zich in de lucht. Hij en zijn vertrouwelingen keken toe vanuit de stafruimte voor in de Air Force One, waar ze het signaal van onder hen liggende plaatselijke tv-stations konden oppikken. De signalen kwamen op en stierven weer weg. Het zat Bush niet lekker dat het vliegtuig niet over satelliettelevisie beschikte, iets wat hij later zou rechtzetten. Een van de commentatoren meldde dat de verantwoording voor de aanslagen was opgeëist door het Democratisch Front voor de Bevrijding van Palestina.

Dat leek Morell onlogisch. Die organisatie was een oude splintergroepering van het Palestijns Bevrijdingsfront, en ze was op sterven na dood.

'Wat weet jij over deze groepering?' vroeg Bush.

'Die zijn niet in staat tot een aanval als deze,' antwoordde Morell.

Binnen enkele minuten werd het bericht ingetrokken.

De overgang naar de oorlogstoestand was frappant. Toen de colonne voertuigen Sarasota-Bradenton International Airport bereikte, werd Air Force One omringd door met automatische geweren bewapende medewerkers van de geheime dienst. Niemand was ooit getuige geweest van een aanslag als deze, en dus wist niemand wat er te wachten stond, wie erachter zat of hoe grootschalig het zou blijken te zijn. Alles en iedereen stond onder verdenking. Agenten inspecteerden elke tas voordat het presidentiële reisgezelschap de vliegtuigtrap op ging, ook die van Card en Morell, en ook die van de legerofficier die de nucleaire codes bij zich droeg.

Bij het aan boord gaan vroeg de CIA-man aan een van de agenten: 'Waar gaan we naartoe?'

'We gaan alleen maar rondjes vliegen,' luidde het antwoord.

Nu vliegtuigen als hagelstenen uit de lucht vielen was de veiligste plek voor de president misschien wel gewoon… in de lucht.

Om bij te tanken en voorraad in te nemen vlogen ze naar luchtmachtbasis Barksdale in Louisiana. Aan weerszijden van de taxibaan stonden bommenwerpers. Meldingen van méér aanslagen bleven binnenstromen: bommen, nog meer in projectielen veranderde vliegtuigen, een tegen Air Force One gerichte dreiging, een melding van een aanval op de ranch van Bush in Crawford, Texas. Ze zouden stuk voor stuk vals blijken, maar in het licht van de vermetelheid en de gruwelijkheid van de inmiddels bevestigde aanslagen klonk elke nieuwe alarmmelding plausibel.

Toen de president van boord ging om een boodschap aan het Amerikaanse volk in te spreken, bleef Morell net als de meeste andere leden van het gezelschap in zijn stoel zitten. De vliegtuigbemanning bracht in allerijl water en voedsel aan boord; niemand wist hoe lang de president rond zou blijven vliegen. Toen een militair adjudant met een passagierslijst het gangpad door kwam gelopen en mensen begon aan te wijzen die van boord moesten, vroeg de CIA-man hem wat er gaande was.

'We laten een heel stel mensen hier uitstappen,' zei de adjudant. 'Alleen mensen die betrokken zijn bij de nationale veiligheid blijven aan boord.'

'En ik?' vroeg Morell.

'Volgens Andy Card blijft u aan boord.'

Met het nu iets lichtere vliegtuig stegen ze op; ze gingen op weg naar de basis van het Strategic Air Command in Omaha, Nebraska. Eenmaal weer in de lucht werd Morell opnieuw bij Bush ontboden.

'Wie heeft dit volgens jou op zijn geweten?' vroeg de president hem.

Morell had telefonisch contact gehad met het CIA-hoofdkantoor in Langley, maar tot dusverre had niemand hem uitsluitsel kunnen geven.

'Er zijn twee terreurlanden die hiertoe in staat zijn: Iran en Irak,' antwoordde Morell, 'maar die hebben beide alles te verliezen en niets te winnen. Als ik moest gokken zou ik stevig inzetten op al Qaida.'

'Wanneer weten we het zeker?' vroeg Bush.

Dat kon Morell niet zeggen. Hij legde uit hoe lang de CIA er bij eerdere aanslagen over had gedaan om met zekerheid de schuldigen aan te wijzen – de in 2000 gepleegde bomaanslag op de Khobar-torens in Saoedi-Arabië, de aanslagen op de Amerikaanse ambassades in Tanzania en Kenia in 1998 en de bomaanslag op de USS Cole voor de kust van Jemen in 2000.

'Het kan spoedig bekend zijn, maar ook wel even duren,' zei hij. 'Tien dagen, maar net zo goed maanden.'

In werkelijkheid was het nieuws er snel. Een analist op Langley had de passagierslijsten van de gedoemde vliegtuigen gecontroleerd en vastgesteld dat enkele van de kapers rechtstreeks met al Qaida in verband stonden. De informatie was al bijna een uur bekend, maar had Morell nog niet bereikt. In plaats daarvan kreeg Bush het nieuws na de landing in Omaha via de beeldtelefoon te horen van CIA-directeur George Tenet. Op dat moment negeerde de president zijn eigen beveiligingsteam en gaf hij opdracht hem terug te vliegen naar Washington. Hij zou die avond het land toespreken, en wilde dat doen vanuit het Witte Huis.

Onderweg terug naar Washington praatte Morell Bush andermaal bij, ditmaal over een buitenlands inlichtingenrapport waarin stond dat er zich in de Verenigde Staten slapende cellen ophielden die klaarstonden voor een tweede golf aanslagen. In een van zijn briefings in augustus had Morell Bush gewaarschuwd dat al Qaida wilde toeslaan, maar zijn waarschuwing was zeer ingehouden geweest. Ondanks de alarmerende titel van het rapport zelf – 'Bin Laden vastbesloten toe te slaan in de vs' – was er geen bijzonder gevoel van urgentie geweest of overgebracht. In ieder geval niet iets op de schaal van wat er zojuist was gebeurd. In de maand augustus, voor veel medewerkers vakantietijd, had het Morell vaak moeite gekost het materiaal voor zijn presentaties aan de president bijeen te sprokkelen. Zelf betitelde hij ze als 'zomerstiltestukken'. Het waren veelal brede strategische besprekingen van dreigingscategorieën waaraan een langer leven beschoren was dan de meeste andere ochtendlijke agendapunten, opdoemende problemen die het agentschap zorgen baarden, maar niet in detail werden beschreven. Bin Laden had het gehad over een grote actie in de vs, iets waar zijn volgelingen zich over 'zouden verblijden', maar het kwam uit de mond van een man die dergelijke bedreigingen al jaren uitte. Het rapport gaf aan dat de

FBI 'zeventig volledige onderzoeken' had lopen naar bedreigingen die met bin Laden verband hielden. De strekking van het rapport was dat al Qaida iets van plan was en dat de Amerikaanse regering geen idee had wat precies, maar dat zij niettemin al het mogelijke deed om het te voorkomen.

Bij het invallen van de schemering zette Air Force One de landing op Andrews Air Force Base in. Veel van de mensen aan boord deden, met een lange en zware werkdag achter de rug en een lange nacht voor de boeg, een hazenslaapje. Morell zette zichzelf ertoe om uit het raampje te kijken. Twee F-16's hadden positie gekozen om de landing te begeleiden en vlogen in strakke formatie zo dicht naast de vleugeluiteinden, dat hij in beide cockpits het gezicht van de piloot kon zien. In de verte zag hij nog altijd rook opstijgen uit het Pentagon.

Later die avond zag hij de president op de televisie het land toespreken. Voor hij zijn bed opzocht, ging Morell nog even bij zijn kinderen kijken, die tussen bergen knuffeldieren lagen te slapen. De wereld waarin zij leven is op zijn kop gezet en ze hebben geen idee, dacht hij bij zichzelf.

Die avond sprak president Bush vanuit het Oval Office.

'Vandaag waren onze medeburgers, onze manier van leven, ja onze vrijheid zelf, het doelwit van een reeks doelbewuste en dodelijke terroristische acties,' zei hij. Hij beschreef de gebeurtenissen van de dag tot in detail en prees degenen die, met groot persoonlijk risico, op de noodsituaties hadden gereageerd. Hij zwoer dat hij 'de verantwoordelijken zou vinden en hun gerechte straf zou doen ondergaan'.

De eindverantwoordelijke, Osama bin Laden, had tot die dag buiten kringen van de nationale veiligheid weinig bekendheid genoten, maar zou al snel de bekendste terrorist ter wereld worden. In de weken en maanden die volgden zou hij de verantwoordelijkheid voor het gebeurde opeisen, de moordzuchtige kapers prijzen als martelaren voor zijn zaak, en op videoband te zien zijn terwijl hij vergenoegd gniffelt en Allah looft om hun succes.

'Daar ligt Amerika, door God getroffen op een van zijn zwakste plekken,' zou hij op een video verklaren die enkele weken later werd vrijgegeven, gekleed in een camouflagejas en zittend naast de kalasjnikov AK-47 die hij sinds zijn jihad tegen de Sovjet-Unie bij zich droeg, met in zijn lange baard hier en daar een streep grijs. 'De vooraanstaande gebouwen van het land zijn vernietigd, God zij gedankt. Daar ligt Amerika, van het noorden tot het zuiden en van het westen tot het oosten vervuld van angst. Dank God daarvoor. Wat Amerika nu ervaart is onbetekenend vergeleken met wat wij al tientallen jaren ondervinden. Onze Natie [daarmee doelde hij op moslims, overal ter wereld] ondervindt deze vernedering en deze achteruitgang al meer dan tachtig jaar [sinds de ondergang van het Ottomaanse rijk tijdens de Eerste Wereldoorlog].'

Na 11 september was elke dag dat hij uit handen van Amerika wist te blijven voor hem een overwinning. De betekenis hiervan kan moeilijk worden overschat. Wat het land verder ook zou doen om zich voor 11 september te wreken, hoeveel regimes het ook omver zou werpen, hoe zwaar het al Qaida ook bestookte en verzwakte, iedere dag dat deze man op vrije voeten bleef was een belediging. Het betekende dat hij dit had gedaan en ermee weg was gekomen, en dat hij heel goed nog een keer iets soortgelijks zou kunnen doen.

De manier waarop de twee mannen die de Verenigde Staten in het volgende decennium van oorlog zouden leiden op de aanslagen reageerden, verschilde opvallend van elkaar. Bush zou zijn reactie vastleggen in zijn boek *Decision Points*. Obama zou zijn eigen reactie de jaren daarop beschrijven in zijn toespraken en geschriften, en sprak er in het Oval Office met me over.

Bush voelde verontwaardiging en een dringend verlangen naar

vergelding. 'Onbekenden hadden het gewaagd Amerika aan te vallen,' schreef hij. 'Daar zouden ze voor gaan boeten.'

Bij hun landing die dag op de vliegbasis Barksdale hadden de rijen bommenwerpers Bush herinnerd aan de angstwekkende macht waarover hij beschikte. Iemand anders dan hij had bij het zien van dit vertoon misschien nagedacht over de onbruikbaarheid van een uit de Koude Oorlog stammend wapenarsenaal tegenover een stateloze vijand zonder vaste verblijfplaats, maar Bush zou later schrijven: 'Ik wist dat het slechts een kwestie van tijd was voordat ik die macht zou inzetten tegen degene die opdracht had gegeven tot deze aanval.'

In zijn reactie op de avond na de aanslagen verlegde hij de grenzen van deze voorgenomen vergelding: 'We zullen geen onderscheid maken tussen degenen die deze daden hebben gepleegd en degenen die hun onderdak bieden.' De gedrevenheid van de president om terug te slaan zou nog groter worden. Het zou leiden tot de mobilisatie van enorme legers, het binnenvallen en bezetten van twee landen, en het lanceren van kleinere militaire missies en projecten van de inlichtingendiensten, overal ter wereld. Deze missies zouden de volgende zevenenhalf jaar van zijn presidentschap bepalen, zeer vele mensen het leven kosten of verminken, en meer dan wat dan ook Amerika's eerste decennium van de eenentwintigste eeuw bepalen. De oorlog in Afghanistan, het eerste land dat werd aangevallen, zou de langste in de Amerikaanse geschiedenis blijken. In Irak zou een nog bloediger en nog meer geld verslindende oorlog worden ontketend, in de foutieve veronderstelling dat dictator Saddam Hussein op zijn minst zijdelings verantwoordelijk was voor de aanslagen, en over wapens beschikte die nog meer kwaad konden aanrichten. Hoe misplaatst veel van dit alles ook zou blijken, de reactie van Bush was een correcte afspiegeling van de stemming onder het volk en kwam in zekere mate tegemoet aan de behoefte van het land om zijn spierballen te laten zien en uit te halen naar zijn vijanden.

Terwijl Bush op 11 september reageerde door op zoek te gaan naar iemand die hij met bommen kon bestoken, klonk Barack Obama als iemand die klaarstond voor een soort wereldwijde campagne om armoede te bestrijden.

Er waren maar weinig mensen bijster geïnteresseerd in het gedachtegoed van de senator voor de staat Illinois, maar in de dagen na de aanslagen vroeg zijn plaatselijke krant, *The Hyde Park Herald*, hem en andere plaatselijke politici om een reactie. Obama kwam met een antwoord dat je kon verwachten van een voormalig welzijnswerker met een onmiskenbaar internationale achtergrond – zijn vader was een Keniaan en hij had als klein kind met zijn moeder in Indonesië gewoond (hij sprak nog altijd een klein beetje Bahasa Indonesia, een taal die hij als kind had geleerd). Toen hij in uptown Manhattan woonde, had hij een groot deel van zijn studie aan Columbia University gewijd aan internationale betrekkingen, en hij had veel gereisd. Meer dan die van welke eerdere president ook, was Obama's jeugd die van een wereldburger geweest, een feit dat in combinatie met zijn gemengde afkomst en Afrikaanse naam, voeding zou geven aan hardnekkige aantijgingen dat hij geen échte Amerikaan was. Hij had de wrok en de woede die werden gekoesterd door velen in minder bevoorrechte delen van de wereld, en ook door veel in de vs zelf opgegroeide zwarten, uit de eerste hand ervaren. Anti-amerikanisme was voor hem niet slechts iets abstracts. Hij was zich zijn hele leven bewust geweest van zijn worsteling met zijn eigen multiculturele, multiraciale identiteit, een proces dat hij aangrijpend beschrijft in zijn in 1995 verschenen memoires, *Dreams from my Father*. In zijn reactie tegenover *The Hyde Park Herald* riep hij op tot onderzoek naar de diepere oorzaken van dit soort terrorisme. 'Het komt voort uit een klimaat van armoede en onwetendheid, hulpeloosheid en wanhoop,' zei hij. Hij riep Amerika op 'om veel meer aandacht te schenken aan de monumentale taak om de hoop en de vooruitzichten van verbitterde kinderen overal ter wereld te verbeteren

– kinderen in niet alleen het Midden-Oosten, maar ook in Afrika, Azië, Latijns-Amerika, Oost-Europa en binnen onze eigen landsgrenzen'. Het liet zich lezen als een links pamflet en liep, of het nu wel of niet klopte, duidelijk niet in de pas met de woede in het land.

In alle eerlijkheid: de kracht van Amerika's strijdkrachten stond nog niet onder zijn bevel en hij was al evenmin verantwoordelijk voor de landsverdediging. Zijn politieke instincten waren ook nog niet echt goed ontwikkeld. Het kostte hem moeite om zich waar dan ook politiek thuis te voelen. Bij zijn eerdere gooi naar een Congreszetel was hij verslagen door de voormalige jarenzestigactivist Bobby Rush, die medeoprichter was geweest van de Black Panther-partij in Chicago en ooit zes maanden in de gevangenis had gezeten wegens verboden wapenbezit. Het door Rush vertegenwoordigde district was een van de weinige in Amerika waar een cv als het zijne je een zetel kon opleveren. Het was de thuisbasis van Louis Farrakhans radicale Nation of Islam. Obama's gemengde afkomst, internationale achtergrond en Harvardgeloofsbrieven hadden tegen hem gewerkt. In de jaren die volgden zou zijn boodschap zich, net als zijn blikveld, verbreden. Hij had al een voortvarend begin gemaakt met het fundament voor zijn volgende campagne, een geslaagde poging in 2005 om de Republikeinse senator Peter Fitzgerald van diens zetel te stoten. Maar voorlopig leek zijn reactie op 11 september gespeend van visie.

Hij volgde een stramien dat terugging tot Vietnam. De meeste liberale Democraten en zwarte Amerikanen waren nooit over dat conflict heen gekomen. Een kwarteeuw later waren ze veelal anti-oorlog en zelfs antimilitaristisch – een andere curieuze 'tegenkwalificatie' van Rush was dat hij zonder toestemming uit het leger was weggebleven. Maar het brede politieke patroon dat in de jaren zestig en begin jaren zeventig was gelegd – oorlogszuchtige Republikeinen tegenover vredelievende Democraten – begon te wankelen. De oude dynamiek van haviken tegenover duiven

46

was veel complexer geworden, met liberalen die aandrongen op humanitair ingrijpen in Somalië, Bosnië en elders, onder protest van conservatieven die tekeergingen tegen de zotheid van het 'opbouwen van naties', en de rol van 'politieman van de wereld' en samenwerking met de VN.

Obama is een behoedzaam man, en in de dagen na de aanslagen was die behoedzaamheid zichtbaar. Hij leek eerder *geïnteresseerd* dan geprikkeld. Hij zei dat hij hoopte dat Amerika 'enige lering zou trekken uit deze tragedie'. Hij leek eerder geneigd de aanval te *bestuderen* dan hem te vergelden. Hier stond een man wiens bloed minder snel kookte dan dat van de meeste anderen. Hij zag zichzelf als iemand die behendig laveerde tussen onverbiddelijke uitersten, of die nu cultureel waren of, zoals in zijn werk voor de *Harvard Law Review*, intellectueel. Maar in dit geval waren de krachten waarvan hij aannam dat ze de aanslagplegers van 11 september hadden gevormd, onwetendheid en armoede, niet van toepassing. De suïcidale moordenaars zouden geen verbitterde voortbrengselen van armoede blijken, en evenmin waren ze uitzonderlijk wanhopig of onwetend. De meesten waren welgestelde jonge Saoedi's die door hun families naar het buitenland waren gestuurd voor een dure universitaire opleiding. Het waren religieuze fanatici, aangevoerd door een man die een fortuin had geërfd. Hun grieven waren niet economisch van aard, maar politiek en religieus.

Hoewel Obama opriep tot een krijgshaftige reactie, was hij zelfs daarin voorzichtig. 'We moeten vastberaden op zoek gaan naar degenen die deze gruweldaden hebben begaan, en hun op verderf gerichte organisaties ontmantelen,' zei hij. Niet hen opsporen en arresteren of doden, maar 'hun organisaties ontmantelen'. Terwijl Bush met zijn reactie op de aanslagen fors inzette, en de manier waarop hij reageerde steeds forser zou worden, bevond de reactie van zijn uiteindelijke opvolger zich aan de andere kant van het spectrum. Iedere gedachte aan oorlog was bij Obama stevig verpakt in terughoudendheid. Hij zou uiteindelijk hevig oorlog voeren, maar de terughoudendheid zou blijven. Hij was geen pacifist. Hij beschouwde geweld als een noodzakelijke optie, maar dan wel de allerlaatste. Maar zolang hij niet de verantwoordelijkheid droeg voor de verdediging van het land kon hij het zich veroorloven de gebeurtenissen van de dag rustiger te laten bezinken.

De gebeurtenissen kenden geen precedent. Amerika had zijn portie gehad waar het bloedvergieten, invasie en een verrassingsaanval betrof. Pearl Harbor stond miljoenen nog levendig voor de geest. Maar de televisie zorgde ervoor dat niets in de Amerikaanse geschiedenis zich liet vergelijken met 11 september. Pearl Harbor lag op meer dan drieduizend kilometer van het vasteland, in een tijd waarin Hawaï niet meer dan een deel van Amerika was. Verslagen van de Japanse aanval kwamen binnen in de vorm van radio- en krantenberichten. De aanslagen van 11 september voltrokken zich live op televisie en werden over de hele wereld uitgezonden, waarbij de sleutelmomenten eindeloos in slow motion werden herhaald. Hier was niets indirects aan. Hier was sprake van het achteloos afslachten van medeburgers pal voor de ogen van Amerikanen en de rest van de wereld.

In de debatten over conflicten die Obama had meegemaakt – Panama, El Salvador, Koeweit, Somalië, Rwanda, Bosnië, enzovoort – waren telkens abstracte vragen over de inzet van Amerikaanse macht aan de orde geweest. Welke morele verplichting had het land? Hoe breed moest het begrip 'nationaal belang' worden gedefinieerd? Wat waren de kosten van ingrijpen? Zou het dingen beter maken of slechter? Hoe zou de rest van de wereld tegen de beslissing aankijken? Aan 11 september was niets abstracts.

Sommige hardnekkige critici van de natie zouden betogen dat Amerika dit over zichzelf had afgeroepen. Ze zouden, onder andere, de schuld geven aan op eigenbelang gestoeld Midden-Oostenbeleid, een houding van culturele superioriteit en een steevast negeren van groeiende wereldwijde ongelijkheid als het ging om welvaart en kansen. Obama's eigen uitspraak wees in deze richting. Maar het was de meeste mensen duidelijk dat de aanslagen wortelden in iets duisterders. Washingtons wereldwijde strategieën, intriges en allianties wekten in veel delen van de wereld woede op, met name in het Midden-Oosten. Anti-amerikanisme was reëel en gevaarlijk. Maar hier… hier betrof het een diep gelegen bron van haat. De dood van onschuldigen was altijd al een tragische consequentie van oorlog geweest, maar hier ging het om lukraak moorden als *strategie*. Dat was iets nieuws of, misschien wel, iets heel ouds.

Obama zat op de avond van 11 september nog laat tv te kijken, zich ondertussen bekommerend om de kleine Sasha, die hij verschoonde en vervolgens haar flesje gaf. Tegen die tijd werden de verbanden met al Qaida al veelvuldig genoemd en flitsten er foto's van bin Laden over het scherm, een lange, tengere, hooghartige man met een profetenbaard en golvende gewaden. Zijn beeltenis riep herinneringen op aan toornige portretten van de fanatieke slavernijbestrijder John Brown, of zelfs van Jehova zelf. Obama wist inmiddels al meer over deze Saoedi-Arabische renegaat dan de meeste Amerikanen. Bij de ontploffingen bij Amerikaanse ambassades in Kenia en Tanzania in 1998 waren 223 mensen omgekomen, voor het merendeel Afrikanen. Duizenden anderen waren gewond geraakt. Hij had familie in Kenia. Hij had die ambassade in Nairobi bezocht. Zijn neiging om de antwoorden te zoeken in wederzijds begrip zou dit keer zwaar op de proef worden gesteld.

De manier waarop de gebeurtenissen van deze dag Barack Obama raakten, zou uiteindelijk van grote invloed blijken. Slechts weinigen van ons wordt gevraagd beslissingen te nemen rond leven en dood, of opdracht te geven iemand te doden. Het valt te betwijfelen of het die avond ook maar een moment bij Obama opkwam dat hij dat ooit zou doen. Als persoon en als intellectueel was hij geneigd de kloof tussen mensen te overbruggen, empathie aan de dag te leggen. Hij was geneigd conflicten te zien als iets wat uitsluitend voortkwam uit onrechtvaardigheid en onbegrip. Hij was de zoon van een Luo-stamlid uit Kenia en een blank meisje uit Kansas. Overal waar hij kwam, was hij anders dan anderen: als jongetje dat de overstap maakte naar wonen en naar school gaan in Jakarta, als jongeman van gemengde afkomst met een zwarte huidskleur in een overwegend blanke omgeving. Zelfs innerlijk was omgaan met verschillen het verhaal van zijn leven. Zoals hij jaren later aan biograaf David Maraniss zou vertellen: 'De enige manier waarop mijn leven betekenis heeft is als er, los van cultuur, ras, religie of stam, sprake is van deze gemeenschappelijkheid, van geboden die universeel zijn. En dat we over onze verschillen heen kunnen reiken. Als dat niet het geval is, is het voor mij behoorlijk lastig betekenis te ontdekken in mijn leven. Dus dat is de kern van wie ik ben.' Empathie was zijn natuurlijke omgeving. Het is een ruimhartig wereldbeeld, en in veel gevallen is het het juiste.

Maar op 11 september kwam hij tegenover iets te staan wat dat hoopvolle inzicht op de proef stelde. Hoe hij ook zocht naar een redenering die deze aanslagen kon rechtvaardigen of verzachten, elke poging tot empathie of redelijkheid schoot tekort. Tegenover bin Ladens haatdragende overtuigingen had empathie geen kans. Ondanks de milde toon van zijn woorden in de lokale krant had Obama het ook over 'een fundamenteel gebrek aan empathie bij de aanslagplegers: een onvermogen om zich de menselijkheid en het lijden van anderen te kunnen voorstellen of zich ermee verbonden te voelen'.

Er zijn weinig aanwijzingen dat Bush zich aan dat soort overdenkingen over zichzelf of zijn verantwoordelijkheid overgaf, althans niet openlijk. Hij was ter wereld gekomen als lid van een gezin waarbinnen macht een soort geboorterecht leek, en toen de aanslagen zich aandienden, was hij er meer dan klaar voor om zijn rol op zich te nemen. Obama kwam vanuit een tegenovergestelde positie. Zijn wortels lagen tussen de minst machtigen. Maar zelfs met zijn brede ervaring kon hij zich met geen mogelijkheid inleven in Osama bin Laden.

Vier jaar na de aanslagen, nadat zijn verkiezing in de Amerikaanse Senaat een golf van electoraal enthousiasme had ontketend die hem in het Witte Huis zou doen belanden, schreef Obama een nieuw voorwoord bij zijn memoires. In de proloog kwam hij kort terug op 11 september:

> Als schrijver ben ik niet goed genoeg om die dag en de dagen die volgden in woorden te kunnen vatten. De vliegtuigen die als geestverschijningen in glas en staal verdwenen, de trage cascade van torens die ineenzegen. De met as overdekte gedaanten die door de straten dwaalden. Het lijden en de angst. Ik pretendeer ook niet het grimmige nihilisme te begrijpen dat terroristen die dag dreef en hun broeders nog altijd drijft. Mijn empathische vermogens, mijn vermogen om het hart van een ander te bereiken, kan niet door de lege blikken heen dringen van degenen die met abstracte, serene voldaanheid onschuldigen vermoordden.

Hij merkte op dat de moordzuchtige weg die al Qaida in de tien jaar daarvoor had afgelegd, merkwaardig dicht langs zijn eigen levenspad had gelopen – Nairobi, Java, Manhattan. Over de aanslagplegers sprak hij op scherpere toon dan hij jaren eerder had gedaan. Hij veroordeelde iedereen 'die onder dekking van welke vlag, leuze of heilige tekst dan ook een zekerheid en simplificatie zocht die wreedheid jegens mensen die anders zijn dan wij rechtvaardigt'.

Obama had, waar hij ook keek, een leven geleid van anders zijn dan anderen. Door de aanslagen was er voor hem iets uitgekristalliseerd.

Toen Sasha die avond in 2001 haar flesje leeg had legde hij haar tegen zijn schouder en klopte hij haar zachtjes op haar rug. Op het beeldscherm tegenover hem bleven de gruwelijke beelden van die dag zich herhalen. Hij vroeg zich af wat de toekomst voor haar en haar oudere zusje Malia in petto zou hebben. Hij voelde de aanslagen persoonlijk, als beschaafd mens, als Amerikaan en als vader. Hij was op weg naar een persoonlijke definitie van het kwaad.

2
Het pad van de jihad

ZOMER 2010

Tijdens zijn onderduiktijd waren zijn haren en baard wit geworden. De Sjeik, zoals hij zich graag liet noemen, was pas drieënvijftig jaar oud, maar de lange witte bakkebaarden gaven hem het uiterlijk van een oude man. In zekere zin had hij zijn hele volwassen leven de oudere man uitgehangen, streng en op een serene manier gewichtig sinds hij de leeftijd had om zijn baard te laten staan. Hij was vermogend, had de juiste connecties en had als man in een cultuur waar aan die dingen buitensporig veel belang werd gehecht, al zijn hele leven eerbied en respect genoten van zijn directe omgeving.

Ondanks de klappen die zijn organisatie de afgelopen jaren had opgelopen bleven bin Ladens brieven opgewekt van toon. Zijn geloof liet geen ruimte voor twijfel, of zelfs maar vragen. Ondanks zijn omzwervingen door het Midden- en Nabije Oosten was bin Ladens wereld uiterst beperkt. Waar de man in het Witte Huis, Barack Obama, de man die belast was met de verdediging van de Verenigde Staten van Amerika, een verrassende samenvloeiing van ras en nationaliteit was, een man met een internationale jeugd en een brede liberale ontwikkeling, was bin Laden het tegenovergestelde. De Sjeik had een betrekkelijk smal levenspad bewandeld. Hij had al op jonge leeftijd de waarheid gevonden en had zich sindsdien tot het uiterste ingespannen om uitdagingen en tegenstrijdigheden binnen die waarheid het hoofd te bieden. Al voordat hij 's werelds meest gezochte voortvluchtige werd, waren zijn dagelijkse gewoontes, en de gewoontes die hij zijn gezin oplegde, zo gekozen dat contact met mensen buiten zijn kleine geloofskring minimaal bleef. De rituelen waar hij zich aan hield – het vasten, het mijden van andere vrouwen dan zijn echtgenotes, de extra dagelijkse gebedssessies – waren stuk voor stuk bedoeld om invloeden van buitenaf te weren. Ze waren bedoeld om zijn toewijding aan de zaak en zijn geloof in de uiteindelijke overwinning te versterken.

Overal zag hij hoopvolle tekenen.

'Wie naar de vijanden binnen de NAVO kijkt, met name Amerika, zal zien dat ze in grote moeilijkheden verkeren,' schreef hij. 'Dit jaar is hun slechtste jaar in Afghanistan geweest sinds de invasie. Het aantal doden is nog nooit zo hoog geweest, volgens hun eigen berichten. Hun financiële crisis duurt voort. Groot-Brittannië heeft zijn defensiebudget verlaagd, en Amerika is aan het bezuinigen op het Pentagon. Wie de wereld kent en begrip heeft van politiek weet dat ze de oorlog onmogelijk kunnen volhouden. Er is geen verschil tussen hen en de Sovjet-Unie, voordat die zich terugtrok uit Afghanistan.'

In zijn hart was bin Laden een fantast, en hier lag de kern van zijn fantasie. Hij was op zijn tweeëntwintigste het huis uit gegaan om zich te voegen bij hen die een ogenschijnlijk hopeloze zaak voorstonden: een panmoslimjihad om de Sovjet-Unie uit Afghanistan te verdrijven. De moedjahedien die deze strijd aangingen waren weinig meer dan een ongeoefend, slecht bewapend stelletje ongeregeld dat het opnam tegen een van de rijkste, best getrainde en bewapende en sterkste legers ter wereld. In later jaren zou bin Laden worden afgeschilderd als een moordzuchtige nihilist, als iemand die nergens in geloofde. Moordzuchtig was hij zeker, maar hij was allesbehalve een nihilist. Hij was een ware gelovige. Hij had een uitgewerkte visie op de wereld zoals hij wilde dat die was – sterker nog, waarvan hij zeker wist was dat die zo zou zijn, aangezien hij ervan overtuigd was dat de Almachtige God het zo bedoeld had. Hij geloofde in wonderen en voortekenen. Zijn leven lang verzamelde hij ze als bewijs van Gods goedkeuring. Zijn vastbeslotenheid om zich bij de jihad in Afghanistan te voegen was een geloofsdaad, en de nederlaag van de Sovjets bevestigde zijn overtuiging. Het was het eerste grote wonder op dit pad, het ene feit dat hem sterker dan wat dan ook overtuigde van zijn gelijk.

Als jongen, opgroeiend als een van de vierenvijftig kinderen van een Saoedische miljardair die zijn kapitaal in de aannemerij had vergaard, had bin Laden overwegend islamitische scholen bezocht. In het geloof vond hij een tegengif voor de wereldse leefwijze van zijn familie. Hij was een van de weinige bin Laden-telgen die hun opleiding volledig in Saoedi-Arabië genoten. Op het lesprogramma van de scholen die hij als jongen had bezocht had religieuze studie gestaan, maar ook wiskunde, geschiedenis, aardrijkskunde en Engels. Als jongen leerde hij redelijk goed Engels spreken. Hij behoorde tot de best opgeleide vertegenwoordigers van zijn generatie Saoedi's, opgegroeid in de jaren zestig. Hij had ook voor zijn vader gewerkt, aanvankelijk als gewoon werkman. Het bedrijf van bin Laden genoot faam als bouwer van wegen en delen van de moskeeën in Mekka en Medina. De jonge Osama werkte zich op tot voorman van een ploeg handarbeiders en gaf uiteindelijk zelf leiding aan bouwprojecten. Een van zijn specialismen was de aanleg van tunnels. Dit soort werk bracht hem in rechtstreeks dagelijks contact met moslimarbeiders van overal in de regio en van overal ter wereld: Egyptenaren, Jemenieten, Marokkanen, en zelfs Maleisiërs. Hierdoor breidden zijn ideeën over de moslimwereld zich uit tot ver voorbij die van de meeste beschermd opgevoede jonge Saoedi's, die hun eigen wahabitische versie van het geloof als superieur aan alle andere beschouwden. Tegelijkertijd werd bin Laden extreem vroom en vermeed hij alle contact met andere vrouwen dan zijn echtgenotes (met de eerste Najwa, trouwde hij op zijn zeventiende). Hij deed afstand van de luxueuze levensstijl van zijn omvangrijke familie en kwam in aanraking met het werk van de Egyptische geleerde Sayyid Qutb, een kleine, schriele, donkere, ziekelijke man met een hitlersnor die in 1966 door de Egyptische autoriteiten was opgehangen. Na zijn dood verwierven Qutbs boze woorden een vurige welsprekendheid voor degenen die dachten zoals hij.

Qutb had gefulmineerd tegen de snelle verwestersing van traditionele Arabische samenlevingen. Hij was een pleitbezorger van goddelijke onthulling in een gevallen moderne wereld en schreef bijtende kritieken op zowel de kapitalistische democratie als het communisme. Als fervent jodenhater bespeurde hij een geheime zionistische hand achter de meeste dingen die hij afkeurde en omarmde hij elke onzinnige vervalsing en mythe uit de antisemitische canon. De Koran, betoogde hij, was de enige ware weg. Alle wijsheid die de mensheid nodig had, lag verscholen in dit boek, aan de interpretatie waarvan hij zijn leven wijdde en dat hij zo uitlegde dat het in zijn eigen visie paste. Moslims hadden de waarheid in pacht, de enige waarheid, en hadden de plicht om, indien nodig met geweld, de confrontatie aan te gaan met ongelovigen. Regimes en staten die religieuze heerschappij in de weg stonden, waren *jahiliyya* – onwetende, pre-islamitische samenlevingen – en waren als zodanig een legitiem doelwit voor geweld. De strijdkrachten van God moesten de krachten van Satan bestrijden, te beginnen met de seculiere regimes van hedendaagse Arabische staten. Qutb riep de gelovigen op om te strijden voor één land waarin een zuivere, op de sharia, de islamitische wetgeving, gebaseerde samenleving zou worden gegrondvest, een bruggenhoofd voor gelovigen in een gevallen wereld, en om vanuit die basis rechtschapenheid te verspreiden, zo nodig met het zwaard. Het op die manier gecreëerde nieuwe kalifaat zou de beschaafde wereld als geheel doen buigen voor Gods wil. Op een moment waarop de meeste welgestelde Arabieren steeds seculierder werden en verder verwesterden, hun kinderen naar universiteiten in

Europa en de Verenigde Staten stuurden en leefwijzen omarmden die haaks op de Arabische traditie stonden, riep Qutb hen op de tegenovergestelde richting in te slaan.

Hij had een tijd lang in de Verenigde Staten gewoond – heel even in Colorado en daarna in Californië – en klaarblijkelijk had alles wat hij had gezien zijn haat jegens niet alleen Amerika, maar ook jegens het humanisme dat de intellectuele grondslag van de westerse wereld vormde, aangescherpt. Qutb, een veeleisende man die ongehuwd bleef en een afkeer leek te hebben van seks, hekelde de losbandigheid, het materialisme en de persoonlijke vrijheid van de kapitalistische democratie. Hij zag helder in dat die democratie met al haar zogenaamde respect voor religie overwegend seculier was geworden, en dat het geloof, dat voor hem het dynamische grondbeginsel van het leven was, in kapitalistische samenlevingen was gereduceerd tot iets wat meer weg had van een gebruiksartikel, alsof er verschillende smaken goddelijke waarheid bestonden die als artikelen in de schappen van een supermarkt klaarlagen om kopers in staat te stellen tot het maken van een keuze. Wat kon het God schelen aan welke waarheid iemand de voorkeur gaf? Er was maar één waarheid, en de taak van de mens was die eerbiedig te aanvaarden en te proberen in overeenstemming met die waarheid te leven. Het hele idee van tolerantie, of respect voor een veelheid aan overtuigingen, was hem een gruwel. Wie de waarheid niet omarmde, was verloren. Het marxisme, de grote concurrerende theorie in de westerse wereld, beschouwde hij als regelrechte afgoderij die de menselijke rede – 'rationeel idealisme' – boven openbaring stelde. Achter beide systemen, betoogde hij, ging het internationale jodendom schuil.

'Islam is een door God gegeven stelsel en heeft als doel het fundamentele grondbeginsel van Gods soevereiniteit en de menselijke onderworpenheid aan Hem alleen te vestigen,' schreef Qutb. 'Als zodanig heeft de islam het recht alle obstakels uit de weg te ruimen en zich vrijelijk tot mensen te richten, zonder de belemmeringen van een politiek stelsel of maatschappelijke gebruiken en tradities. Het is niet het geloof van een bepaald volk of het systeem van een bepaald land. Het is een door God gegeven stelsel voor de hele wereld. Het is een geloof dat zich niet aan enig individu opdringt, maar dat situaties en regimes slechts te lijf gaat teneinde individuen te bevrijden van abnormale invloeden die de menselijke natuur aantasten en de vrijheid van de mens inperken.'

De jonge Osama bin Laden was niet de eerste jongeling die zich liet meeslepen door een zuivere, simpele ideologie die beloofde keuzevrijheid tot stand te brengen door alles wat er niet mee in overeenstemming was te vernietigen. De Koran stond als een rots in de woelige wateren van de menselijke geschiedenis. Menselijke vooruitgang betekende maar één ding: in nauwere overeenstemming leven met de leerstellingen in het boek.

'Het islamitische concept van het Opperwezen staat volkomen los van dat van de mens en hoeft zich niet te ontwikkelen of te veranderen,' schreef Qutb. 'De Ene die dit concept schiep, kan zich voorstellingen maken die niet zijn begrensd door tijd of ruimte. Zijn kennis is ongevoelig voor de hindernissen van onwetendheid en gebrekkigheid; Hij kiest zonder te worden beïnvloed door passie of emotie. Bijgevolg heeft Hij voor de totale mensheid, waar en wanneer dan ook, een onwrikbaar principe gevestigd binnen het raamwerk waarvan het menselijk leven zich vrijelijk vooruit beweegt en ontwikkelt.'

Toen Qutb naar het schavot ging, beschuldigd van deelname aan een samenzwering van de Moslimbroederschap om de Egyptische leider Gamal Abdel Nasser te vermoorden, stonden zijn overtuigingen nog volledig overeind.

'De Moslimbroederschap is geen partij van prekers en zendelingen, maar eerder van goddelijke toezichthouders,' schreef hij. 'Hun missie is om, zo nodig met geweld, onderdrukking, morele anarchie, maatschappelijke wanorde en uitbuiting uit te roeien om zo een eind te maken aan de zogenaamd goddelijke rol van valse goden, en kwaad door goed te vervangen. "Bestrijd hen," zegt de Koran, "tot er geen onderdrukking meer is en de enige onderwerping die aan God is.'"

Bin Laden werd een 'goddelijk toezichthouder'. Als jongeman was hij geen studiehoofd en ook niet echt een denker en miste hij Qutbs welsprekendheid. Degenen die hem kenden vonden hem verlegen en weinig indrukwekkend. Maar hij was ambitieus, en rijk. Zijn steenrijke vader kwam in 1967 om bij een vliegtuigongeluk en liet een fortuin na dat groot genoeg was om elk van zijn nakomelingen op zijn minst multimiljonair te maken. De erfenis die bin Laden op zijn tiende ten deel viel werd op enkele tientallen miljoenen geschat. Maar hij dacht er niet aan zijn vermogen aan te spreken voor de bouw van een mooi huis of een luxeleven, iets wat veel van zijn broers en zussen wél deden. Zijn voorkeuren gingen de tegenovergestelde richting uit. Hij had een particuliere kostschool bezocht, maar tegen de tijd dat hij naar de King Abdulazzi-universiteit ging, om daar economie en businessmanagement te gaan studeren, preekte hij al eenvoud en leek hij hoofdzakelijk geïnteresseerd in religie en liefdadigheidswerk. Hij bleef deze interesses volgen tot het moment waarop de Sovjet-Unie Afghanistan binnenviel en hem in de richting dreef van wat zijn levenswerk zou worden.

Huthaifa Azzam was amper veertien jaar oud toen hij reageerde op de bel aan de poort voor zijn vaders huis in Jordanië. Hij zag een zeer lange, zeer slanke, getaande, bebaarde jongeman voor zich staan, gehuld in Arabische gewaden en met op zijn hoofd een eenvoudige witte tulband in plaats van de kenmerkende rood-wit geruite hoofdbedekking of *shemagh* die de meeste Saoedische mannen droegen. 'Is dit het huis van doctor Abdullah Azzam?' vroeg de bezoeker schuchter.

Azzam was een prominente Palestijnse islamist en geleerde wiens fatwa, 'Verdediging der moslimlanden, de eerste plicht na het geloof', opschudding had veroorzaakt in de Arabische wereld door op te roepen naar Afghanistan te trekken om daar verzet te plegen tegen de ongelovige Sovjets. Azzam had het niet bij preken gelaten. Hij was naar Pakistan verhuisd om zelf aan de heilige oorlog deel te nemen. Met als thuisbasis Peshawar, dicht bij de Afghaanse grens, had hij het, zoals hij het noemde, 'Dienstenkantoor' opgezet om Arabische vrijwilligers te rekruteren en op te leiden voor de strijd. Door het kantoor vervaardigde tijdschriften, foto's en video's verspreidden het nieuws over het heldhaftige religieuze verzet door de hele Arabische wereld, en hadden ook hun weg gevonden naar de jonge bin Laden. Azzam was voor een korte vakantie met zijn gezin in Jordanië toen de jonge Saoedi zijn vier uur durende reis maakte om bij hem aan te bellen. Deze jonge vrijwilliger onderscheidde zich van de meeste anderen door, uiteraard, zijn fortuin. Azzam moet verrukt zijn geweest. Die dag spraken de mannen urenlang, en tegen de avond was bin Laden rekruut. Hij verbond zich plechtig aan de zaak. Hij was echter als Saoedisch onderdaan nog loyaal genoeg om zijn terugreis met Azzam uit te stellen om eerst koning Fahd om toestemming te kunnen vragen. Hij kwam enkele weken later in Peshawar aan.

Op dat moment was bin Ladens geld van meer waarde voor de zaak dan zijn leiderschap of zelfs zijn leven, en dus bleef hij die eerste jaren met Azzam veilig achter de linies door op het Dienstenkantoor mee te helpen om andere jonge strijders voor de zaak te winnen. Maar dit zou niet zo blijven. Bin Laden was een romanticus en een dweper, en hij had zijn jihad niet gemaakt om achter de linies een veilig leventje te leiden. Hij raakte van Azzam vervreemd en ging steeds vaker om met Ayman al-Zawahiri, een radicale Egyptische arts die, na drie jaar gevangen te hebben gezeten, zijn vaderland had verlaten. Zawahiri werkte in een Rode Halvemaanziekenhuis in Peshawar. Hoewel hij maar zes jaar ouder was dan bin Laden, was hij een man met een bredere ervaring en opleiding en was hij zwaar verbitterd geraakt door de martelingen die hij had ondergaan toen hij in handen was gevallen van de Egyptische politie. Zijn boze radicalisme bracht bin Laden ertoe een actievere rol te gaan spelen in de heilige oorlog, en zelf een rasechte *moedjahied* te worden.

Bin Ladens toenemende extremisme begon zijn Palestijnse mentor zorgen te baren. Azzam, die aan een universiteit doceerde, maakte bezwaar tegen bin Ladens weigering om zijn kinderen naar school te sturen. De jongste van de twee mannen wilde dat Arabische rekruten aparte, religieus zuivere gevechtseenheden zouden vormen, terwijl Azzam geloofde dat de Arabieren beter zij aan zij met gewiekstere, meer ervaren Afghaanse strijders konden worden ingezet. Hij verzette zich ook tegen de toenemende onverschilligheid van zijn beschermeling tegenover het menselijk leven. Bin Laden had een brede definitie van 'ongelovige' omarmd. Tot dat moment had men onder de vijand Russische soldaten verstaan, en Afghanen die met hen meevochten. Ze waren per slot van rekening in oorlog. Bin Laden had de definitie uitgebreid. Die was nu van toepassing op elke Rus, en zelfs op elke niet-moslim. De door hem gevoerde oorlog was groter dan de oorlog die Azzam propageerde. De echtgenote van de oudere man, Samira, herinnert zich hoe haar man met bin Laden ruziede over het plan van de jongere man om een bom te plaatsen in een bus vol Russen die een bezoek brachten aan Pakistan.

'Je bent Pakistan op een visum binnengekomen,' zei Azzam tegen bin Laden. 'Het visum is een contract. Toen je het visum kreeg heb je ervoor getekend dat je geen problemen zou veroorzaken en je aan de wet zou houden. Een moslim zou geen contract moeten verbreken.'

'Pakistan is een moslimland,' zei bin Laden tegen hem, waarmee hij bedoelde dat niet-moslims er niets te zoeken hadden. Russen doden die Afghanistan waren binnengevallen en met geweld bezet hielden was iets heel anders, betoogde Azzam, dan onschuldige burgers belagen die op vakantie waren in een land dat hen verwelkomde.

'Dan raakt Rusland maar een bus vol mensen kwijt,' zei bin Laden laatdunkend. 'Nou en. Het maakt niets uit.'

Hem ging het niet meer alleen om het conflict in Afghanistan. Zijn geloof machtigde hem. God had hem aangeraakt. Het gaf hem het recht om te beslissen, om te doden.

Bin Laden had ook het idee dat de jihad van hem eiste dat hij zelf meevocht, en niet alleen anderen rekruteerde, trainde en betaalde om dat te doen. De oudere man deed maandenlang zijn best hem op andere gedachten te brengen, ongetwijfeld vanuit de overtuiging dat een levende Saoedische multimiljonair voor de zaak van grotere waarde was dan een dode. Maar bin Ladens besluit stond vast. Hij zou de grens oversteken en zich bij de strijd voegen. In 1987 brak hij met Azzam. Hij rekruteerde zijn eigen groep van ruim twintig Arabische strijders en creëerde het soort gevechtseenheid dat zijn voorkeur had: een zuivere, volledig Arabische strijdmacht van mannen die om zuiver religieuze redenen de strijd aangingen, en niet slechts omwille van het Afghaanse nationalisme. Uitgerust met wapens en bulldozers reden ze zo'n vijftien kilometer Afghanistan binnen, voegden zich bij een stel gelijkgestemde Afghaanse strijders, en begonnen met de bouw van een voorpost in de bergen nabij het dorp Jaji. Bin Laden versterkte een reeks bergkammen en begon met de aanleg van andere bouwwerken – naar zijn zeggen een school en een ziekenhuis – die hun aanwezigheid kenbaar maakten. Het lag in het meest oostelijke deel van Afghanistan, in ruig gebied, en was strategisch gezien niet van belang, althans niet in conventionele zin. Bin Laden doopte het al-Masada, het Hol van de Leeuw. Het lag in de buurt van een veel grotere Russische garnizoensplaats en was in de eerste plaats bedoeld om een aanval uit te lokken. Een praktisch ingesteld man als Azzam (die twee jaar later zou worden vermoord) moet dit roekeloos hebben geleken, maar bin Laden leefde in een romantische fantasiewereld, en in die wereld sneed al-Masada absoluut hout. De strijd ging niet slechts om Afghanistan, maar om de hele wereld. Het was het begin van een nieuw kalifaat, de geboorte van een nieuw moslimtijdperk. Hij was een krijger in de heilige oorlog, en krijgers wonnen geen veldslagen door cheques uit te schrijven, video's te maken en van achter de linies leiding te geven. In zijn visie was het idee niet om de Sovjets op het slagveld te verslaan, of het er zelfs maar levend af te brengen, maar om een dusdanig heldendom en een dusdanige vastberadenheid aan de dag te leggen dat ze de vechtlust van de moslimnatie als geheel zouden doen ontbranden.

'Zo God het wil, wordt het Hol van de Leeuw wat ons betreft het eerste waar de vijand op stuit,' vertelde bin Laden aan een Syrische journalist. 'Zijn positie als het eerste voor de vijand zichtbare kamp betekent dat zij zich met hun bombardementen in extreme mate op ons zullen richten.'

De Sovjets werkten bereidwillig mee en zetten zo veel napalm en conventionele bommen in dat de voorpost en het omliggende gebied van alle geboomte en vegetatie werden ontdaan. Vervolgens gingen ze frontaal in de aanval en omsingelden ze de gebouwen. De belegering duurde tweeëntwintig dagen en eiste aan beide zijden een zware tol. Onder bin Ladens mannen waren bedrevener strijders dan hij. Abu Hafs (Mohammed Atef, een Egyptische politieman die in 2001 zou worden gedood) en Abu Ubaidah (Ali Amin al-Rashidi, eveneens voormalig Egyptisch politieman, gedood in 1996), gingen voorop in vernietigende tegenaanvallen. De Sovjets gaven zich uiteindelijk gewonnen en bliezen de aftocht, waarmee ze de Arabische strijders aan een bezielende overwinning hielpen. Voor bin Laden had het zich ontvouwd als een wonder, als een duidelijk teken vanuit de hemel.

Later vertelde hij het aan een Syrische journalist aldus: 'Om zeven uur op de zevenentwintigste ochtend van de ramadan 1407 [april 1987] lagen de meeste mensen in het kamp vanwege de ramadan nog te slapen. Ik heb toen dingen gezien die ik, bij God, nog nooit eerder heb aanschouwd. Een Sovjetvliegtuig, een Mig geloof ik, vloog vlak voor ons langs toen een groep van onze Afghaanse moedjahedienbroeders zich groepeerde [en aanviel]. Vervolgens brak het vliegtuig in stukken en kwam het vlak voor onze ogen neer. Het is deze veldslag geweest die me de wilskracht heeft gegeven om door te gaan met deze oorlog.'

Volgens alle ooggetuigenverslagen vocht bin Laden dapper mee en stelde hij zichzelf net zo aan gevaar en extreem gebrek en koude bloot als de anderen in het kamp. Hij raakte in het gevecht gewond en lag, zoals hij later aan een interviewer vertelde, op een gegeven moment bewusteloos en bloedend in een loopgraaf, omgeven door zijn dode strijdmakkers. Hij werd uiteindelijk gered, maar pas na veel bloed te hebben verloren, een gebeurtenis waarvan hij later zou zeggen dat hij er de chronisch lage bloeddruk aan te danken had waar hij de rest van zijn leven aan leed. Bin Ladens bereidheid om zich aan gevaar bloot te stellen droeg in niet geringe mate bij aan zijn reputatie. Het deed er uiteindelijk weinig toe dat de veldslag praktisch gezien zonder enige betekenis was gebleven. De slag bij Jaji werd uitgeroepen tot een grote overwinning, en bin Laden, wiens idee het was geweest, was de grote held ervan. Verslaggevers trokken naar al-Masada om deze Saoedische multimiljonair te ontmoeten die met een welhaast suicidale overtuiging had gevochten. Een van hen, Ahmad Mufia Zaidan, een Pakistaanse verslaggever die voor een groep Arabische kranten werkte, trof een buitengewoon vrome jongeman aan die de touwtjes volledig in handen had, die de rol die ooit voor de veel beroemdere Azzam was weggelegd had overgenomen, en die omringd werd door toegewijde volgelingen. Bin Laden had zichzelf van een vanaf de zijlijn toekijkend rijkeluiszoontje met diepe zakken getransformeerd tot een in de frontlinies opererende moedjahedienleider.

Het leverde hem meer op dan alleen nieuwe rekruten. Het bevestigde zijn gevoel van voorbestemming. Tegen die tijd was hij uitgegroeid tot de Sjeik. Hij was dertig jaar oud, lang en mager, en hij bezat volle gelaatstrekken en een lange, donkere baard die zijn gezicht nog langer deed lijken. Hij had een voorkeur voor traditionele Arabische gewaden en cultiveerde een verheven, vroom voorkomen dat de indruk van een van trots verstoken nederigheid moest wekken. Hij was vroom op een theatrale manier. Zo nu en dan ontving hij groepen verslaggevers op audiëntie, en zat dan na elke vraag enkele tellen geluidloos gebeden te prevelen, alsof hij wachtte tot de Almachtige het antwoord voor hem had geformuleerd, om pas dan te spreken, met een stem die zo zacht was dat iedereen zich voorover moest buigen om hem te kunnen verstaan. Hij vastte één of twee keer per week en wees de eenvoudige genoegens en gemakken van het moderne leven, die hij zich moeiteloos kon permitteren, van de hand. Hij schuwde elektriciteit en stelde het zelfs in de warmste omstandigheden, zoals toen hij met zijn gezin in Soedan woonde, zonder airconditioning en zelfs zonder koelkast. Het hielp hem en zijn familie alleen maar zich te harden voor de ontberingen van oorlog, voor een leven op de vlucht. Volgelingen werden nu niet slechts aangetrokken door zijn reputatie, zijn oprechtheid, zijn moed en zijn overtuiging, maar ook door zijn geld. Zijn fortuin was nog altijd een sleutelfactor. Bin Laden kon mensen die de duizelingwekkende dagen van de jihad in Afghanistan hadden meegemaakt, en er het liefst hun loopbaan van wilden maken, aan middelen helpen. En hij beschikte over een vermetele visie. Voor de meeste Arabieren was het kalifaat oeroude geschiedenis, maar voor de Sjeik was het een lotsbestemming. God had hem uitverkoren. Dat hij de verbeten Russische belegering bij Jaji had overleefd sterkte hem in die overtuigingen. Qutb had opgeroepen tot een zuivere moslimstaat, een uitvalsbasis voor de verbreiding van de zaak. Afghanistan leek de aangewezen plek. Ten tijde van de bekering van het land tot de islam, in de zevende eeuw, werd het Khorasan genoemd. Nu was het al eeuwenlang een van de grote steunpilaren van het kalifaat. De Russen daar verslaan zou onder gelovigen diepe weerklank vinden. Het was, misschien, de juiste plek. En in bin Ladens gedachten was het begonnen bij al-Masada, waar de zuiveren van hart, in aantal en militaire kracht in de minderheid, rechtschapen weerstand hadden geboden aan Russische Migs en bommen en wekenlange, vastberaden aanvallen.

Toen deed het onmogelijke zich voor. Net zoals ze bij al-Masada de aftocht hadden geblazen, trokken de Russische legers zich in 1989 gefrustreerd uit Afghanistan terug. Binnen drie jaar stortte het Sovjetrijk zelf ineen, op de voet gevolgd door het bewind dat het in Kabul had achtergelaten. Bin Laden keerde naar Saoedi-Arabië terug met een uit de kluiten gewassen reputatie als architect van deze gigantische prestatie en verwierf zich nog meer volgelingen. Hij en de mannen die samen met hem bij Jaji hadden gevochten beschouwden zich als de spil in deze triomf en noemden zichzelf 'de basis' van al Qaida. Zij waren de ziel van wat bin Laden beschouwde als het kalifaat in wording, een waarachtige moslimnatie.

Dat was natuurlijk absurd. Meer dan wat dan ook waren de miljarden dollars aan Amerikaanse steun en wapens die Michael Vickers na de Sovjetinvasie naar Afghanistan had helpen dirigeren de bron geweest van de overwinning van de moedjahedien. Maar bin Laden was minder geïnteresseerd in de waarheid dan in de schijn, en als het om dat laatste ging waren hij en zijn volgelingen ware meesters. Hun stijl sprak boekdelen. Met hun lange baarden en haren, hun gebedsmutsjes en gewaden zagen ze eruit als figuren uit een ander, heiliger tijdperk. Ze omarmden bin Ladens ascetische levensstijl. Ze omarmden de strijd en de dood, pochend dat hun verlangen naar het martelaarschap groter was dan hun gehechtheid aan het leven zelf. Ze bonden de strijd aan met de macht. Ze waren ongekunstelde mannen, échte mannen. Hun sjofelheid zelf droeg hun authenticiteit uit. Ze waren vroom. Ze geloofden dat geluk en rechtvaardigheid geen zaken waren waar de beschaving naar op weg was, maar zaken die verloren waren gegaan.

Nu had de ondergang van de Sovjet-Unie natuurlijk meerdere oorzaken, waar de langdurige vernedering in Afghanistan zeker toe behoorde, maar in de ogen van de godvruchtigen was er maar één oorzaak: de hand van God had andermaal duidelijk ingegrepen in de menselijke geschiedenis, net zoals Hij dat in de legendes van weleer had gedaan. Geen serieus wetenschapper zou bin Laden een doorslaggevende rol in de verdrijving van de Sovjets uit Afghanistan toebedelen, laat staan een rol in de ineenstorting van de Sovjetstaat, maar in het hoofd van de Sjeik was dát hoe het was gegaan. Het leverde een geweldig verhaal op: machteloze mensen, die, zuiver van hart, vanuit een kansloze positie toch de zege behaalden. De Sjeik was dol op dit soort verhalen. Hij was zelf dichter, een excentriek dichter die zich graag verloor in het kosmische gebaar en in romantische clichés. Hij verheerlijkte geweld en dood in de strijd om het geloof te verdedigen, met eeuwenoude beeldtaal van zwaarden en strijdrossen, hoog oprijzende bergen en onverschrokken krijgers:

Hij kromt zich voorwaarts,
Kleurt de bladen der lansen rood.
God verhoede dat, mochten zij vallen,
Mijn oog afdwaalt
Van de uitmuntendsten der mensen.
Zoals de hengst mijn getuige is
Dat ik hen tegenhoud,
Zijn mijn steken als sintels van vuur
Die in vlammen uiteenspatten.

Hij gebruikte zijn gedichten om te duiden, aan te sporen en te werven in delen van de wereld die nog op stamverbanden en mondelinge overlevering gebaseerde tradities kenden, maar de gedichten drukten tevens uit hoe hij zichzelf zag, hoe hij geloofde dat de wereld was. Op jongere leeftijd had hij zijn gedichten op bruiloften en bij andere gelegenheden voorgedragen. Hij verbond zijn eigen leven en zijn hedendaagse strijd met beelden van een roemrijk verleden. De Sjeik stuurde zijn verzen vaak mee met zijn brieven en gaf opdracht ze bij belangrijke gelegenheden voor te lezen, te publiceren of uit te zenden. De overwinning in Afghanistan bracht de tijden van helden en indrukwekkende daden weer tot leven in het heden. Ook wij leven in een tijdperk van wonderen, dat was wat hij in zijn poëzie betoogde.

Na de ineenstorting van de Sovjetstaat leken zelfs zijn meest vergezochte ambities haalbaar. Toen Saddam Hussein Koeweit binnenviel schreef de Sjeik, die op dat moment in zijn geboorteland woonde, een reeks brieven aan koning Fahd waarin hij eiste dat Amerikaanse troepen de toegang tot Saoedi-Arabië werd ontzegd, en bood hij aan een leger moedjahedien op de been te brengen om de Irakese troepen eigenhandig te verjagen. Zijn verzoeken werden genegeerd. Huthaifa Azzam, die nog jaren na het Afghaanse conflict met bin Laden bevriend was gebleven, herinnert zich dat het de enige keer was dat hij de bestudeerd zachtmoedige sjeik ooit zijn zelfbeheersing zag verliezen. Bin Ladens verontwaardiging en gevoel te zijn verraden waren totaal. In zijn vaderland werd hij gevaarlijk genoeg geacht om onder huisarrest te worden geplaatst.

Nadat het koninkrijk had geweigerd om zijn plan voor een hernieuwde heilige oorlog over te nemen, en in plaats daarvan voor de praktischer optie koos om de Verenigde Staten en andere afvallige landen uit te nodigen om strijdkrachten bijeen te brengen voor de confrontatie met Saddam, verliet bin Laden Saoedi-Arabië voorgoed; hij reisde eerst naar Pakistan, vervolgens naar Soedan en daarna weer terug naar Afghanistan.

Toen Azzam junior in 1995 voor een conferentie in Soedan moest zijn ging hij langs bij bin Laden. Tijdens zijn bezoek, herinnert hij zich, ontmoette hij Khalid Sheik Mohammed, die zijn beruchte neef Ramzi Yousef bij zich had, een soennitische extremist die op dat moment voortvluchtig was en door de Verenigde Staten werd gezocht in verband met de eerste aanslag op het World Trade Center, twee jaar daarvoor. Azzam beschreef Yousef als een schriele man wiens bebaarde gezicht verminkt was geraakt bij een ongeluk tijdens het vervaardigen van explosieven. Zowel hij als zijn oom zou later in *The 9/11 Commission Report* worden gekarakteriseerd als 'ontwortelde maar ervaren strijders'. Yousef zou later dat jaar in Pakistan worden opgepakt. Volgens Azzam luisterde Khalid Sheik Mohammed toe terwijl Yousef een plan uiteenzette om opnieuw doelwitten in de Verenigde Staten aan te vallen, waaronder de torens van het World Trade Center, ditmaal door burgervliegtuigen te kapen en er de gebouwen mee binnen te vliegen. Hij wilde dat al Qaida hielp bij het rekruteren van martelaren en het inzamelen van geld voor hun reis naar de Verenigde Staten, om daar vlieglessen te nemen. Zoals Azzam het zich herinnert zei bin Laden: 'We hebben niets te maken met de Verenigde Staten. Waarom zouden we hen aanvallen?'

Dit kan omwille van Azzam zijn geweest, aangezien bin Laden de plicht om Amerika aan te vallen al jaren verkondigde. Nadat hij met Azzams vader had gebroken was de Sjeik een veel radicalere koers gaan varen. Huthaifa Azzam was niet de radicaal die bin Laden was geworden, en zou als verdacht worden beschouwd, mogelijk zelfs als spion. Het zou kunnen verklaren waarom bin Laden tijdens deze bijeenkomst Yousefs idee zo ostentatief verwierp. Al Qaida werd al verdacht van betrokkenheid bij aanslagen op en samenzweringen tegen Amerikanen, waaronder het sturen van militaire adviseurs naar Somalië in 1993 om leden van stamgebonden milities aldaar te helpen Amerikaanse helikopters aan te vallen, en het tot ontploffing brengen van een autobom in Saoedi-Arabië, waarbij vijf Amerikanen en twee Indiase soldaten omkwamen. Als het inderdaad zo is gegaan, is de bijeenkomst die Azzam beschrijft significant, aangezien het voor zover bekend de eerste keer zou zijn dat plannen voor 11 september bin Laden ter ore kwamen. Het idee voor de aanslagen wordt gewoonlijk toegeschreven aan Khalid Sheik Mohammed, maar Yousefs fixatie op de torens is goed gedocumenteerd. Hij bekende later dat hij hoop had gekoesterd dat de poging in 1993 de torens zou verwoesten en tweehonderdvijftigduizend mensen het leven zou kosten. Wat bin Laden tijdens de sessie ook zei, al Qaida zou het plan snel genoeg goedkeuren.

Bin Laden verliet Soedan toen aan al Qaida gelieerde terroristen en de Egyptische groepering Islamitische Jihad in verband werden gebracht met een mislukte moordaanslag op de Egyptische president Hosni Mubarak. Aansluitend nam de druk op de Soedanese regering toe en werd bin Laden uitgewezen. Hij had nog andere redenen om te vertrekken. Zo was er tijdens zijn verblijf daar minstens één mislukte aanslag op hem gepleegd en hadden de Saoedische autoriteiten de betalingen aan de al Qaida-leider van gelden uit zijn erfenis geblokkeerd. Nu de fondsen voor zijn ambitieuze projecten in Soedan waren opgedroogd, vertrok hij, in mei 1996, naar Afghanistan.

Drie maanden later, weer terug in het stoffige, ruige thuisland van het eerste grote wonder, hield bin Laden een persconferentie waarin hij de oorlog verklaarde aan 'de kop van de slang'. Hij haalde een lijst met aanklachten tegen Amerika aan en eiste dat hun strijdkrachten werden teruggetrokken uit 'het land van de twee Heilige Plaatsen' – Saoedi-Arabië. Het was tijd voor het volgende grote gevecht, preekte hij, een gevecht dat de andere supermacht van de wereld, de Verenigde Staten, omver zou werpen. Dat zou het einde betekenen van Israël, Amerika's satellietstaat, en de komst inluiden van het nieuwe islamistische tijdperk. Er was niets verhulds aan zijn plan, zoals hij ook toen hij in de buurt van het Sovjetgarnizoen bij Jaji met de bouw van al-Masada begon, geen geheim had gemaakt van zijn bedoelingen. Het hele idee was om de vijand openlijk tegemoet te treden, en er een vertoon van bezielde uitdagendheid van te maken. Sterker nog: het vertoon was belangrijker dan het welslagen. Onversaagdheid was de boodschap.

In 1998 vertelde hij ABC News-correspondent John Miller, die hij een vraaggesprek had gegund teneinde zich rechtstreeks tot een Amerikaans publiek te kunnen richten: 'Ik verklaar de Verenigde Staten de oorlog. Ik ga uw land aanvallen.'

Slechts weinig Amerikanen namen het dreigement serieus. In een godverlaten oord had de een of andere Arabische mafkees de Verenigde Staten de oorlog verklaard. Het land had wel belangrijkere dingen aan het hoofd. Seks, om maar wat te noemen. De voormalige Witte Huis-stagiaire Monica Lewinsky zei dat ze seks had gehad met president Clinton, iets wat Clinton hardnekkig ontkende. Hillary Clinton gooide het op een 'enorme rechtse samenzwering'. Voorzitter Newt Gingrich van het Huis van Afgevaardigden, die op dat moment zelf een buitenechtelijke relatie onderhield met een drieëntwintig jaar jongere stafmedewerkster, had het initiatief genomen voor een impeachmentprocedure tegen de president. Sterbasketballer Michael Jordan stelde de zesde NBA-titel van de Chicago Bulls veilig door in de slotseconden van zijn laatste wedstrijd voor het team met een sprongschot de bal door het netje te mikken. Bin Laden was van belang voor degenen wier taak het was de Verenigde Staten tegen buitenlandse dreigingen te beschermen, maar zoals we hebben gezien, achtte men zelfs in die kringen een plaats op de urgentielijst voor hem niet nodig.

Maar bin Laden had grootse plannen, én hij had de middelen om ze ten uitvoer te brengen. Bomaanslagen op Amerikaanse ambassades in Nairobi en Dar es Salaam in 1998, en de aanslag op de USS Cole twee jaar later, trokken Amerika's aandacht, maar al

Qaida werd door de meeste mensen binnen de inlichtingendienst-en militaire gemeenschap nog altijd als alleen maar lastig gezien. Dodelijk, jawel, en dat werd steeds erger, maar voorlopig alleen nog lastig. Bin Ladens eigen leven werd ingewikkelder doordat de regering-Clinton zich grotere inspanningen getroostte om hem op te sporen en te doden. Twee van bin Ladens echtgenotes verlie-ten hem gedurende deze periode en kozen ervoor vaarwel te zeg-gen. Maar het hele daaropvolgende decennium zette bin Laden door; hij trainde rekruten, smeedde plannen en legde het funda-ment voor het volgende wonder.

De val van de torens van het World Trade Center was zijn reha-bilitatie. Kon de wereld zich een groter bewijs van Gods bedoelin-gen wensen? Hij hechtte grote waarde aan symbolen. Hij had lang gezocht naar een manier om een vernietigende slag toe te brengen door de Amerikaanse financiële, militaire en overheidscentra te treffen. Het had een onmogelijk doel geleken. Wie dacht dat het hem zou lukken was gek – of geïnspireerd.

De ineenstorting van het World Trade Center was het tweede grote wonder in zijn leven geweest. De val van de gezichtsbepalen-de torens in Manhattan, symbolen van de welvaart en de macht van de enig overgebleven ongelovige supermacht ter wereld, leek een voorbode van de ophanden zijnde ineenstorting van Amerika zelf. Het was het volgende bewijs dat de weg die hij volgde godde-lijk geïnspireerd was.

Zelfs in zijn stoutste dromen had hij niet gedacht dat de vlieg-tuigen de torens volledig zouden doen instorten. De fysieke kracht van de botsende vliegtuigen, de ontploffende brandstof en het daaropvolgende dubbele inferno waren op zichzelf, zo was zijn overtuiging, als verklaring onvoldoende. Op een videoband die weken na de aanslagen door Amerikaanse soldaten in Kanda-har werd gevonden is bin Laden te zien terwijl hij tevreden staat te praten met een groep welwillende Saoedische bezoekers en af-wisselend God looft en de opmerkelijke afloop viert, waarbij hij de aanslagen in magische termen schildert. Het was een bekend gebruik in religieuze gemeenschappen. Je versierde de waarheid met dromen en voortekenen, verweefde het bovennatuurlijke met de feiten en gaf ze een vleug goddelijke goedkeuring mee.

Op de videobeelden zat bin Laden geknield op een groot kussen met zijn in legerstijl uitgevoerde camouflagejack aan, zijn hoofd omwikkeld met een witte tulband, en sprak hij zo zacht dat zijn woorden amper hoorbaar waren. Als hij het woord had, deden de anderen in de ruimte er het zwijgen toe. Bin Laden oogde stijfjes, mogelijk doordat hij wist dat hij op video werd vastgelegd, en hief zijn lange slanke linkerhand en twee vingers op de manier van Christus of een heilige op een oude icoon. Op oudere foto's, voordat hij zo berucht werd, lijkt hij ontspannener en menselijker, zelfs elegant, en worden zijn lange, smalle gelaatstrekken veelvuldig verlevendigd door een glimlach. Nu was hij belangrijk. Hij nam de pose aan van een belangrijk iemand. Hij zei dat hij de week daarvoor bericht had ontvangen van de precieze dag van de aanslagen, en dat hij dus voorbereid was geweest op het nieuws. In Jalalabad was het vroeg in de avond geweest. Hij beschreef hoe hij en zijn mede-moedjahedien zich rond een radio hadden geschaard om naar de Arabischtalige uitzending van de BBC te luisteren.

'Op basis van de positie van de toren hadden we vooraf het te verwachten aantal slachtoffers onder de vijand berekend,' legde hij uit. 'We berekenden dat er [op zijn hoogst] drie of vier verdiepingen zouden worden geraakt. Door mijn ervaring op dit terrein [civiele techniek] was ik de meest optimistische van de aanwezigen. Ik dacht dat het vuur van de kerosine in het vliegtuig de ijzeren constructie van het gebouw zou doen smelten, en alleen het gedeelte waar het vliegtuig insloeg en de bovengelegen verdiepingen zou doen instorten. Dat was alles waar we op hadden gehoopt.'

Toen de anderen begonnen te juichen nadat het eerste vliegtuig was ingeslagen zei bin Laden dat ze geduld moesten hebben. Er zou nog meer nieuws volgen. Tussen de inslag van het eerste en het tweede vliegtuig zaten twintig minuten en tussen het eerste vliegtuig en het vliegtuig dat het Pentagon trof een uur.

Evenzeer als het eerste wonder leek dit een enorme mijlpaal in zijn strijd te zullen worden. Maar in eerste instantie aarzelde hij met het opeisen van de eer.

Hij liet zijn keus vallen op Hamid Mir, een bekende Pakistaanse journalist die hem jaren eerder had ontmoet en geïnterviewd. Zoals Mir me vertelde bevond hij zich in zijn kantoor in Islamabad toen de aanslagen van 11 september plaatsvonden. Binnen enkele uren stond er een koerier voor de deur met een schriftelijke verklaring van de Sjeik. Mir herkende de boodschapper. Hij had hem gezien bij zijn eerste ontmoeting met bin Laden, jaren daarvoor in Kandahar. De verklaring luidde: 'Ik prijs al degenen die die operatie hebben uitgevoerd. Maar ik ben er niet rechtstreeks bij betrokken.'

Mir zei tegen de boodschapper: 'U hebt direct na de aanslagen contact met me opgenomen en was binnen enkele uren bij mij op kantoor, wat betekent dat u op dat moment niet in Afghanistan was. Dat houdt in dat bin Laden u deze verklaring vóór de aanslagen heeft overhandigd. En dat betekent dat jullie op de hoogte waren van de aanslagen.'

De koerier beriep zich op onwetendheid.

'De Sjeik heeft me deze brief alleen maar gegeven. Hij zei: "Je neemt om zes uur contact op met de heer Mir, bent om zeven uur bij hem op kantoor en komt dan terug." Dus dat was mijn opdracht en die heb ik vervuld, oké? Tot ziens.'

De boodschapper vertrok.

Mirs journalistieke reputatie in Pakistan is omstreden. Hij heeft de regering daar vaak tegen zich in het harnas gejaagd en is ervan beschuldigd sympathiek te staan tegenover extremisten, maar zijn artikelen worden wereldwijd erkend als geloofwaardig en vaak uitzonderlijk. Zijn talrijke aanvaringen met de Pakistaanse bureaucratie hadden hem onder westerse verslaggevers een glanzende reputatie opgeleverd als onafhankelijke geest, en hij werd in de dagen direct na de aanslagen dan ook benaderd door velen die op zoek waren naar enig inzicht in al Qaida. Na op CNN in Larry Kings praatprogramma te gast te zijn geweest werd Mir opnieuw benaderd door een van bin Ladens koeriers, met de melding dat de Sjeik hem wilde spreken. En dus reisde Mir in november 2001 af naar Jalalabad, op jacht naar de primeur van zijn leven. Bin Laden was nu de meest gezochte voortvluchtige ter wereld.

Mir zei dat hij na aankomst in Jalalabad een hele dag wachtte voordat hij werd benaderd door een groep laaggeplaatste al Qaida-figuren, die zeiden dat ze niets van een ontbieding door bin Laden af wisten.

'We hebben geen idee waarom u hier bent of wie uw aanwezigheid gewenst acht,' zei een van hen. 'We weten het niet, maar wacht u maar even.'

Opnieuw verstreken er uren. Uiteindelijk werd contact opgenomen met Mir en kreeg hij de instructie naar Kabul af te reizen. Hij bracht meerdere dagen door in de Afghaanse hoofdstad, waar hij van de ene naar de andere schuilplaats werd overgebracht. De Amerikaanse invasie was inmiddels al weken aan de gang en de val van de taliban was nog slechts een kwestie van dagen. De hoofdstad zette zich schrap voor tumultueuze veranderingen. Hij kon dag en nacht bommen horen neerkomen op de stad, explosies die de aarde deden beven. Overal om hem heen was het islamistische koninkrijk in aanbouw bezig uiteen te vallen. Mir vreesde dat hij het er niet levend af zou brengen. Als hij niet het slachtoffer werd van een Amerikaanse bom, zouden de al Qaida-strijders het karwei wel afmaken. De ochtend van 8 november, zes dagen voordat de taliban de stad ontvluchtten, werd hij onder escorte naar bin Laden en Ayman al-Zawahiri gebracht. De twee mannen zeiden dat ze naar Kabul waren gekomen om de begrafenis van een kameraad bij te wonen.

Bin Laden leek op een verheven manier onaangedaan door de ramp die zich om hem heen voltrok, en in opperbeste stemming. In gezelschap van de twee meest gezochte mannen ter wereld, omgeven door andere leden van hun groepering, stak Mir zenuwachtig van wal. Hij vroeg: 'Bent u verantwoordelijk voor 11 september?'

Bin Laden reikte met één lange vinger voorover en zette Mirs taperecorder uit.

Hij vroeg: 'Kunt u George W. Bush de volgende vraag stellen: "Bent u verantwoordelijk voor de moord op talrijke moslims in Palestina en Irak?"'

'Nee, dat kan ik niet, aangezien ik de kans niet krijg hem te interviewen,' zei Mir.

'Goed, maar als u die kans wel krijgt en u deze vraag stelt, zal hij dan antwoord geven?'

'Nee,' zei Mir.

'Waarom stelt u mij die vraag dan?'

'Omdat hij een politicus is en u een strijder bent,' zei Mir, die snel nadacht en vervolgens terugviel op de meest beproefde tactiek van iedere journalist: vleierij. 'U noemde uzelf moedjahied, dus moet er een verschil zijn tussen een politicus en een moedjahied. Moedjahedien spreken altijd de waarheid. U moet mijn vraag beantwoorden.'

'Off the record, ja,' zei bin Laden. Vervolgens zette hij de recorder weer aan. 'Ik kan uw vraag niet beantwoorden, aangezien mijn antwoord de taliban in de problemen zal brengen.'

De taliban hadden duidelijk al problemen genoeg. Buiten ontploften er bommen zo dichtbij, dat de journalist zichtbaar schrok. Het amuseerde bin Laden.

'O, meneer Mir, misschien wordt u hier vandaag wel samen met mij gedood,' zei hij, lichtjes de spot met hem drijvend. 'U bent hier om mij te interviewen en misschien zult u niet in staat zijn het vraaggesprek bij uw krant te krijgen. Wat moet er van u worden?'

Bin Laden en de anderen lachten. Ze spraken urenlang. Mir werkte een lijst met vragen af die hij van tevoren had opgesteld. Ze bespraken de verschillende moordaanslagen die op bin Laden waren gepleegd, en na Mirs recorder opnieuw te hebben uitgezet sprak de Sjeik uitgebreid over zijn minachting voor de Irakese dictator Saddam Hussein en Libiës sterke man, Muammar Gadaffi, die geen van beiden hadden deelgenomen aan de strijd tegen de Sovjet-Unie jaren daarvoor. Mir stelde de Sjeik een vraag over wijdverbreide berichten dat hij aan een nierziekte leed en dialyse moest ondergaan. Bin Laden lachte andermaal. Hij beloofde na afloop van het vraaggesprek nader op de vraag te zullen ingaan. Dus toen Mir klaar was met zijn vragen werd er voor hen een ontbijt binnengebracht: olijven, kaas, brood en boter, rundvlees. Bin Laden begon gretig te eten.

'Een nierpatiënt kan niet veel eten,' zei hij tegen Mir. 'Ziet u dit rundvlees? Ik eet rundvlees. Ziet u deze kaas? Ik eet kaas.'

Mir keek Zawahiri aan, die bin Laden bijviel. 'Inderdaad, als arts kan ik bevestigen dat nierpatiënten niet veel kunnen eten.'

'Ik kan zeventig kilometer op mijn paard rijden zonder één keer te stoppen,' zei bin Laden.

Hij hield Mir veel langer aan de praat dan de journalist had verwacht, of gewild. De Pakistaanse verslaggever, die door zijn vragen heen was, popelde om weg te gaan en de stad te verlaten. Hij wist dat bin Laden heel goed een doelwit zou kunnen zijn voor Amerikaanse bommen. Na deze gedachtewisseling over zijn gezondheid vroeg Mir: 'Kan ik nu gaan?'

'Nee,' zei de Sjeik. 'U blijft nog even bij ons theedrinken, dan kunt u nog wat andere vragen stellen, die niet voor publicatie zijn bedoeld.'

Bin Laden vertelde Mir dat zijn jongste vrouw op de dag na de

aanslagen in Amerika was bevallen van een dochter, die hij Safiyah had genoemd.

'Waarom Safiyah?' vroeg Mir.

Bin Laden legde uit dat Safiyah een tante van de Profeet was
die als vroege bekeerling tot de islam al haar bezittingen had opgegeven om zich bij het geloof te voegen, deel had genomen aan
veldslagen en in de verdediging van het geloof ongelovigen had
gedood.

'Overweegt u nu om de vrouwelijke leden van uw gezin in uw
strijd tegen de Amerikanen te betrekken?' vroeg Mir, zich bewust
van de strikt traditionele opvattingen van de Sjeik over de rol van
vrouwen. Bin Laden moest lachen.

'Misschien treedt Safiyah wel in de voetsporen van haar vader,'
zei hij; hij hield de boot af toen Mir de uitspraak al te serieus leek
te nemen.

'Laat maar zitten, laat maar zitten,' zei hij.

'Nee, voor mij is het erg belangrijk.'

'Oké, u kunt gerust zijn dat Safiyah geen moedjahied wordt,
maakt u zich geen zorgen', en opnieuw moest hij lachen. En uiteindelijk zei de Sjeik: 'Goed, u kunt gaan.'

Ondanks de niet-aflatende aanvallen door de Amerikanen en
de ophanden zijnde nederlaag van de taliban was de Sjeik vervuld
van aan het resultaat van 11 september ontleend zelfvertrouwen.
Alles ontrolde zich zoals hij had voorspeld.

Anders dan zijn geschokte vijanden beschouwde de Sjeik geen
van de in zijn opdracht gepleegde aanslagen als buitensporige terreur. Het waren vergeldingsacties. Ze waren niet alleen gerecht-
vaardigd, maar ook goddelijk geïnspireerd. Ze waren zijn plicht.

'Wij doden ongelovige burgers in ruil voor de kinderen van ons
die zij hebben gedood,' zei hij vijf maanden na de aanslagen van
11 september tegen een interviewer van Al Jazeera, waarbij hij een
door hem vaak gebruikte schatting aanhaalde dat er in Irak een
'miljoen kinderen' waren omgekomen als gevolg van door de vn

opgelegde sancties tegen dat land, een getal dat de meeste serieuze waarnemers absurd hoog vonden. Gevraagd naar de kinderen die zich in een in het World Trade Center gevestigde school hadden bevonden redeneerde hij als volgt: '[Vergelding] is zowel juridisch als intellectueel toelaatbaar. De mannen die God bijstond [op 11 september] waren er niet op uit om baby's te doden, ze waren er- opuit om de sterkste militaire macht ter wereld te vernietigen, om het Pentagon aan te vallen, waar meer dan vierenzestigduizend werknemers huizen, een militair centrum dat militaire inlich- tingendiensten herbergt. De twee torens zijn een economische macht, en geen kleuterschool.'

Het loont de moeite hier te vermelden, en voor de meesten be- hoeft het geen betoog, dat Osama bin Ladens ideeën niet nieuw waren, en buiten zijn betrekkelijk kleine kring volgelingen weinig weerklank vonden. Ze stamden uit een bedenkelijke uithoek van de geschiedenis, uit een tijd waarin heksen en ketters op markt- pleinen op de brandstapel eindigden. Het waren puberale idee- en, in de zin dat ze opzettelijk voorbijgingen aan alles wat eraan vooraf was gegaan. Terwijl er veel mensen zijn die graag geloven dat bepaalde oude geschriften letterlijk het woord van de een of andere god zijn, zijn er maar weinigen die zover willen gaan dat ze het ombrengen van degenen die het niet met hen eens zijn, of althans degenen wier dood hun doel dichterbij brengt, als een hei- lige plicht beschouwen. Hier was sprake van een filosofie die nooit meer dan een kleine groep toegewijde fanatici zou aanspreken. Maar een van de eigenaardigheden van de wereld van vandaag is dat, dankzij de telecommunicatie, zeer kleine groepen gelijkge- stemden, zelfs als ze over de aardbol verspreid zijn, een geloofs- gemeenschap kunnen vormen. Ze kunnen elkaar inspireren en op den duur een invloed uitoefenen die ver uitgaat boven hun fei- telijke aantal of aantrekkingskracht. Bin Ladens groepering was de eerste die deze hulpmiddelen gebruikte om hun netwerk tot een dodelijke macht uit te bouwen. Het idee om volgetankte verkeersvliegtuigen in geleide projectielen te veranderen verschafte al Qaida in feite de vernietigingskracht van een bescheiden luchtmacht of een klein arsenaal raketten. De zelfmoordterroristen die de klus klaarden waren in het buitenland opgeleid, gefinancierd via wereldwijde geldoverboekingen en aangestuurd per telefoon en e-mail. De aanslagen zelf waren bedoeld om een gruwelijk schouwspel op te leveren dat de wereld over zou gaan, waarbij de televisie voor het publiek zorgde, compleet met herhalingen en analyses voor degenen die pas later hadden ingeschakeld. Het was een beweging die in het verleden leefde, maar in tactisch opzicht toekomstgericht was.

3
Te wapen

EIND VAN DE ZOMER 2010

'Meneer de president, Leon en de jongens in Langley denken dat ze mogelijk iets te weten zijn gekomen.'

Tom Donilon kwam met deze melding op een dag in augustus, aan het eind van president Obama's ochtendbriefing. In plaats van door een CIA-analist te worden gebriefd over gevoelige nationale veiligheidskwesties, zoals president Bush dat had gedaan, liet Obama zich liever bijpraten door Donilon, zijn plaatsvervangend adviseur nationale veiligheid. Donilon zou deze gewoonte ook na zijn aantreden als hoogste man van de National Security Council, een paar maanden later, blijven voortzetten. Het was de tijd van het jaar waarin in Washington niet veel gebeurde. De hitte en de luchtvochtigheid joegen iedereen de hoofdstad uit, op de meest volhardende toeristen en degenen die niet anders konden dan blijven na.

'Iets over bin Laden,' zei Donilon. 'We weten nog niet wat precies, maar het lijkt me een goed idee ze uit te nodigen voor een briefing.'

Donilon was al sinds de eindfase van diens in 2008 gevoerde campagne nauw bij Obama betrokken. Toen was hem gevraagd opnieuw de rol op zich te nemen die hij voor president Clinton had vervuld door deze te coachen voor een reeks officiële debatten met zijn Republikeinse rivaal. Voor Donilon, die zijn werk als lobbyist voor Fannie Mae een aantal jaren had voortgezet en partner was geworden bij het Washingtonse advocatenkantoor

O'Melveny & Myers, was het tijdperk-Bush een lange onderbreking geweest van zijn regeringswerk. Zijn hart lag echter nog altijd bij de politiek, en toen hij door Obama's campagneteam werd gevraagd om de kandidaat te helpen zich voor te bereiden op de confrontatie met de Republikeinse kandidaat John McCain, aarzelde hij geen moment. Hij geloofde in het belang van presidentiële debatten. Niet alleen gaven ze het publiek een beter beeld van de kandidaten, ze dwongen hen ook de zwakke punten in hun denken en hun beleidsvoornemens te onderzoeken en er voor een miljoenenpubliek de confrontatie mee aan te gaan. Een van de eerste aanbevelingen die hij tegenover Obama deed, en die ook werd overgenomen, was om met McCain allereerst in debat te treden over vraagstukken op het gebied van buitenlands beleid, omdat dat juist een terrein was waarop de oudgediende senator en oorlogsheld sterk in het voordeel leek. McCains veelbesproken diensttijd in Vietnam, waar hij vijf jaar krijgsgevangen zat nadat hij met zijn A-4E Skyhawk boven Hanoi was neergehaald, en zijn zesentwintig jaar als Congreslid, legden een enorm gewicht in de schaal in vergelijking met Obama, die vijfentwintig jaar jonger was dan McCain, nooit in militaire dienst was geweest en zijn eerste termijn in de Senaat nog moest uitdienen. Op papier was McCain een stuk beter gekwalificeerd voor de functie. Maar presidenten werden niet aangenomen, maar gekozen, en zelfs het indrukwekkendste cv kon niet op tegen de indruk die de kandidaten op het publiek maakten. Als Obama op de landelijke televisie kon laten zien dat hij tegenover McCain zijn mannetje stond in een debat over nationale veiligheid, konden de kiezers zich hem beter voorstellen als hun nieuwe president, dacht Donilon. En hoe eerder dat gebeurde, hoe beter. Hij meende dat Obama in die opzet was geslaagd.

Zijn rol in het voor een debat klaarstomen van de kandidaat hield in dat hij hem vóórdat deze het podium betrad confronteerde met de fouten in zijn denken. In die zin was Donilon een van de zeer weinigen in Obama's entourage die de taak hadden om tegen hem aan te schoppen en te proberen de onverstoorbare kandidaat van zijn à propos te brengen. Hij deed zijn best om Obama wakker te schudden, prikte gaten in zijn betoog, plaatste vraagtekens bij de feiten waarmee hij kwam en dwong hem met meer te komen dan alleen op de zeepkist beproefde succesnummers en gelikte uitspraken.

'Goed, dus dat gaat u op verkiezingstournee zeggen,' zei hij dan strijdlustig, 'maar als er nou wordt doorgevraagd, wat bedoelt u dan echt?'

Of: 'U zegt dat nou wel, maar bent u ook bereid om dat als president waar te maken?'

Of, afkeurend snuivend na een van de kenmerkende wijdlopige antwoorden van de kandidaat: 'En dat denkt u in anderhalve minuut over het voetlicht te gaan brengen?'

De kandidaat moet ingenomen zijn geweest met deze aanpak, want hij had zijn kwelgeest al die tijd aan zijn zijde gehouden. Donilon ontdekte dat Obama over een goed stel hersens beschikte en diepgaande kennis had van de Amerikaanse geschiedenis en wetgeving. In discussies was hij lastig te verslaan. Om de degens met hem te kruisen moest je tot in de puntjes voorbereid zijn, omdat anders een afgang je niet bespaard bleef. Als man die met zijn lichaam sprak had Obama de gewoonte om een slecht onderbouwd argument terzijde te schuiven met een geamuseerde glimlach, of een subtielere gelaatsuitdrukking, zoals een afkeurend opgetrokken wenkbrauw of een scheef gehouden hoofd. Donilon deed zijn best om dat soort blikken en dat soort lichaamstaal eruit te krijgen. Hij was een verfrommeld voortbrengsel van de overvolle burelen waarin de National Security Council huisde, en werd buiten de wandelgangen van het Witte Huis maar zelden gesignaleerd. Door de pers werd hij zelden geïnterviewd, en het was alsof hij geen ego had. Obama was streng voor zijn naaste medewerkers, maar Donilon was zo mogelijk nog strenger voor zichzelf. Hij gaf zichzelf na elke werkdag een beoordeling: 'hoog' of 'laag'. Obama had hem gevraagd het voorzitterschap op zich te nemen van zijn overgangsteam voor het ministerie van Buitenlandse Zaken en plaatste hem vervolgens daarna als NSC-staflid onder generaal James Jones. Jones, een oud-commandant bij de mariniers, was deels aangetrokken om als brug te fungeren naar het Amerikaanse militaire apparaat, waarmee Obama vrijwel geen directe ervaring had, en had vanaf het begin gezegd dat hij maar een jaar of twee op die post zou blijven. Donilon werd onmiddellijk gezien als Jones' waarschijnlijke opvolger.

Hij was bijzonder ingenomen met het feit dat hij de president iets nieuws kon melden over bin Laden. Al meer dan zeven jaar, sinds het moment waarop bin Laden tijdens een mislukte belegering door geallieerde troepen uit de bergachtige voorpost Tora Bora was ontkomen, was er geen spoor meer geweest van 's werelds beruchtste terrorist. Hoewel de regering-Bush jarenlang staande had gehouden dat hij zich ergens in de bergachtige regio's van Noordwest-Pakistan ophield, hadden ze in werkelijkheid geen idee. Er waren jaren verstreken zonder enig aanknopingspunt, zonder ook maar één waarneming. Bij zijn aantreden was Obama vastbesloten om de klopjacht nieuw leven in te blazen.

Op 26 mei 2009, vier maanden na zijn aantreden, had hij een gewone nationale veiligheidsbriefing in de Situation Room beëindigd door naar Donilon, Leon Panetta, zijn zojuist benoemde CIA-directeur, Mike Leiter, directeur van het National Counter Terrorism Center, en Rahm Emanuel, zijn chef-staf, te wijzen.

'Jij, jij, jij en jij,' zei hij. 'Kom mee naar boven. Ik wil iets met jullie bespreken.'

Het viertal volgde Obama over een korte trap en door de doolhof van smalle gangen van de West Wing naar het Oval Office. Vanuit de rozentuin kwam de middagzon door de ramen binnenvallen. Ze bleven staan. Dit was iets waar de president over had zitten nadenken, een snelle gedachte die hij hun persoonlijk duidelijk wilde maken. Ze waren inmiddels lang genoeg in functie om vat te hebben gekregen op Amerika's enorme inlichtingenapparaat, lang genoeg om zich volledig thuis te voelen in hun nieuwe rol.

Obama, vertelde Donilon me later, zei: 'We gaan het volgende doen. Ik wil dat de jacht op Osama bin Laden en al-Zawahiri weer de hoogste prioriteit krijgt. Ik ben bang dat het spoor is doodgelopen. Dit moet topprioriteit krijgen. Wat nodig is, is leiderschap vanuit de top van jullie organisaties. Het is jullie taak ervoor te zorgen dat we al het mogelijke doen om de top van al Qaida klein te krijgen, en dan met name die twee. En ik wil dat er regelmatig aan mij persoonlijk verslag wordt uitgebracht, en ik wil de verslagen vanaf dertig dagen na nu binnen zien komen.'

Donilon ging aan de slag en hamerde het punt er bij iedereen in met een door de president ondertekend memo. Hij stuurde het naar elk van de aanwezigen. Het luidde: 'Om er zeker van te zijn dat we al het mogelijke hebben gedaan wil ik van jullie persoonlijk een gedetailleerd plan van aanpak voor het opsporen en bestraffen van Osama bin Laden.'

Het korte beraad in het Oval Office was, anders dan vrijwel iedere andere minuut van de werkdag van de president, niet gepland geweest en door Obama niet vooraf met Donilon besproken. De president had genoeg andere dingen aan zijn hoofd. Hij was begonnen met de terugtrekking van Amerikaanse troepen uit Irak en was het lopende conflict in Afghanistan aan het revalueren. Hij had toestemming gegeven voor een geheime cyberoorlog tegen Irans pogingen om verrijkt uranium voor kernwapens te produceren en probeerde een wereldwijde coalitie bij elkaar te brengen om via economische druk op dat land de Iraanse jacht op een eigen kernwapen te beëindigen. Hij had het geheime programma om al Qaida-leiders die zich in Pakistan en andere landen ophielden met drones aan te pakken fors uitgebreid, waarmee hij de organisatie onder een niet-aflatende dagelijkse druk zette. Hij probeerde China's groeiende militaire aanwezigheid te beantwoorden door de Amerikaanse strijdkrachten dichter in de buurt van de landen rond de Grote Oceaan te laten opereren. Als hij met zijn nationale veiligheidsteam bijeenkwam stond er dus genoeg op de agenda. Maar zoals de president me later vertelde kwam hem niet genoeg over bin Laden ter ore om hem ervan te overtuigen dat ook echt alles in het werk werd gesteld, dat echt al het mogelijke werd gedaan. Hij wilde er zeker van zijn dat de juiste mensen beseften welke hoge prioriteit dit voor hem had. En in de maanden die waren gevolgd, tussen de maandelijkse rapportages door, had hij de zaak keer op keer ter sprake gebracht. Het was één van een reeks zaken die hij bij vrijwel elke veiligheidsbijeen- komst aan de orde stelde. Hij informeerde steevast naar cybervei- ligheidsprojecten, en ook steevast naar Osama bin Laden.

Obama's stijl van leidinggeven hield in dat hij heldere, consis- tente prioriteiten presenteerde en daarop geconcentreerd bleef tot ze waren verwezenlijkt. Zo'n twee keer per jaar kwam hij meerde- re uren met het nationale veiligheidsteam bijeen met niets anders op de agenda. Dan had hij een geel schrijfblok bij zich waarop hij zijn prioriteiten had genoteerd, in een handschrift dat zo klein en nauwgezet was, dat het vanaf de andere kant van de ruimte leek of het gedrukt was.

'Jongens, dit zijn de drie belangrijkste zaken waar we op dit mo- ment mee bezig zijn,' zei hij dan. 'En dit is waar ik jullie aan wil zien werken.'

Dan liep hij zijn lijst puntsgewijs door en bespraken en bekri- tiseerden ze elkaars prestaties: waar hadden ze wel vooruitgang geboekt en waar niet? Vaak zette hij dingen hoger of lager op zijn lijst of voegde hij dingen toe, maar als hij klaar was had iedereen een helder beeld van waar ze hun tijd en hun middelen aan moes- ten besteden. En steevast, vanaf de eerste van die sessies, had de opsporing van bin Laden boven aan de lijst gestaan.

Wat Obama betrof, was hem in handen krijgen van meer dan

alleen symbolische betekenis. Hij had lange tijd kanttekeningen geplaatst bij de door Bush gevoerde 'War on Terror'. Zoals hij het zag was Amerika niet in oorlog met iets amorfs als een concept of een tactiek. Het land was in oorlog met specifieke individuen die het land hadden aangevallen en bleven bedreigen. Toen hij zijn ambt aanvaardde, in 2009, vormden al Qaida en zijn zuster-organisaties nog altijd het allereerste duidelijke en aanwezige gevaar, zelfs na twee lange, bloedige oorlogen en de onafgebroken inspanningen van Amerika's inlichtingendiensten en militairen van de special forces.

Dit was Obama ernstig op zijn hart gedrukt door Bruce Riedel, een voormalig CIA-analist die nu als wetenschapper aan het Brookings Institute verbonden was. Enkele dagen na zijn inauguratie had hij Riedel bij zich thuis uitgenodigd en hem gevraagd om twee maanden later met een beoordeling van de situatie in Afghanistan en Pakistan te komen. In een lange sessie aan boord van de Air Force One had Riedel hem zijn bevindingen uit de doeken gedaan. Hij had Obama verteld dat, naar zijn inschatting, al Qaida nu een groter gevaar vormde dan op 11 september het geval was geweest.

Zoals Bob Woodward in zijn in 2010 verschenen boek *Obama's Wars* zou schrijven, zei Riedel: 'Sommige al Qaida-watchers zullen beweren dat bin Laden, in zijn schuilplaats in Pakistan, irrelevant is. Dat hij ergens in een grot zit en inderdaad af en toe een audiocassette de wereld in stuurt, maar eerder een symboolfiguur is dan de aanvoerder van een wereldwijde jihad. Waar ik achter ben gekomen, is dat dat gewoon niet waar is. Hij communiceert met zijn ondergeschikten en heeft contact met zijn manschappen. Die geloven dat hun orders van hem afkomstig zijn, en uit betrouwbare bron weten wij dat dat inderdaad het geval is. Het is deze gasten menens. Ze zijn slim en ze zijn genadeloos. Totdat wij hen doden, zullen ze blijven proberen ons te vermoorden.'

In de visie van Obama kon al Qaida onmogelijk worden verslagen zolang de oprichter en geestelijk leider van de groepering nog op vrije voeten was. Hij was de ziel van de organisatie. De president meende dat bin Laden niet gewoon slecht was, maar *charismatisch* slecht. 'Hij had door dat dankzij technologie en moderne media, het potentiële effect van een grote gebeurtenis kan zijn dat zij de kracht van een betrekkelijk kleine groep uitvergroot en vermenigvuldigt,' vertelde de president me. 'In die zin beschikte hij, al waren de ideeën voor terrorisme natuurlijk niet door hem ontwikkeld of bij hem begonnen, volgens mij over zo veel inzicht in het Westen en in onze zwakke plekken dat dat hem tot een uitzonderlijke figuur maakte, iemand die als geen ander in staat was om ons grote schade te berokkenen.'

Ondanks het simpele leven dat hij voorstond, en zijn romantische opvatting van het verleden, begreep bin Laden de moderne media en buitte hij ze uit, zei Obama. Het gaf hem een invloed die zich tot ver voorbij het bereik van zijn feitelijke schare volgers uitstrekte. De aanslagen op 11 september hadden de wereld op zijn grondvesten doen schudden.

President Bush had er net zo over gedacht. Aanvankelijk was hij niet in staat zijn Texaanse grootspraak te onderdrukken en had hij gezegd dat hij bin Laden 'dood of levend' in handen wilde krijgen. Maar in de visie van de regering-Obama waren de twee oorlogen die Bush was begonnen geleidelijk aan alles verslindende prioriteiten geworden. In het Witte Huis is, zoals Donilon het zou formuleren, sprake van 'beperkte bandbreedte'. In de slotjaren van de regering-Bush kregen, ook al wilde de man aan de top bin Laden nog altijd dolgraag in handen krijgen, de inspanningen om hem te vinden publiekelijk weinig aandacht. Er werd gezegd dat bin Laden het contact met de werkelijkheid kwijt was. Dat hij in feite op een zijspoor was gezet en, waar het daadwerkelijke acties betrof, onbetekenend was geworden. De regering-Bush kon hem niet vinden en dus werd het belang van de zoektocht gebagatelliseerd.

In de ogen van Obama was dat een vergissing. Amerika's oorlogsbureaucratie was omvangrijk, en zonder vastbesloten druk vanuit het Witte Huis, zonder een duidelijke lijst met prioriteiten die telkens weer op de agenda verschenen totdat alle punten waren afgewerkt, raakten zelfs dringende kwesties buiten beeld. Alleen al het bijhouden van alle missies die op een willekeurige dag gaande waren betekende een fulltimebaan. In meer dan honderdvijftig landen ter wereld waren Amerikaanse militairen actief. Zodra deze missies in gewapende strijd ontaardden, zoals dat in Afghanistan en Irak was gebeurd, slokten ze niet alleen manschappen en middelen op, maar ook de tijd en aandacht van degenen boven in de bevelsketen, degenen die de beslissingen namen. De essentie van het leiden van elke grote organisatie was dat je prioriteiten bleef stellen, en hoewel bin Laden gedurende het tijdperk-Bush nooit van zijn bovenste plek was verdwenen, was de lijst zelf erg vol geworden. Waar het op neerkwam was, zoals Obama het tegenover Panetta en Leiter formuleerde, dat het spoor van bin Laden dood was gelopen. De president wilde dat het weer werd opgepakt.

Nu, meer dan een jaar later, kon het agentschap eindelijk iets melden. Terwijl ze op zoek waren naar ene Abu Ahmed al-Kuwaiti, een alias voor een al Qaida-figuur waarvan bekend was dat hij een vertrouwde helper en koerier van bin Laden was geweest, was men even buiten Abbottabad op een curieus complex gestuit. Net als familieleden, bekende bondgenoten en financiële en andere netwerken waren koeriers lange tijd beschouwd als mogelijke scheurtjes in de muren die de voortvluchtige Sjeik omringden. Bin Laden was te zeer op zijn hoede om mobiele telefoons of internetverbindingen te gebruiken, en had voor de handmatige verspreiding van zijn brieven, gedichten en incidentele video- en audioboodschappen op koeriers vertrouwd. Bij het in omgekeerde richting volgen van de route die deze banden of usb-sticks op hun weg naar de media hadden afgelegd, was men telkens op één of twee stappen buiten bin Ladens kring van vertrouwelingen blijven steken. De Koeweiti was mogelijk een van die laatste schakels; misschien was hij wel de koerier die rechtstreeks met de Sjeik te maken had. De zoektocht naar hem had acht jaar in beslag genomen; het had de CIA alleen al vijf jaar gekost om achter zijn echte naam te komen, die Ibrahim Saeed Ahmed luidde. En toen had het spoor hen naar deze uiterst merkwaardige woning geleid.

Panetta had twee van de bin Laden-teamleiders van de CIA meegenomen naar het Oval Office. De hoofdanalist, die bekend zou komen te staan als 'John' (zijn tweede voornaam), was een lange ex-collegebasketbalspeler die inmiddels van middelbare leeftijd was en de tien jaar daarvoor grotendeels aan de klopjacht had besteed. Hij had een brede kin en grove gelaatstrekken en zag er eerder uit als een sportman dan als iemand die het grootste deel van de tijd aan een computerscherm gekluisterd zat. Op Langley rapporteerde hij aan Mike Morell, die het sinds zijn briefingsessies met Bush tot adjunct-directeur had geschopt.

De CIA-mannen lieten geheime foto's en kaarten en analyses rondgaan en namen de president en Donilon stapsgewijs mee in hun denkproces – het terugredeneren dat hen in staat had gesteld Ahmed al-Kuwaiti te identificeren – en beschreven het verdachte karakter van het complex zelf. Panetta vergeleek Abbottabad met een welvarende buitenwijk in het noorden van Virginia. Het complex besloeg een acht keer zo groot oppervlak als welke van de omliggende residenties ook. Anders dan de meeste beschikte het niet over internet- of telefoonverbindingen. De omringende muren waren ongebruikelijk hoog, en afgezet met zestig centimeter hoog prikkeldraad. Er stonden zelfs muren rond een balkon op de tweede verdieping, aan de achterkant. Het was onmogelijk, of het nu vanaf de begane grond was of van bovenaf, om bij het huis zelf naar binnen te kijken. De ramen waren van spiegelend glas gemaakt of voorzien van een coating die hetzelfde effect had. De CIA ontdekte eerst dat niet alleen Ahmed er met zijn gezin woonde, maar ook zijn broer Abrar en diens gezin. In de buurt kende men hen bij hun verzonnen naam, waarbij Ibrahim zichzelf Arshad Khan noemde en zijn broer de naam Tareq Khan gebruikte. Ze waren allebei in Koeweit geboren, maar etnisch gezien waren ze lange, lichtgekleurde, bebaarde Pakistaanse Pathanen. Hoewel ze nooit welvarend waren geweest, had het complex zo te zien heel veel geld gekost. En behalve dat ze met hoge muren waren omringd leken de broers zich ook aan buitengewoon strenge veiligheidsmaatregelen te houden. Ze verbrandden zelfs al hun huishoudelijk afval ter plaatse. Geen van hun kinderen verliet het complex, anders dan om een plaatselijke religieuze school of een arts te bezoeken. In telefoongesprekken met andere, ver weg wonende familieleden, altijd gevoerd vanaf locaties ver bij het complex zelf vandaan, logen ze over de plek waar ze woonden. De CIA stond erom bekend dat ze dingen vaak verkeerd interpreteerden, maar als er één ding was wat ze moeiteloos herkenden, dan waren het strenge beveiligingsmaatregelen.

Ze hadden het complex onopvallend onderzocht door van bovenaf foto's te nemen en het te laten bespioneren door agenten ter plaatse, die niet naar binnen konden kijken, maar terloopse vragen stelden aan omwonenden, er steeds voor wakend om ál te nieuwsgierig over te komen. *Wie woont er in dat grote huis? Wat doen de mensen die daar wonen eigenlijk?* In combinatie met een reeks telefoontaps had dat de afgelopen weken tot twee ontdekkingen geleid die het agentschap als zeer belangwekkend beschouwde en die Panetta tot de overtuiging brachten dat hij de president van de ontdekkingen op de hoogte moest stellen.

De eerste was dat binnen het complex op de twee bovenste verdiepingen van het grote huis nog een derde gezin huisde. Geen enkel lid van dat gezin verliet ooit het terrein. Ze gingen zelfs niet, zoals de andere kinderen, naar school. Buren in Abbottabad die de gebroeders Khan en hun gezinnen kenden, waren niet van het bestaan van dit derde gezin op de hoogte. Er waren ook aanwijzingen dat de broers, die in naam de eigenaren waren, in feite in dienst waren bij dit verborgen gezin. Er was altijd een van de twee broers aanwezig, zodat het derde gezin nooit alleen werd gelaten. Ibrahim Ahmed woonde met zijn gezin op de begane grond van het hoofdgebouw, terwijl Abrars gezin in een gastenverblijf op het terrein huisde.

De tweede ontdekking was dat Ibrahim Ahmed kennelijk nog altijd voor al Qaida werkte. Hoewel bekend was dat hij jaren eerder dicht bij bin Laden had gestaan, beschikte het agentschap niet over aanwijzingen dat die nauwe band was blijven bestaan. Een aantal van de gedetineerden die in de loop der jaren met betrekking tot hem waren ondervraagd, had gezegd dat hij de organisatie had verlaten. Dat kon betekenen dat hij nu werkte voor iemand die zich schuil moest houden. Iemand uit de georganiseerde misdaad? Een rijke man met politieke vijanden? Een Saoedische miljonair met een minnares of een geheim tweede gezin? Maar in een telefoongesprek met een oude vriend, dat die zomer door de Verenigde Staten werd afgeluisterd, werd Ahmed bestookt met de gebruikelijke vragen: 'Wat doe je tegenwoordig? Wat ben je nu aan het doen?' In eerste instantie gaf hij geen antwoord. Hij ontweek de vragen. Maar de vriend drong aan, zodat hij uiteindelijk toegaf, zij het cryptisch: 'Ik werk nog steeds voor dezelfde mensen als vroeger,' zei hij. Zijn vriend wist kennelijk meteen wat dat inhield, en liet, na 'Moge Allah je bijstaan' te hebben gemompeld, het onderwerp rusten. Het deed vermoeden dat degene voor wie Ahmed en zijn broer in Abbottabad zorgden tot al Qaida behoorde.

Dit waren de details zoals de president ze gepresenteerd kreeg.

'Dit is ons beste aanknopingspunt voor de verblijfplaats van bin Laden sinds Tora Bora,' zei 'John'.

Obama was zozeer vertrouwd met bin Ladens achtergrond dat hij hem allang niet meer voor zich zag als iemand die gehurkt in een grot zit of in een spartaans kamp boven op een berg leeft. Hem aantreffen in een uitgestrekt complex in een welvarende buurt, bekend om zijn golfbanen en koele zomerbries, was echter voor iedereen een verrassing. Toch was de president niet bijzonder hoopvol gestemd. Hij wist dat hij de CIA onder zware druk had gezet om met iets voor de dag te komen, en recente gegevens had geëist. Daarom kon hij verwachten dat ze met elke kruimel naar hem toe zouden komen. Dit was zo'n kruimel. Hij vond het gegeven intrigerend, maar alleen in algemene zin. Het verband met bin Laden was op zijn best zwak te noemen. Hij spoorde Panetta aan om door te zetten. Hij wilde dat de identiteit van het verborgen gezin werd vastgesteld. Hij vroeg ook het aanknopingspunt in een 'strakke houdgreep' te houden, wat inhield dat het binnen de muren van zijn werkkamer moest blijven. Er mochten nog geen anderen binnen de militaire of CIA-hiërarchie bij worden betrokken. En ze mochten ook niet de hulp van Pakistan inschakelen of daar iets van hun interesse in het complex tonen. Nog niet. De president liet de mogelijkheid open dat hij naar zijn vermeende Pakistaanse bondgenoten zou stappen zodra ze meer wisten. Tot die tijd wilde hij regelmatige voortgangsverslagen zien.

'Puur gevoelsmatig was ik er niet bepaald optimistisch over,' vertelde Obama me. 'Ik geloof dat ik over het geheel genomen dacht: oké, deze gasten zijn mijn opdracht aan het uitvoeren om elke aanwijzing na te trekken. Of ik in dat stadium dacht dat we de buit al binnen hadden? Volgens mij was ik nogal beducht voor al te groot optimisme.'

Op dat moment had de president al bijna twintig maanden achter de rug waarin hij opdracht had gegeven voor drone-aanvallen en operaties van special forces om al Qaida-leiders te doden. De vaardigheden waarover Amerika's inlichtingendiensten en militaire apparaat beschikten, in negen jaar van oorlogvoering verfijnd, hadden hem hulpmiddelen verschaft waarover geen van zijn voorgangers ooit had beschikt. Tijdens zijn presidentschap waren bijeenkomsten van de National Security Council meer dan alleen beleidsdiscussies. Ze gingen regelmatig over zaken die voor bepaalde individuen een kwestie van leven en dood waren. Door de in het voorafgaande decennium ontwikkelde slagkracht kon de president rechtstreekse beslissingen nemen ten aanzien van deze mogelijke doelwitten – mensen die waren opgespoord en geïdentificeerd en die de natie nu op de korrel had. Op zijn bevel konden ze worden gedood zonder ook maar één enkele Amerikaan in gevaar te brengen. Alleen al in Pakistan hadden er in het eerste jaar van zijn ambtstermijn drieënvijftig drone-aanvallen plaatsgevonden. In 2010 waren het er meer dan twee keer zoveel geweest: honderdzeventien. Het aantal aanvallen in Jemen was minder hoog, maar was opgelopen van twee in 2009 tot vier in 2010. Het jaar daarop zouden het er tien zijn. Vrijwel dagelijks stond de president voor onmiddellijke, dodelijke keuzes. Moest de persoon in kwestie worden gedood? Zou hem doden mogelijk de dood van anderen betekenen, anderen die minder schuldig of mogelijkerwijs zelfs volkomen onschuldig waren?

Beslissingen als deze hadden altijd al bij het ambt gehoord en waren soms een kwestie van leven en dood geweest voor duizenden, of zelfs honderdduizenden – denk maar aan president Truman toen die de beslissing nam om de atoombom af te werpen. Maar hoeveel van deze beslissingen hadden betrekking op één enkel leven? Het gaf de opperbevelhebber een merkwaardig directe rol in de oorlog. Het was al eerder gebeurd. Tijdens de Tweede Wereldoorlog ontcijferden Amerikaanse strijdkrachten een Japans bericht waaruit bleek dat admiraal Isoroku Yamamoto, commandant van de Japanse vloot, een inspectiebezoek zou brengen aan de Solomoneilanden. Zijn vliegtuig werd onderschept en neergeschoten, waarbij hij omkwam. Het was algemeen bekend dat president Kennedy begin jaren zestig plannen smeedde om Fidel Castro te laten vermoorden. Maar deze incidenten waren zeldzaam en zeer riskant. Tegen het einde van zijn tweede ambtstermijn hield president Bush, net als Obama nu, in feite een precisiegeweer gericht op mannen die als belangrijke terroristen werden beschouwd. Hij kreeg regelmatig een profiel van een doelwit voorgelegd: wie hij was, hoe belangrijk hij was, hoe gevaarlijk hij was, wat zijn uitschakeling zou opleveren en wie er als gevolg van de actie nog meer zouden kunnen omkomen. Hij hoefde alleen maar te besluiten de trekker over te halen. Maar dit was iets nieuws.

Deze oorlog had dan ook om iets nieuws gevraagd. Na de aanslagen van 11 september waren de twee meest voor de hand liggende manieren om terug te vechten allebei defensief geweest: de gevaarlijkste soorten aanvallen voorkomen, en beter omgaan met de minder gevaarlijke soorten, mochten die zich voordoen. De Verenigde Staten hadden dus miljarden uitgegeven aan pogingen tot het blokkeren van bekende of voor de hand liggende richtingen van waaruit een aanval kon komen, en aan een verbeterd reactievermogen bij noodsituaties. Daar hielden het ministerie voor Binnenlandse Veiligheid en de Transport Safety Administration zich mee bezig. Een andere stap was om overal ter wereld materiaal veilig te stellen dat gebruikt kon worden om extreem krachtige wapens te vervaardigen, zoals plutonium, luchtdoelraketten en biotoxinen. Het was deels deze benadering die had geleid tot president Bush' invasie in Irak, om Saddams veronderstelde arsenaal aan massavernietigingswapens in handen te krijgen.

De offensieve strategie – jacht maken op al Qaida zelf – werd oneindig veel moeilijker toen de organisatie zich vanuit haar schuilplaatsen in Afghanistan was gaan verspreiden. Bij het oplossen van dit probleem zouden de Verenigde Staten enorme hoeveelheden talent, kapitaal en technologie inzetten. Het verhaal van de voorgaande tien jaar van oorlog is, in deze brede zin bekeken, het verhaal van de ontwikkeling van de juiste hulpmiddelen voor de vernietiging van een terroristisch netwerk. Het was in 2010 nog altijd een werk in uitvoering, maar er waren grote vorderingen gemaakt. Met het gebrek aan achting voor gewoon Engels dat eigen is aan de militaire wereld had men een compact etiket op deze capaciteit geplakt. Het werd 'F3EAD' gedoopt (Find, Fix, Finish, Exploit, Analyze, Disseminate). De afkorting stond voor een opmerkelijke versmelting van directe wereldwijde telecommunicatie, drones, gecomputeriseerde gegevensopslag, de allernieuwste software, door de wol geverfde analisten, stealth-helikopters, die voor radar vrijwel onzichtbaar waren, precisiewapens en de operationele vaardigheden van piloten en schutters die vrijwel overal ter wereld uiterst onverwacht en bekwaam aanvallen konden uitvoeren.

Bij zijn aantreden had Obama deze ongeëvenaarde en nog altijd niet volledig uitontwikkelde slagkracht geërfd. Het gereedschap – met name het gebruik van drones – was zich aan het bewijzen als dodelijk voor al Qaida. En hoezeer het degenen die zich zorgen maakten over mogelijk misbruik ervan ook bezighield – mensen met de afstandsbediening aanwijzen en doden was een griezelig futuristisch concept – het was tegelijkertijd een fundamentele stap vooruit in humane oorlogvoering. Als strijdmethode was het nu mogelijk om nauwgezetter te voldoen aan alle drie de basisprincipes van gelegitimeerde oorlogvoering: Noodzaak (geweld als laatste redmiddel), Onderscheid (de juiste mensen treffen) en Proportionaliteit (niet de verkeerde mensen doden). Maar zeer weinigen zouden durven beweren dat het land niet gerechtigd was om geweld te gebruiken om zich te beschermen tegen Osama bin Laden en zijn beweging, die uit waren op suïcidale daden van massamoord. Als geen ander wapen maakten drones het mogelijk om nog meer tegemoet te komen aan de criteria van onderscheid en proportionaliteit. De mogelijkheid om een doelwit gedurende dagen, weken of maanden geruisloos te observeren alvorens te besluiten of je al dan niet toe zou slaan, maakte de kans een stuk groter dat je de juiste doelwitten trof en de verkeerde ongemoeid liet. Het viel niet te vergelijken met inzet van grondeenheden of, zelfs zeer nauwkeurige, bommen en raketten. Als vechten onontkoombaar was, kwamen bij aanvallen met drones veel minder burgers om dan bij welke eerdere strijdmethode ook, en dat zonder Amerikaanse militairen in gevaar te brengen.

Obama had deze slagkracht strak in de hand gehouden. In de meeste gevallen nam hij in zijn eentje de eindbeslissing; in sommige gevallen nam de directeur van de CIA de beslissing. Ze evalueerden het bewijsmateriaal dat ze tegen de doelwitten hadden en besloten of er geschoten zou worden. Obama had het ministerie van Justitie en de juridische afdeling van de CIA opdracht gegeven geheime richtlijnen op te stellen die de eerste stap zouden zijn naar het institutionaliseren van die controlemechanismen, zodat zijn opvolger zou beschikken over heldere regels, heldere jurisprudentie en heldere beperkende voorwaarden. De regering had deze richtlijnen niet openbaar gemaakt, wat velen die moeite hadden met het toenemende gebruik van drones zorgen baarde. Het leed geen twijfel dat Obama binnen deze restricties, hoe ze ook mochten luiden, had aangetoond dat hij bereid was om regelmatig de trekker over te halen.

Dit kwam voor velen als een verrassing. Bush had maar heel weinig militaire ervaring – tijdens de Vietnamoorlog had hij als piloot gediend bij de Air National Guard, de reserves van de Amerikaanse luchtmacht – maar hij werd desondanks door de militaire wereld als een van hen beschouwd, een president die zijn bewondering voor hen niet onder stoelen of banken stak en die snel, haast overdreven snel, was met zijn toestemming voor hun inzet. Hij sprak hun laat-dat-maar-aan-ons-over-taaltje, met een lijzig Texaans accent. Zijn vader George Herbert Walker Bush was een oorlogsheld die directeur was geweest van de CIA – het hoofdkwartier in Langley was naar hem vernoemd. Obama daarentegen was op-en-top een burger. Zijn vader was een Keniaan. Hij was een liberale Democraat die een internationale opvoeding had genoten – een academicus en een intellectueel. Hij had zich al vroeg consequent uitgesproken tegen de inval in Irak, die hij een 'domme oorlog' had genoemd. Sterker nog, hij was zijn campagne voor de Democratische presidentskandidatuur in gegaan als anti-oorlogskandidaat en had zijn tegenstanders in de voorverkiezingen op het oorlogsthema aangevallen – met name Hillary Clinton, die hij haar snelle instemming met de confrontatie verweet. Obama had ook kritiek geleverd op de controversiëlere strijdmiddelen, zoals ondervragingstechnieken onder dwang, gevangenhouding in andere landen, militaire rechtbanken met eigen regels, detentie voor onbepaalde tijd, en daarbij betoogd dat de nationale veiligheid nooit zwaarder mocht wegen dan de waarden die het land koesterde. Hij sprak veelvuldig over de noodzaak van onderhandelen met de vijand en de kracht van wederzijds begrip, niet echt het soort taal waarmee je soldaten op de banken krijgt. Veel van wat de meeste Amerikanen hem in zijn krappe twintig maanden in de Senaat hoorden zeggen betrof het bespoedigen van de Amerikaanse terugtrekking uit Irak en een uiteenzetting van zijn hoop op een helder geformuleerde exitstrategie voor Afghanistan. Ze verwachtten een president die nog net geen pacifist was.

Maar het aantal drone-aanvallen zou in de eerste twee jaar na zijn aantreden meer dan vier keer zo groot zijn als het totale aantal gedurende Bush' twee termijnen in het Witte Huis. En Obama's waardering en enthousiasme voor het Special Operations Command waren duidelijk niet gespeeld. Hij leek generaal Petraeus' uitspraak over je elke avond te ruste leggen met meer vrienden en minder vijanden volledig te omarmen, met de nadruk op dat 'minder vijanden'.

Degenen die Obama nauwlettend volgden, waren niet verbaasd. Hij had zijn bereidheid om oorlog te voeren, en met name zijn bereidheid om al Qaida de oorlog te verklaren, al jarenlang, en steeds concreter, duidelijk gemaakt. Iets meer dan een jaar na de aanslagen van 11 september, terwijl president Bush zich klaarmaakte om Irak binnen te vallen, werd Obama, die buiten zijn kiesdistrict in Chicago nog grotendeels onbekend was, uitgenodigd om te spreken op een anti-oorlogsbijeenkomst in datzelfde Chicago. Hij was een van de minder prominente sprekers, en zijn voordracht leverde niet eens een regel op in het verslag dat de volgende ochtend in de *Chicago Tribune* verscheen. Wat hij zei werd met lauw applaus ontvangen. In zijn boek *The Bridge* beschrijft David Remnick hoe ongemakkelijk Obama zich voelde bij de algemene teneur van de bijeenkomst, waar hij de klaaglijke uithalen van John Lennons 'Give Peace a Chance' moest aanhoren en hij zich naar een van de organisatoren van het evenement, Bettylu Saltzman, vooroverboog met de vraag: 'Kunnen ze niet wat anders opzetten?' Een vlammende speech, die de menigte vermoeide linkse figuren op het Federal Plaza in beroering zou brengen, zou kortstondig een goed gevoel geven en bewondering oogsten bij de plaatselijke pers, maar ook zijn kansen op staatsniveau kunnen schaden. Hij had overleg gepleegd met de adviseurs die hem hielpen bij de voorbereidingen voor zijn gooi naar een Senaatszetel, in een poging een boodschap aan te scherpen die, zoals Remnick schreef, 'zijn afkeer van een invasie van Irak duidelijk zou maken zonder dat hij zich zou diskwalificeren door een slappe houding tegenover terreur'. Zijn adviseurs wilden dat hij de toespraak hield, aangezien een Afro-Amerikaan die in Illinois een zetel in de senaat van die staat ambieerde de stemmen uit Chicago nodig had. Maar hij moest ook boven dat publiek uitstijgen.

Over Obama's speech was dus zeer zorgvuldig nagedacht. Het was een prille poging om een speech te houden, en dat was te merken. De toespraak, waar Martin Luther Kings beroemde 'I Have a Dream'-toespraak in doorklonk, was overdreven theatraal en weinig oorspronkelijk. Hij liet zorgvuldige politieke berekening zien, maar drukte, in het licht van wat we jaren later te zien kregen, ook overtuiging uit. Hij liet ook zien hoe ver zijn denken over nationale veiligheid zich had ontwikkeld sinds zijn uitspraken tegenover *The Hyde Park Herald* het jaar daarvoor. Zijn eerste woorden waren: 'Laat ik beginnen met te zeggen dat dit wel als een anti-oorlogsmanifestatie is aangekondigd, maar ik voor jullie sta als iemand die niet onder alle omstandigheden gekant is tegen oorlog.'

Hij wees op de Burgeroorlog, 'een van de bloedigste in de geschiedenis', die 'de gesel van de slavernij' uit Amerika had verdreven. 'Ik ben niet tegen alle oorlogen,' zei hij. Hij wees erop dat zijn grootvader in de Tweede Wereldoorlog had gediend. 'Hij vocht uit naam van een grotere vrijheid, onderdeel van het arsenaal van de democratie dat zegevierde over het kwaad, en hij vocht niet tevergeefs,' zei hij, en hij zei het nog maar een keer: 'Ik ben niet tegen alle oorlogen.'

Hij zou die regel blijven herhalen, in navolging van Kings beroemde en aangrijpende herhaling van de regel 'I have a dream'. Er was lef voor nodig om leentjebuur te spelen bij de grote beoefenaar van geweldloosheid, en Kings beroemdste retorische hulpmiddel te gebruiken om je geloof in de noodzaak van oorlog te verkondigen.

'Na 11 september, na getuige te zijn geweest van de slachting en de vernietiging, het stof en de tranen, steunde ik de plechtige belofte van de regering om degenen op te sporen en uit te roeien die onschuldigen afslachten in naam van de onverdraagzaamheid, en ik zou desnoods zelf de wapens opnemen om herhaling van een dergelijke tragedie te voorkomen. Ik ben niet tegen alle oorlogen.'

Hij ging verder door de ophanden zijnde invasie van Irak te hekelen als een 'domme oorlog' en een 'overhaaste oorlog', maar wat de toehoorders die dag het meest bijbleef, was zijn bevestiging van oorlog als iets wat rechtvaardig en noodzakelijk kan zijn. Zijn overtuiging dat sommige oorlogen het waard waren gevoerd te worden. Die tegen al Qaida hoorde in dat rijtje thuis. Het was een om twee redenen moedige toespraak voor iemand die overwoog een gooi te doen naar een zetel in de Amerikaanse Senaat: omdat hij niet alleen inging tegen de allesomvattende anti-oorlogssentimenten van het publiek waar hij voor stond, maar ook indruiste tegen het uitgesproken pro-Irakoorlog-gevoel onder de kiezers in Illinois, waarvan de meeste veel rechtser waren dan deze kleine groep betogers in de binnenstad van Chicago. Wat betreft de invasie in Irak liep Obama andermaal uit de pas met het land, maar waar het al Qaida betrof, riep hij niet langer op tot een soort wereldwijde liefdadigheidscampagne. Hij was er klaar voor om in die oorlog zelf 'de wapens op te nemen'. Op een rechtstreeksere manier dan hij had kunnen bevroeden zou die kans hem worden geboden.

Drie jaar later, na zijn overwinning in de Senaatsverkiezingen van 2004 en zijn onwaarschijnlijk snelle opmars naar landelijke beroemdheid, nam Obama deel aan de presidentsverkiezingen. In augustus 2007 ging het hem nog niet voor de wind. Zijn aankondiging dat hij zich kandidaat stelde was met enthousiasme ontvangen, maar dat enthousiasme was snel weggeëbd. Hij lag flink achter op Hillary Clinton, die door velen werd beschouwd als de gedoodverfde winnaar van de Democratische nominatie, en ook op John Edwards, die als tweede in lijn werd beschouwd in het onwaarschijnlijke geval dat Clinton zou struikelen.

Op dat moment leek het wapenfeit dat het sterkst in zijn voordeel sprak die toespraak uit 2002 te zijn. Hier stond, op een moment waarop Amerika's geduld met het avontuur in Irak een dieptepunt had bereikt, een aantrekkelijke, slimme anti-oorlogskandidaat. Elke Democraat die deelnam aan de race was gekant tegen voortzetting van de oorlog. Ze wedijverden nu nog slechts om de vraag wie er het nadrukkelijkst tegen was. Obama had niet in de Senaat gezeten op het moment dat er werd gestemd over toestemming voor de oorlog, zodat hij, anders dan Clinton en Edwards, aanspraak kon maken op ideologische zuiverheid. En sinds de toespraak in Chicago stond hij bekend als iemand die zich van meet af aan had uitgesproken tegen de oorlog. Hij was de belangrijkste anti-oorlogskandidaat, en zo presenteerde hij zichzelf ook. De strekking van zijn aanval op, met name, Clinton was dat zij wat betreft de oorlog was meegegaan met Bush, terwijl híj het impopulaire, principiële standpunt had ingenomen en gelijk had gekregen. Gedurende de campagne zou Obama zich gedwongen zien zijn denken te verfijnen, en zou het beeld complexer worden.

Zijn ster was zo snel gerezen dat velen meenden dat het te snel was gegaan. Zijn tegenstanders waren zowel verbijsterd als geërgerd over de messiaanse glans die hij en zijn campagnevoerders aanmoedigden. De beste manier om terug te slaan was kiezers ervan te overtuigen dat hij te veel haast maakte. Op zijn vijfenveertigste, nog maar halverwege zijn termijn als senator, was hij, nou ja, zelfs als hij voorbestemd was om Amerika's eerste zwarte president te worden, niet klaar voor de functie. Hij was een van de jongste mannen ooit die een gooi deden naar het presidentschap.

Ervaring was dus de stok om mee te slaan, en Clinton liet hem neerdalen zodra ze van Obama maar de kans kreeg. Dat was het geval na een op CNN/YouTube uitgezonden debat op 23 juli, toen hij de vraag kreeg voorgelegd of hij een ontmoeting met Amerika's vijanden zonder voorwaarden vooraf zou overwegen. De vragensteller, wiens gezicht op een groot scherm werd geprojecteerd, haalde goedkeurend de moedige (en uiteindelijk voor hem noodlottige) beslissing van de Egyptische president Anwar Sadat aan om in 1974 vredesonderhandelingen te beginnen met Israël, en vroeg of iemand van de kandidaten bereid zou zijn om, in het eerste jaar van zijn of haar ambtstermijn, zónder voorwaarden vooraf de leiders van Iran, Syrië, Venezuela, Cuba en Noord-Korea te ontmoeten in een poging 'de kloof die onze landen scheidt te overbruggen'.

Het was een gemakkelijk te ontwijken vraag: *Onderhandelen is enorm belangrijk. Ik zou het zeker niet uitsluiten. Onze geschiedenis met deze landen gaat verder terug dan gisteren.* Maar Obama ontweek hem niet. Op het opvallende podium, met achter zich glimmende rode, witte en blauwe schermen, en staand achter een sober, modernistisch spreekgestoelte van staal en kunststof, was hij de eerste van de acht kandidaten die reageerde.

'Ik wel,' zei hij.

Er steeg een collectieve kreet van ongeloof op uit het studiopubliek, zonder twijfel deels veroorzaakt door de directheid van zijn antwoord. Ze waren meer gemanoeuvreer gewend.

'Mijn reden is de volgende,' legde hij uit. 'Het idee dat niet met landen praten op de een of andere manier een soort straf voor hen is, wat de diplomatieke leidraad is geweest van deze [George W. Bush'] regering, is belachelijk… Al vertrouwen we hen niet, al vormen ze mogelijk een grote bedreiging voor ons land, we hebben de plicht om de terreinen te vinden waarop we mogelijk vooruitgang kunnen boeken, en ik vind het een schande dat we niet met hen hebben gesproken.'

Clinton, die als volgende antwoord gaf, zei direct dat zij het niet zou doen. Ze legde uit dat onderhandelingen met vijandige landen een hoop voorwerk vereisten, en dat je je daar niet overhaast in stortte. Maar vervolgens pakte ze, mogelijk net zo geschrokken als iedereen, Obama op het podium niet al te hard aan. Bij nader inzien echter, en zonder twijfel nadat haar campagnestrategen zich ermee hadden bemoeid, kwam ze de volgende dag in vraaggesprekken scherper terug op het punt en noemde ze Obama's antwoord 'onverantwoord en ronduit naïef'.

Dit was puur politiek. De Verenigde Staten hadden een lange tweepartijentraditie die inhield dat ze zelfs met hun grootste vijanden spraken, van John Kennedy – 'Laten we nooit onderhandelen uit angst. Maar laten we nooit bang zijn om te onderhandelen' – tot Richard Nixons toenadering tot China en Ronald Reagans beroemde 'boswandeling' met Michail Gorbatsjov. Obama's standpunt was volledig in lijn met wat diplomatiek al sinds jaar en dag gangbaar was. George W. Bush' beleid na 11 september – 'Wie niet voor ons is, is tegen ons' – was een uitzondering, en een slechte. Het beroofde de internationale betrekkingen van hun subtiliteit. Het was niet te begrijpen dat een in internationale betrekkingen gepokt en gemazeld iemand als Clinton de kans zou laten lopen die elke pas gekozen president krijgt om in de omgang met vijandelijke naties een frisse start te maken. Maar de volkswijsheid was dat je dat soort dingen onder de pet hield. Je zou soft overkomen. En *naïef* was een woord dat tegen Obama werkte.

Dat het werkte, kwam doordat velen geloofden dat het hem aan inhoud ontbrak. Hij moest zichzelf nog duidelijker profileren waar het ging om buitenlands beleid en andere thema's. In april had hij een toespraak over buitenlands beleid gehouden die strookte met zijn anti-oorlogsimago, en waarin hij vooral opriep tot hernieuwde aandacht voor de verstandhouding met andere landen, tot een grotere bereidheid om te zoeken naar consensus ten bate van Amerika's nationale veiligheidsdoelstellingen. Zijn opmerking over het zonder voorwaarden vooraf onderhandelen met vijanden maakte het voor zijn critici makkelijk hem als een doetje af te schilderen. Daarnaast wekte de uitspraak de indruk dat Obama iemand was die dingen niet zorgvuldig doordacht.

Het stempel 'naïef' was zorgwekkend. Het duurde niet lang of het woord kleefde aan hem. Bekende tv-figuren leken niet in staat hem te noemen zonder het opnieuw te berde te brengen. In de loop van de paar weken die volgden bleef hij dalen in de opiniepeilingen, terwijl Clinton steeg.

Obama's medewerkers vraten zich op van ergernis. Sommigen wilde dat hij afstand zou nemen van zijn standpunt, maar hij weigerde dat. 'Op dit punt heb ik gewoon gelijk,' hield hij tijdens een bespreking met zijn adviseurs Dennis McDonough en Robert Gibbs vol. 'Waarom zouden we niet willen onderhandelen als de gelegenheid zich voordoet?' Hij vroeg hun een interview op de landelijke televisie te regelen waarin hij zijn standpunt zou kunnen herhalen en onderstrepen. Het was, had hij het idee, precies het soort boodschap dat hij wilde uitzenden. Hij wilde met het verleden breken en vraagstukken rond het buitenlands beleid op een nieuwe manier bekijken.

En dat was nog maar het begin. Obama was niet van plan zijn eigen analyse prijs te geven voor die van anderen. Zijn benadering van een probleem was dat hij op zoek ging naar een nieuwe, originele oplossing. Naar zijn overtuiging volgden veel van de Amerikaanse ideeën over defensievraagstukken het oude stramien van de in het debat over Vietnam ontstane tegenstellingen tussen links en rechts, conservatieven en liberalen, haviken en duiven. Hij was dertien jaar oud toen die oorlog eindigde. Een groot deel van de kiezerspopulatie was toen nog niet eens geboren. Niets had die oude dynamiek zo op haar kop gezet als 11 september. Met name jonge mensen lieten zich in dit opzicht lastig in een hokje plaatsen; ze waren vaak veel progressiever dat hun ouders waar het maatschappelijke vraagstukken betrof, en daarmee eerder geneigd Obama te steunen, maar waren tegelijkertijd een groot voorstander van hard militair ingrijpen en inlichtingendienstwerk. In de visie van Obama zelf was hij net zo'n havik als iedere andere Amerikaan als het ging om het verslaan van al Qaida, maar waren sommige hulpmiddelen die traditioneel met 'duiven' geassocieerd waren geweest, zoals onderhandelen en internationale samenwerking, geen zoethoudertjes voor de vijand Ze waren onmisbaar om die vijand te kunnen verslaan.

Enkele weken daarvoor, aldus John Heilemann en Mark Halperin in 'Game Change', had hij een van zijn intiemste vrienden, zijn vroegere hoogleraar in de rechtsgeleerdheid Chris Edley, naar Chicago laten komen om zijn naaste campagnemedewerkers de mantel uit te vegen omdat ze hem dingen niet op zíjn manier lieten doen. Ze lieten Obama in zijn overvolle campagneagenda onvoldoende ruimte om zijn ideeën in meer detail uiteen te zetten.

'Dit is een man die graag denkt, graag schrijft en graag met deskundigen praat,' zei Edley, wiens onderzoekswerk naar eerdere Democratische campagnes en periodes in het Witte Huis gezag verleende aan zijn woorden. 'Jullie moeten begrijpen waarom hij dit doet. Hij doet dit omdat hij bijdragen wil leveren, ideeën wil opperen over het regeringsbeleid. Aan jullie de taak om te zorgen dat hij de tijd krijgt om dat te kunnen doen. Met alle respect voor jullie hier, jullie moeten gewoon over je schaduw heen stappen en doen wat de kandidaat wil.'

En dus werd in de dagen waarin de negatieve gevolgen van zijn belofte van 'onderhandelen zonder voorwaarden vooraf' zichtbaar werden, besloten om Obama nog een belangrijke toespraak over nationale veiligheid te laten houden. Hij deed dat op 1 augustus in het Woodrow Wilson Center in Washington, waar hij zijn ideeën over nationale veiligheid nader uiteenzette en al doende de indruk probeerde weg te nemen dat hij 'naïef' of, nog erger, 'soft' was waar het de landsverdediging betrof.

Een dat voorjaar uitgebrachte National Intelligence Estimate (landelijke raming inlichtingendiensten) suggereerde dat al Qaida in de zes voorafgaande jaren in feite sterker was geworden. Het rapport wees erop dat Pakistan na de val van de taliban het nieuwe toevluchtsoord was geworden voor de terreurgroep. Alle Democratische kandidaten hadden plechtig verandering beloofd, maar buiten beloften om de stekker uit Irak te trekken en te breken met een aantal van de meest omstreden manieren van inlichtingen verzamelen (achter de meeste was trouwens al een punt gezet), was niemand met een helder geformuleerde aanpak van de nationale veiligheid gekomen die significant afweek van die van Bush.

Voormalig Congreslid Lee Hamilton introduceerde Obama in het Wilson Center bij een enkele honderden koppen sterk publiek, onder wie veel journalisten. De toespraak had alle buitenlandadviseurs van Obama beziggehouden, en elk woord erin was gewikt en gewogen. De man die de taak had gekregen de eerste versie te schrijven was Ben Rhodes, de oud-student van New York University die vanaf de waterkant in Brooklyn had staan toekijken toen de torens van het World Trade Center instortten. Hij was nu een vooraanstaand campagnemedewerker met vroegtijdig dunner wordend zwart haar en een permanente stoppelbaard. In plaats van zich aan het schrijven van zijn eerste roman te zetten, was hij na Hamiltons benoeming tot medevoorzitter van de 9/11 Commission voor het Congreslid gaan werken. Rhodes had meegewerkt aan het formuleren van in het commissierapport opgenomen beleidsvoorstellen en meegeschreven aan een hoofdstuk dat de titel 'Wat te doen?' droeg. Een van de tussenkoppen in dat hoofdstuk was 'Val terroristen en hun organisaties aan' geweest, en het eerste gebod dat genoemd werd, was 'Geen toevluchtsoorden'. Pakistan stond boven aan de lijst van meest waarschijnlijke oorden die onderdak boden aan terroristische groeperingen. Rhodes zou Hamilton en zijn collega-voorzitter, voormalig gouverneur van New Jersey Tom Kean, uiteindelijk assisteren bij het schrijven van een boek over het werk van de commissie. Na voor Hamilton te hebben gewerkt bij de Iraq Study Group, waarvan het Congreslid eveneens medevoorzitter was, had de jonge schrijver zich als adviseur buitenlands beleid en tekstschrijver onder Omaba's Senaatsmedewerkers geschaard. Hij had meegeholpen aan het schrijven van enkele van Obama's voordrachten in de Senaat over Irak en was vervolgens als tekstschrijver aangetreden op Obama's kantoor in Chicago. Dit was de eerste verkiezingstoespraak waarvoor hij als schrijver was gevraagd, en het was een forse kluif. Het deed hem ook terugkeren naar een vertrouwd thema.

In een telefonische vergadering met Rhodes, Dennis McDonough, Samantha Power en verschillende andere campagnemedewerkers schetste Obama zeven onderwerpen die hij in de toespraak aan de orde wilde stellen. Rhodes en Power brachten ze terug tot vijf punten. Eén ervan betrof pogingen om al Qaida te vernietigen. Wat betreft de toevluchtsoorden zou Rhodes zich later herinneren dat Obama zei: 'Laten we het zo proactief mogelijk formuleren en duidelijk maken dat we de achtervolging op die gasten gaan inzetten, want dat is precies waar het om gaat.'

Tegenover zijn gehoor in het Wilson Center begon Obama door over zijn eigen ervaringen op 11 september te vertellen – hoe hij terwijl hij Chicago binnenreed het eerste verslag hoorde, hoe hij in The Loop bezorgd naar de Sears Tower keek, en op de tv de torens zag vallen. In de zes jaar die sindsdien waren verstreken was er niets gedaan met het stimulerende gevoel van nationale eenheid en vastberadenheid dat de aanslagen teweeg hadden gebracht, zei hij. De regering-Bush was goed begonnen, door de taliban ten val te brengen en al Qaida, de werkelijke vijand, van zijn bases aldaar te verdrijven. Maar vervolgens had ze het verprutst. In plaats van achter de architecten van 11 september aan te gaan, die in de touwen hingen en op de vlucht waren, had de regering-Bush besloten Irak binnen te vallen en Saddam Hussein omver te werpen, een zet die al snel beslag had gelegd op het grootste deel van de militaire kracht van het land en die van de inlichtingendiensten. De beslissing was in het Congres een hamerstuk geweest, zei hij, met een steek onder water naar zijn Democratische tegenstanders in de voorverkiezingen. Het was, zei hij, 'een ondoordachte invasie van een moslimland die nieuwe opstanden uitlokt, beslag legt op onze militaire capaciteit, onze budgetten naar de filistijnen helpt, voor nieuwe aanwas van terroristen zorgt, Amerika van anderen vervreemdt, democratie een slechte naam bezorgt en het Amerikaanse volk vraagtekens doet zetten bij onze betrokkenheid in de wereld'. Obama verwees naar de net gepubliceerde Intelligence Estimate als bewijs dat al Qaida slechts van domicilie was veranderd.

Opnieuw beloofde hij plechtig de oorlog in Irak te zullen beeindigen, niet uit welke pacifistische overtuiging dan ook, maar om zich opnieuw te kunnen concentreren op de echte vijand. Zijn aandacht, beloofde hij, zou volledig gericht zijn op het verpletteren van al Qaida. Dit was dé missie die 11 september had afgedwongen, een nationale prioriteit die vreedzame betrekkingen met Pakistan of welk ander land dan ook oversteeg. Het begrip 'vijand' was door de regering-Bush te ruim genomen, zei hij, een fout die niet alleen het effect van Amerika's reactie had afgezwakt, maar ook voeding had gegeven aan de al Qaida-propaganda dat Amerika in oorlog was met de hele moslimwereld. Deze noodzakelijke oorlog vereiste een veel gerichtere aanpak: de terreurorganisatie opsporen, aanvallen en vernietigen. Om zijn vastberadenheid te onderstrepen verklaarde Obama dat hij geen enkele wijkplaats zou respecteren, en zoomde specifiek in op Pakistan.

'Dat is het toevluchtsoord waar al Qaida-terroristen hun opleiding krijgen, vrij rondreizen en hun wereldwijde communicatie onderhouden,' zei hij. 'De taliban volgen een verrassingsstrategie, waarbij ze in Afghanistan toeslaan en zich vervolgens over de grens in veiligheid brengen. Dit is de ongetemde uithoek van onze gemondialiseerde wereld. Er liggen door de wind gegeselde woestijnen en met grotten bezaaide bergen. Er wonen stammen die grenzen als niet meer dan strepen op de kaart beschouwen, en regeringen als krachten van voorbijgaande aard. Er zijn bloedbanden die dieper gaan dan allianties uit berekening, en haarden van extremisme die achter religie aan lopen en tot geweld overgaan. Het is een keiharde wereld. Maar dat is geen excuus. Er mag geen vrijplaats bestaan voor terroristen die het op Amerika hebben voorzien. We mogen niet nalaten in actie te komen omdat het moeilijk is. Als president zou ik aan de honderden miljoenen dollars aan Amerikaanse hulp aan Pakistan voorwaarden verbinden, en ik zou die voorwaarden duidelijk maken: Pakistan moet substantiële vooruitgang boeken in het sluiten van de opleidingskampen, het uitwijzen van buitenlandse strijders en in het voorkomen dat Pakistan wordt gebruikt als verzamelplaats voor aanvallen in Afghanistan. Ik begrijp dat president Musharraf voor zijn eigen uitdagingen staat. Maar laat me dit duidelijk maken: in die bergen houden zich terroristen schuil die drieduizend Amerikanen hebben vermoord. Ze beramen nieuwe aanslagen. Het was een gruwelijke vergissing om niet in actie te komen toen we in 2005 de kans hadden om een bijeenkomst van al Qaida-leiders uit te schakelen. Als we over informatie over waardevolle terroristische doelwitten beschikken die actie rechtvaardigt, en als president Musharraf vervolgens niet in actie komt, dan zullen wíj het doen.'

Die slotzin was de laatste regel die aan de toespraak werd toegevoegd. Er was een hoop gedelibereer aan voorafgegaan. Rhodes had oorspronkelijk geschreven: 'Als we doelwitten hebben [in Pakistan] en president Musharaff niet in actie komt, dan zullen wij dat doen.' Het was in overeenstemming met de door Obama gegeven instructie om zo 'proactief' mogelijk te zijn. Maar het Pakistaanse vraagstuk was delicaat. Het instabiele land was van doorslaggevend belang voor de oorlogsinspanningen in Afghanistan. Het was een kernmacht in een van de minst stabiele regio's ter wereld, en toch stond van onderdelen van de regering aldaar, met name hun machtige inlichtingendienst, de ISI, vast dat ze onder één hoedje speelden met allerlei islamistische radicalen. President Musharraf had bij de regering-Bush een gewaagd spel gespeeld door net voldoende medewerking te verlenen om niet als vijand te worden bestempeld, maar ondertussen de extremisten die zich in het wetteloze noordwesten van Pakistan schuilhielden ongemoeid te laten. De dreiging om desnoods zonder medewerking van Pakistan achter 'doelwitten' aan te gaan zorgde voor onrust bij Obama's campagneleiders.

Tijdens een voorbespreking van de toespraak op het hoofdkwartier van Obama in Washington was niemand gelukkig geweest met de zin. Erbij aanwezig waren Robert Gibbs, Susan Rice, Jay Johnson, Rand Beers en Richard Clarke, de belangrijkste adviseur veiligheidsvraagstukken van de campagne.

'Hoor eens, zo praat je niet over deze zaken,' zei Clarke. Hij legde uit hoe belangrijk samenwerking met de stammen in het noordwesten van Pakistan was.

Maar de kandidaat was vastbesloten. Hij wilde dat de zin bleef staan. Hij verwoordde precies wat hij dacht en wat hij als president van plan was te gaan doen. *Ik ben niet tegen alle oorlogen.* Hij zou achter de echte bedreiging aan gaan. En dus concentreerde de discussie zich op de formulering. Er werden twee voorbehouden toegevoegd: 'Als we informatie hebben die actie rechtvaardigt' en 'waardevolle doelwitten'. Dat moest duidelijk maken dat Obama het had over alléén in een uitzonderlijke situatie in actie komen, en dan alleen op een specifieke, beperkte manier.

Het maakte niet uit. De zorgvuldige formulering werd niet opgemerkt. Obama had in de toespraak een hoop onderwerpen aangesneden, zijn plan voor terugtrekking van de troepen uit Irak herhaald, plechtig beloofd opnieuw te zullen investeren in acties tegen de taliban in Afghanistan en beloofd binnen de eerste honderd dagen van zijn presidentschap ergens in het Midden-Oosten een belangrijke toespraak te zullen houden waarin hij de Amerikaanse doelstellingen voor die regio zou herformuleren. Hij beloofde ook de gevangenis in Guantánamo te sluiten en een eind te maken aan uit het tijdperk-Bush stammende programma's in het kader waarvan Amerikaanse staatsburgers werden 'gevolgd'. Maar de zinsnede over het aanpakken van doelwitten was vrijwel het enige waar de pers oog voor had. Van alle kanten kwam kritiek.

Jeff Zeleny van *The New York Times* schreef dat Obama had 'gezworen om Amerikaanse soldaten op pad te sturen om terroristische kampen in Pakistan uit te roeien'. De onderkop boven het verhaal in *The Los Angeles Times* luidde: '*Hij zegt dat hij het recht heeft om binnen te vallen*', terwijl Paul Richter schreef: 'Senator Barack Obama verklaarde woensdag dat de Verenigde Staten zich het recht zouden moeten voorbehouden om het territorium van hun Pakistaanse bondgenoten binnen te dringen en Amerikaanse financiële hulp in te trekken als de Pakistaanse president Pervez Musharraf naar hun mening niet genoeg doet om terroristen tegen te houden.'

Liberalen beschuldigden Obama ervan dat hij de cowboymentaliteit van de regering-Bush had omarmd. Conservatieven tikten Obama op de vingers vanwege een verondersteld gebrek aan subtiliteit: begreep hij niet hoe delicaat Amerika's relatie met Pakistan was? En zelfs als hij het bewust had gedaan, begreep hij dan niet dat je niet op die manier over dit soort dingen praat?

De liberale blogger Jerome Armstrong was teleurgesteld: 'Voor progressieve Democraten die in de wereld graag een vreedzamer leiderschap zouden zien … blijft Obama's toespraak achter bij het minimumdoel: dat we ophouden met ruzie zoeken in het Midden-Oosten en de Bush-doctrine van preventieve aanvallen overboord zetten.'

De conservatieve columnist William Kristol schreef dat Obama 'als een razende bezig was de indruk te wekken dat hij Pakistan zou binnenvallen' om zijn geloofsbrieven als sterke man tegenover Hillary Clinton te versterken.

In zijn radioprogramma stak Rush Limbaugh de draak met de kandidaat. Hij merkte op dat Osama bin Laden zijn volgelingen had aangespoord om Musharraf omver te werpen en dat Obama nu – 'Ik kan die gasten niet uit elkaar houden,' zei hij – had gedreigd om Pakistan binnen te vallen. 'Als Obama wordt gekozen krijgt die arme Musharraf van twee kanten op zijn donder,' grapte Limbaugh.

'Het is een buitengewoon onverantwoordelijke uitspraak, dat is het enige wat ik kan zeggen,' luidde de reactie van Pakistans minister van Buitenlandse Zaken Khusheed Kasuri. 'Nu de verkiezingscampagne in Amerika op stoom begint te komen zien we liever niet dat Amerikaanse kandidaten hun verkiezingen over onze rug uitvechten en betwisten.' Kasuri zei dat president Bush Musharraf had gebeld om hem persoonlijk gerust te stellen en Obama's opmerkingen had betiteld als 'smakeloos' en gemotiveerd door politieke overwegingen 'in een omgeving waarin van stemmenjacht sprake is'.

'Ik ga niet mee in de woorden van Barack Obama, die neerkomen op een plan om een bondgenoot aan te vallen,' zei oud-gouverneur Mitt Romney van Massachusetts, op dat moment een van de Republikeinse kanshebbers voor het kandidaatschap van zijn partij. 'Ik geloof niet dat dat soort uitspraken ons helpt bij onze poging om meer vrienden bij onze inspanningen te betrekken.' Hij zei dat Amerikaanse troepen 'niet de hele wereld over moeten worden gestuurd', en noemde de uitspraken 'slecht getimed' en 'onbekookt'.

Ook dit keer waren er in het kamp van Obama mensen die wilden dat hij een verklaring zou doen uitgaan, wat door hem andermaal werd geweigerd. Hij meende wat hij zei. Obama liet zijn medewerkers weten dat ze naar buiten toe elke suggestie van een 'invasie' van de hand moesten wijzen, maar zich achter zijn bereidheid moesten scharen om in Pakistan eenzijdig te handelen als de juiste gelegenheid zich aandiende.

'Ik weiger me de les te laten lezen door dezelfde mensen die verantwoordelijk waren voor deze catastrofale oorlog in Irak,' zei hij als reactie op een deel van de kritiek. Het liet zien, zei hij, dat hij bereid was om 'buiten bestaande kaders' te denken. Het campagneteam gaf een memo van Power vrij waarin de belofte van de kandidaat nog eens werd herhaald: 'Als we het traditionele denken volgden, zouden we ons tot in eeuwigheid naar Musharraf schikken. Barack Obama wil een nieuwe bladzijde omslaan. Als Musharraf bereid is om achter de terroristen aan te gaan en te zorgen dat de taliban Pakistan niet langer als uitvalsbasis gebruiken, geeft Obama hem alle steun die hij nodig heeft. Maar Obama heeft duidelijk gemaakt dat als hij als president beschikt over informatie over de verblijfplaats van al Qaida-leiders in Pakistan, en de Pakistanen volharden in hun weigering om op te treden tegen terroristen waarvan bekend is dat ze achter aanvallen op Amerikaanse staatsburgers zitten – hij dat met gericht geweld zelf zal doen.'

Ondanks deze poging tot uitleg vond de vermeende oproep tot het 'binnenvallen' van Pakistan al snel zijn weg naar de verkiezingspraatjes en ging hij een eigen leven leiden. Obama's uiteindelijke Republikeinse opponent, senator John McCain, zou later beweren dat Obama gedreigd had Pakistan te 'bombarderen'.

'Het beste idee is om niet rond te bazuinen wat je van plan bent te gaan doen,' zei McCain in februari daarop. 'Want dat is naïef. Het eerste wat je doet is je plannen opstellen en je operaties uitvoeren zoals Amerika's nationale veiligheid vereist. Je gaat niet rond lopen bazuinen dat je een land gaat bombarderen dat een soevereine natie is en waarvan je de bevolking aan jouw kant moet hebben staan om je bij te staan in de oorlog – in het moeizame gevecht tegen de taliban en de toevluchtsoorden die zij in handen hebben.'

In 2007 en begin 2008 werd Obama's oproep voor rechtstreekse, eenzijdige actie tegen bin Laden dus onomwonden veroordeeld. Hij hield echter voet bij stuk en voegde direct na zijn verkiezing de daad bij het woord. Terwijl Obama nog gewend aan het raken was aan zijn functie, was zijn vastbeslotenheid om jacht te maken op de leiders van al Qaida evident. Waar bin Laden zichzelf had gemachtigd, of zich door God uitverkoren had gevoeld, was Obama verkozen. Hij had dit soort zeggenschap over leven en dood geambieerd en was door het volk van de Verenigde Staten gekozen om die taak op zich te nemen.

De nieuwe president begon onmiddellijk mensen en middelen vanuit Irak, waar hij vastbesloten was de Amerikaanse betrokkenheid systematisch terug te brengen, naar Afghanistan en Pakistan te verplaatsen. Grote aantallen drones verlieten het luchtruim boven Irakese steden en gingen missies vliegen boven de steile bergen van oostelijk Afghanistan en de wetteloze regio's van Noordwest-Pakistan. Het Joint Special Operations Command (JSOC), dat de special forces aanstuurde en vanaf de vliegbasis Balad in Irak had geopereerd, verhuisde in de zomer van 2009 naar

Jalalabad, Afghanistan, en voerde de bandbreedte op de nieuwe legerplaats stevig op om verbindingen te kunnen handhaven tussen inlichtingendienstcomputers en analisten in Washington. Tegelijkertijd nam, zoals we hebben gezien, het aantal aanvallen met drones sterk toe. Amerika's relatie met Pakistan raakte verder verstoord.

Toen hij in oktober 2009 de Nobelprijs voor de Vrede ontving, net op het moment dat hij voor het besluit stond om dertigduizend Amerikaanse soldaten extra naar Afghanistan te sturen, kreeg Obama de kans om zijn ideeën over oorlog nog eens volledig uiteen te zetten.

Andermaal werd Rhodes aan het werk gezet. Dit keer overhandigde Obama hem een volledige handgeschreven eerste versie, die drie citaten bevatte van Reinhold Niebuhr, de Amerikaanse theoloog die een vurig pleitbezorger was van de noodzaak van oorlog, en pacifisme als succesrecept voor tirannie van de hand wees. De opkomst van het fascisme in Duitsland en Japan, en van het communisme in Rusland, had Niebuhr ertoe gebracht op spraakmakende wijze afscheid te nemen van zijn levenslange pacifisme. Die beweging had na de Eerste Wereldoorlog, die schijnbaar zinloos aan miljoenen het leven kostte, een opleving doorgemaakt. Nu, terwijl de wereld aan de vooravond stond van een nog grotere catastrofe, betoogden pacifisten, onder wie behoorlijk wat christelijke denkers in Europa en Amerika, dat als maar genoeg mensen dienst weigerden, landen nooit meer in staat zouden zijn tot oorlogvoering. Niebuhr dacht er anders over. De door Obama aangehaalde passages waren afkomstig uit Niebuhrs essay 'Why the Christian Church Is Not Pacifist', waarin de theoloog zegt: 'Als we geloven dat als Groot-Brittannië het geluk had gehad om 30 procent dienstweigeraars te hebben, in plaats van 2 procent, Hitler de moed zou hebben verloren en Polen niet had durven aanvallen, geloven we iets waarvoor elke historische rechtvaardiging ontbreekt.' Niebuhr was de overtuiging toegedaan dat, net ·

zoals mensen onvolmaakt waren, staten dat ook waren en dat ze, net zoals mensen, zich moesten inspannen om het kwaad in zichzelf te bestrijden, zich moesten inspannen om het kwaad in het algemeen te verslaan.

Obama had zijn bereidheid om 'de wapens op te nemen' al jaren eerder uitgesproken. Nu, gewapend met een grotere militaire slagkracht dan wie dan ook in welk land ter wereld ook, was Obama niet alleen bereid die te gebruiken, maar voelde hij zich daar ook moreel toe verplicht. Net als hij zeven jaar eerder in Chicago ten overstaan van een tegen oorlog gekant publiek had gedaan, zou hij zijn pacifistische podium gebruiken om zijn geloof in het ethisch gebruik van geweld te verkondigen. De Nobelprijs voor de Vrede was een voortbrengsel van dezelfde pacifistische beweging waar Niebuhr zich in 1939 tegen had gekeerd. Het was een categorie die Alfred Nobel in het leven had geroepen op aandringen van zijn vriendin Bertha von Suttner, een bekende negentiende-eeuwse Oostenrijkse romanschrijfster en pacifiste die uiteindelijk zelf de Nobelprijs voor de Vrede zou krijgen. Het is daarom niet verbazingwekkend dat Obama teruggreep op Niebuhrs argumentatie toen hij zich voorbereidde om in Oslo de prijs zelf in ontvangst te gaan nemen.

Zijn toespraak daar was een korte verhandeling over de noodzaak van oorlog, en een eerbetoon aan het gebruik van geweld – Amerikaans geweld bovenal – als het enige doelmatige middel om de verheven idealen van de vredesprijs te verwezenlijken. Hij bracht een saluut aan twee van de beroemdste beoefenaren van geweldloosheid van de twintigste eeuw, dr. Martin Luther King en Mahatma Gandhi, maar zei: 'Ik tred de wereld tegemoet zoals hij is, en kan niet werkeloos toezien hoe het Amerikaanse volk wordt bedreigd. Want vergis u niet: kwaad bestaat nu eenmaal in de wereld. Een geweldloze beweging had Hitlers legers niet kunnen tegenhouden. Zeggen dat geweld soms noodzakelijk is betekent geen oproep tot cynisme – het is een erkenning van de geschiedenis, van de tekortkomingen van de mens en de grenzen van de rede.'

Kwaad bestaat nu eenmaal in de wereld. Als president had Obama het gevoel dat hem een kans werd geboden om op een veel rechtstreeksere manier dan wie van zijn voorgangers ook de wapens op te nemen tegen de vijanden van de Verenigde Staten. Hij verwelkomde die kans. Hij deed wat hij kon om de zaak te bevorderen. Sinds jaar en dag had de CIA degene die op dat moment in het Witte Huis zat 'Klant Nummer Een' genoemd, en rond deze kwestie leed het geen twijfel wat de grootste wens van de klant was.

Hoogverheven in zijn op de zesde verdieping gelegen werkkamer met uitzicht op het water van de Potomac had Mike Morell allang datzelfde gevoel. Gedurende zijn opmars naar de post van adjunct-directeur had hij leidinggegeven aan de analyseafdeling van het agentschap, en hij wist dat ze, hoewel successen waren uitgebleven, het gevoel van urgentie nooit waren kwijtgeraakt. Hij herinnerde zich nog hoe hij met president Bush had rondgevlogen, de onzekerheid en angst in het land, herinnerde zich wat hij had gevoeld toen hij, na eindelijk thuis te zijn gekomen, even naar zijn slapende dochtertjes was gaan kijken. Zelfs met twee oorlogen die gevoerd moesten worden had het aan mankracht en middelen voor de opsporing van bin Laden nooit ontbroken.

Toch, had hij het idee, zou de manier waarop Obama druk zette mogelijk iets op kunnen leveren. Morells nieuwe baas Panetta, om maar iemand te noemen, eiste sinds kort regelmatige voortgangsrapporten: minimaal één keer per maand. In elke grote organisatie heeft het effect als er regelmatige voortgangsrapporten worden geëist. Niemand vindt het leuk om met een voortgangsrapport te komen dat geen vooruitgang laat zien.

4

Op jacht naar een doelwit

2010, BEGIN VAN DE WINTER

Af en toe had de Amerikaanse regering geweten waar Osama bin Laden was. De CIA had al sinds 1991 belangstelling voor hem, toen hij van Afghanistan naar Soedan verhuisde. Bijna altijd als de CIA een onderzoek instelde in de steeds verder uitdijende wereld van de soennitische extremisten kwam zijn naam bovendrijven – niet als aanvoerder, maar als de contactpersoon bij wie je moest zijn voor valse documenten, geld, instructeurs of materialen waarvan je bommen kon maken. In december 1995 zette de CIA dan ook een kleine bin Laden-eenheid op. Michael Scheuer kreeg de leiding.

Scheuer, een forse vent met een bril en een volle baard, was heel zelfverzekerd en had niet, zoals zo veel mensen binnen de hiërarchie van de CIA, de neiging om zijn eigen mening voor zich te houden. Hij wás ook helemaal geen typische CIA-man. Hij was geboren in Buffalo en had als kraanmachinist gewerkt voor Union Carbide, terwijl hij tegelijkertijd twee studies deed aan de University of Manitoba in Canada, waar hij daarna ook was gepromoveerd. Hij dacht te weten dat zijn groep de eerste was die was opgezet om één individu op te sporen, en naarmate ze langer bezig waren en hij meer over bin Laden te weten kwam, raakte hij er steeds meer van overtuigd dat al Qaida een gevaar was voor de Verenigde Staten. Hij schatte dat gevaar groter in dan zijn meerderen dat deden. Zijn groepje zat in een kantoorgebouw dat niet ver van het hoofdkantoor van de CIA in Langley stond. Scheuer had het Alec Station genoemd, naar zijn zoon.

De beste manier om toen aan inlichtingen te komen was een verdachte oppakken en hem aan de autoriteiten in een ander land overdragen. Daar werd hij dan verhoord. Op die manier kon de CIA zich houden aan de regels die marteling verboden. Vooraf werden door dat andere land garanties gegeven dat een arrestant niet slecht zou worden behandeld. Het ene land hield zich daar beter aan dan het andere. Het was de CIA toen nog niet toegestaan om hooggeplaatste terroristen te doden. Ze moesten worden opgepakt en ergens vastgehouden. Door ze niet in eigen land vast te zetten, maar ze naar een ander land over te brengen bleven de regering-Clinton allerlei juridische complicaties bespaard. Volgens Scheuer was dat geen expliciet beleid, maar meer de optie die overbleef als alle andere wegvielen. Hij vroeg aan het Witte Huis wat hij met een doelwit moest doen en kreeg dan te horen dat dat zijn probleem was. Het probleem werd opgelost dankzij bereidwillige regeringen in Oost-Afrika, op de Balkan en in het Midden-Oosten.

De eerste grote doorbraak voor Alec Station kwam in september 1996, toen Jamal al-Fadl, een Soedanese militant die tot kort daarvoor nauw met bin Laden had samengewerkt, zich bij de Amerikaanse ambassade in Eritrea meldde en aanbood om alles te vertellen wat hij over al Qaida wist. Hij werd naar de Verenigde Staten gevlogen en daar in een getuigenbeschermingsprogramma opgenomen. Hij leverde als eerste verse informatie over bin Laden en zijn organisatie, over de mensen die er deel van uitmaakten, de structuur van de groep en de operaties die bin Laden wilde uitvoeren. Door zijn onthullingen groeide de belangstelling voor de groep, die duidelijk bereid en in staat was om grote terroristische aanvallen uit te voeren.

In 1999 werkten er zevenentwintig mensen voor Alec Station. Er zaten veel vrouwen bij. Het was een onorthodoxe CIA-afdeling, heel informeel. Veel mensen liepen in vrijetijdskleding rond. Omdat de afdeling contact had met mensen over de hele wereld, was het kantoor vierentwintig uur per dag open. Iedereen maakte lange dagen en dus leek het in de verste verte niet op een regulier kantoorbestaan. Scheuer deed elke middag een tukje in zijn kamer. Naarmate de dreiging die van al Qaida uitging duidelijker werd, werd ook de gedrevenheid van de groep groter. Scheuer en ook anderen lieten promotie lopen om het werk te kunnen blijven doen. Huwelijken liepen op de klippen. Er heerste een incrowdachtige sfeer. Sommige mensen noemden het 'The Manson Family'.

Het lukte niet om bin Laden in Soedan te laten arresteren, en dus bedachten ze een plan om hem het leven zuur te maken. Hij was daar bezig met een paar grootschalige projecten – wegenbouw, landbouw en andere zakelijke activiteiten. Daarnaast verleende hij actief steun aan allerlei terroristische activiteiten in de regio. Alec Station stelde voor om zijn machines te saboteren met een middel waardoor de motoren vast zouden lopen. Toen de Senate Select Committee on Intelligence over het plan werd ingelicht, maakte een lid bezwaar. 'Als je dat doet hebben Soedanese boeren toch geen werk meer?' Het plan werd geschrapt.

Niet lang daarna, toen al Qaida in verband werd gebracht met een poging om de Egyptische president Mubarak te vermoorden, werd Soedan door andere landen in de regio onder druk gezet om bin Laden uit te wijzen. Hij verkaste naar Afghanistan, waar hij de oorlog verklaarde aan de Verenigde Staten. Dat vond Alec Station een gunstige ontwikkeling, want nu kon de NSA telefoongesprekken afluisteren; en verder was er enorm veel beeldmateriaal uit de tijd waarin de moedjahedien strijd leverden tegen de Sovjet-Unie, en had de CIA nog steeds veel goede contacten in het land. Mullah Omar, de leider van de taliban, nodigde in 1997 bin Laden uit om in Kandahar te komen wonen, op Tarnak, een experimenteel landbouwbedrijf ten zuiden van de stad. In dit gebied had de CIA een uitgebreid spionnennetwerk. Deze groep werd 'Tripoints' genoemd.

Eindelijk konden ze bin Laden nauwgezet in het oog houden en naar hem en zijn medewerkers luisteren. Scheuers groep had niet de bevoegdheid om hem te doden, en dus maakten ze plannen om hem te ontvoeren, in mei of juni 1998, een paar maanden voor de bomaanslagen op de Amerikaanse ambassades in Dar es Salaam en Nairobi. Hij zou in een afgelegen gebied in de bergen worden vastgehouden voor verhoor en dan worden vastgezet in een Arabisch land, tenzij de Verenigde Staten besloten om hem zelf te berechten. Samen met JSOC werd er een jaar aan het plan gewerkt. De bedoeling was om bin Laden te ontvoeren en over de grens te brengen zonder dat de helikopters op de Afghaanse radar verschenen. Maar toen het plan door hogere echelons binnen de CIA werd geëvalueerd, werd het afgeschoten: te riskant. Er konden Amerikanen sneuvelen, en omdat bin Laden zijn vrouwen en kinderen bij zich had, konden er ook kinderen gewond raken. Scheuer vond het een onbegrijpelijke beslissing. 'Hoe groot moet een bedreiging zijn voor je er eindelijk wat aan doet?' zei hij.

Toen George Tenet, de directeur van de CIA, kort daarop een bezoek bracht aan Alec Station, kreeg hij te maken met een woedende vrouwelijke medewerker. 'U en het Witte Huis kosten ons straks duizenden Amerikaanse doden.'

Tenet zei dat hij hun boosheid begreep, maar dat die zou zakken. De drang om wat te doen, die de groep voelde, de incrowd-achtige sfeer en het hoge aantal vrouwen – al die zaken werden inmiddels door Scheuers meerderen als evenzovele nadelen beschouwd. De groep was veel te paniekerig, vond men. Uit Tenets antwoord blijkt dit vooroordeel. De mensen van Alec Station werden er nog bozer door. 'Over een paar dagen hebben jullie je gezonde verstand wel weer terug,' zei hij.

Na de aanslagen op de ambassades in augustus werd Scheuer gevraagd of het plan om bin Laden te kidnappen nog steeds kon worden gebruikt. Het antwoord was uiteraard nee. Bin Laden wist dat na die aanslagen de kans groot zou zijn dat de Verenigde

Staten in actie zouden komen. Hij was ondergedoken – een gemiste kans.

Inmiddels waren de Verenigde Staten bereid om dodelijk geweld te gebruiken tegen bin Laden. President Clinton stemde kort na de aanslagen in met twee aanvallen met kruisraketten, één gericht tegen Al-Shifa, een farmaceutische fabriek bij Khartoem in Soedan waar, dacht men, chemische wapens werden gemaakt, en de andere tegen het kamp van bin Laden, bij de stad Khost in Afghanistan. De raketten werden op 20 augustus vanaf schepen in de Arabische Zee afgevuurd. Later schatte de CIA dat er twintig tot dertig mensen waren omgekomen. Bin Laden was daar niet bij, want naar verluidt had die een paar uur voordat de raketten insloegen het kamp verlaten.

De opgave waarvoor Alec Station zich nu gesteld zag, was hem opsporen en dan de coördinaten doorgeven, zodat een raket of een vliegtuig hem onder vuur kon nemen. Scheuer zegt dat zijn mensen acht keer met de benodigde gegevens kwamen, maar dat het Witte Huis elke keer een aanval afblies, vooral omdat men bezorgd was over bijkomende schade. Zelf was hij veel meer geneigd om bijkomende schade voor lief te nemen dan zijn meerderen, juist omdat hij ervan overtuigd was dat het gevaar dat bin Laden opleverde onmiddellijk ingrijpen rechtvaardigde. Die obsessie maakte dat zijn collega's een beetje achterdochtig naar hem begonnen te kijken.

Eind 1998, op de zondag voor Kerstmis, kwam Alec Station te weten dat bin Laden zich in Haji Habash bevond, een gastenverblijf dat deel uitmaakte van de gouverneursresidentie van Kandahar. Een plaatselijke spion van de CIA wist in welk deel van het gebouw hij zich bevond, en zelfs in welke kamer, omdat hij hem daarheen had gebracht. Het was eersteklas informatie, en het doelwit lag ruim binnen het bereik van de Tomahawk-kruisraketten op schepen in de Arabische Zee.

'Sla vannacht toe. Een tweede kans komt er misschien niet

meer,' zei Gary Schroen, de bureauchef van Alec Station.

Scheuer ging meteen naar het Witte Huis. Tenet en John Gordon, de onderdirecteur van de CIA, gingen mee. Ze reden samen van Langley naar Washington, maar in het Witte Huis mocht alleen Tenet bij het overleg aanwezig zijn. Scheuer en Gordon wachtten buiten, urenlang. Er werd geen toestemming gegeven voor een aanval met kruisraketten. Volgens het rapport van de 9/11 Commission was men bang dat er driehonderd doden en gewonden zouden vallen en dat ook de kans groot was dat bin Laden op het laatste ogenblik zou vertrekken, want dat was eerder gebeurd. Eens te meer teleurgesteld reed het CIA-drietal terug. Vooral Scheuer maakte zich er boos over dat de regering kennelijk wilde vermijden dat een moskee schade opliep.

De dag daarop was de kans verkeken. Scheuer schreef aan Schroen dat hij de nacht na dat besluit niet had kunnen slapen. 'Ik weet zeker dat we er nog spijt van krijgen dat we gisteravond niet hebben toegeslagen.'

'Het had gisteravond moeten gebeuren,' schreef Schroen terug. 'Hier krijgen we vast spijt van.'

Scheuer raakte steeds gefrustreerder. In 1999 schreef hij een memo aan de leiding van de CIA waarin hij van zijn hart geen moordkuil maakte. Hij beklaagde zich erover dat het vergaren van informatie riskant en inspannend werk was, dat ook nog eens vele uren kostte, terwijl de overheid keer op keer weigerde om er actie op te ondernemen.

'Ik kon er niet bij,' legde hij jaren later uit. 'Je stuurt voortdurend mensen een gevaarlijk gebied in om daar dingen te weten te komen waar je wat mee kunt, en dan wil de regering dat niet gebruiken, om redenen die alleen zij snapt. Het is gewoon racistisch om te denken dat 1,4 miljard moslims de Verenigde Staten gaan aanvallen omdat er een paar scherven afvliegen van een moskee in Kandahar. Je hebt nul komma nul respect voor de menselijkheid en het gezonde verstand van de moslimwereld als je daarvan uitgaat. En toch is dat de smoes waar die slimme Harvard-jongens die daar de dienst uitmaken mee aankomen.'

Hij werd van zijn functie ontheven. 'Zeg maar tegen de mensen dat je een burn-out hebt. En natuurlijk krijg je een zak geld mee, en een medaille.'

'Steek die maar in je reet,' zei Scheuer.

Uiteraard veranderde alles na de aanslagen van 11 september. Toen was dé vraag waarom de Verenigde Staten niet actief tegen bin Laden waren opgetreden toen dat kon. Geobsedeerde mensen als Scheuer en zijn Alec-groep werden nu opeens gezien als profeten in plaats van veel te emotionele mopperaars. De Verenigde Staten hadden de kans laten lopen om bin Laden te elimineren voor hij zijn meest ambitieuze plannen had kunnen uitvoeren.

Na de inval in Afghanistan waren er aanwijzingen dat bin Laden zich verborgen hield in een ruig gebied in het uiterste oosten van het land, vlak bij de grens met Pakistan. Tora Bora (de 'Zwarte Grot') was, zei men, een wirwar van natuurlijke en door mensenhanden uitgehakte grotten. Toen Amerikaanse en Afghaanse militairen in 2001 na een gevecht van vijf dagen Tora Bora veroverden, troffen ze series kleine grotten aan en ook een paar bunkers – bepaald niet het machtige fort dat ze zich voorstelden. Weer was de Sjeik hen te snel af geweest.

Volgens de meest betrouwbare inlichtingen was hij de Witte Bergen over gevlucht, Pakistan in, waarschijnlijk al voor de aanval begon. En daarna… Niets.

Nee. Niet niets.

Begin met duizenden snippers informatie. Namen, heel, heel veel namen. Ooggetuigen. Geruchten. Uitgetikte verhoren. Telefoonnummers. Telefoongesprekken. Data. Adressen. Geografische coördinaten. Luchtfoto's. Andere foto's. Video's. Gezichten. Irisscans. Een raar loopje. Kaarten. Vingerafdrukken. Oude dagboeken. E-mails. Websites. Sociale media. Sms'jes. Tweets. Ouderwetse brieven. Blogs. Nieuwsberichten. Radioverslagen. Rekeningen. Boekhoudingen. Bekeuringen. Huurovereenkomsten. Creditcardnummers. Nota's. Bankrekeningen. Stortingen. Opnames. Nummerplaten. Paspoortnummers. Processen-verbaal. Arrestaties. Reisschema's. Alles wat tot gegevens kan worden verwerkt. Als je één man zoekt in een wereld waarin zeven miljard mensen wonen en die man wil niet gevonden worden, dan gooi je een heel groot net met heel kleine mazen uit.

Nadat bin Laden was ontsnapt uit Tora Bora zette de Amerikaanse regering zich tot het uiterste in om hem op te sporen. Vergeleken met die inzet stelde het werk, tegen de verdrukking in, van het bescheiden Alec Station weinig voor. De regering-Obama zou het later hebben over 'beperkte bandbreedte' en 'botsende prioriteiten' als verklaring waarom het toch nog zo lang duurde, maar de waarheid is dat alle afdelingen en onderdelen van het enorme militair-industriële complex erbij betrokken waren. Wat dat betekende? Dat het opsporen en elimineren van bin Laden niet langer de taak was van een groepje mensen in een achterafkantoor bij Langley. Het was een kerntaak geworden, voor iedereen. Voortaan zou niemand nog uren in een gang van het Witte Huis hoeven wachten op toestemming om toe te slaan. Maar het was wel een stuk lastiger geworden om bin Laden op te sporen. Er moesten gereedschappen worden bedacht, er moesten netwerken en eenheden worden opgezet om al Qaida en andere terreurgroepen op te sporen en uit te roeien. Het is de moeite waard om wat gedetailleerder in te gaan op F3EAD, de aanpak die hiervoor in het leven werd geroepen.

Je begint met stukjes en beetjes. Alles waaruit je – zie boven – gegevens kunt halen. Dat alles, en nog veel meer. Inlichtingen uit alle mogelijke bronnen: arrestantenverhoren, informatie van mensen, dataverkeer, satellietbeelden en zelfs iets als MASINT (Measurement and Signature Intelligence), dat zeer technische dingen als radar of chemische samenstellingen of geluid omzet in

gegevens waar je wat mee kunt. Elke bit informatie is een potentieel bruikbare stip in een gigantische matrix. Er kwamen gegevens binnen van een enorme kluwen overheidsinstellingen, groot
en klein: CIA, FBI, NSA (National Security Agency), NGA (National
Geospatial Intelligence Agency), ISI (Inter-Services Intelligence
Agency) en JSOC, dat zijn SEAL- en Delta Force-eenheden opdracht
gaf om bij invallen alles mee te nemen wat een aanwijzing zou
kunnen bevatten. Wie weet zat er iets bij wat hen naar bin Laden
kon leiden. Af en toe werd er door tientallen analisten van de CIA
aan gewerkt, maar het was een ontzagwekkende hoeveelheid informatie, met talloze potentiële aanwijzingen. Er was een kans,
en misschien was die kans wel groter dan fiftyfifty, dat bin Laden zijn hele leven ondergedoken zou blijven en vredig in zijn bed
zou sterven, omringd door zijn vrouwen, vele kinderen en de hem
toegewijde intimi. Misschien zou hij nog met een laatste tirade
komen tegen het 'Hoofd van het Internationale Ongeloof' en daar
een lange neus tegen trekken terwijl hij het paradijs betrad. Voor
mensen die in dit soort dingen geloven, zou zijn bewering dat God
hem in zijn handelen stuurde er des te geloofwaardiger op worden
als hij uit handen van de Amerikanen wist te blijven.

Het opsporen van bin Laden was een schoolvoorbeeld van een
heel banale waarheid over inlichtingenwerk. Bij inlichtingenwerk
gaat het niet om genialiteit of moed, maar om inzet, om geduld,
om wilskracht. Uiteraard draait het ook om geld en tijd, maar
we hebben het hier over een doel dat topprioriteit heeft gekregen
van niet één, maar twee presidenten, zodat er in feite ongelimi-
teerd tijd en geld in kunnen worden gestoken, en dan is het in
essentie een kwestie van wilskracht. Bush had een lijst met gezochte terroristen in de bovenste lade van zijn bureau liggen en
streepte persoonlijk een naam door als er weer een was opgepakt
of geëlimineerd. De bovenste lade van het hoogste bureau in de
machtsketen van het land – dan heeft een zaak prioriteit. En bin
Laden was altijd 'nummer één'. Bij zijn dagelijkse briefing vroeg

Bush steevast 'Hoe staat het ermee?', en dan wist iedereen waar hij op doelde. Bij Obama was het net zo. Na de bijeenkomst in 2009 met zijn nieuwe topmensen op inlichtingengebied kwam hij er in bijna elke vergadering op terug.

'Komen we al dichterbij?'

'Wat zijn we te weten gekomen?'

Een inlichtingennetwerk zoals de Verenigde Staten dat hebben, is niet één bureaucratie, maar een hele serie, elk met haar eigen specialisme: luisteren, observeren, fotograferen, aftasten, analyseren. De kracht van zo'n overlappende structuur is dat er meer dan eens naar dingen wordt gekeken, en vanuit alle mogelijke hoeken. En de kracht van een bureaucratie – iedereen kijkt naar wat de zwakke plekken van een bureaucratie zijn, en maar zelden naar de sterke – is dat zij eindeloos veel werk aankan. Gestaag, onophoudelijk werk, net als de nietige rivier die uiteindelijk de Grand Canyon uitslijt of de lippen van de gelovigen, die na eeuwen de marmeren teen van een heiligenbeeld tot een stompje hebben teruggebracht. Uur in, uur uit, dag in, dag uit, jaar in, jaar uit. Het werk zou een flink deel van het leven van vele analisten in beslag nemen. Ze werden op gezette tijden vervangen door anderen, frisser van oog, oor en geest, die gretig en met nieuwe energie platgetreden paden verkenden, ver voorbij het punt waarop een gewone menselijke onderneming er allang de brui aan zou hebben gegeven.

En daarbij komen dan nog de supercomputers. Als je al die miljoenen stukjes informatie die door de jaren heen uit de hele wereld bij elkaar zijn gebracht omzet in bytes, wordt iets wat onmogelijk leek, een naald vinden in een miljoen hooibergen, opeens een klein beetje haalbaarder.

Dus als we het spoor volgen dat uiteindelijk naar Abbottabad voerde, dan hebben we het hierover: een geavanceerde zoekmachine. Als je het spoor van het eind naar het begin volgt, dus van bin Ladens schuilplaats naar de stukjes en beetjes informatie die erheen leidden, lijkt het allemaal erg voor de hand te liggen. Maar dan heb je er geen oog voor hoe moeilijk het allemaal was, heb je geen oog voor de jaren van frustratie en geduldige inzet, voor de technologische vernieuwing, voor de levens die verloren zijn gegaan, voor de fouten die zijn gemaakt, voor het geld dat eraan is uitgegeven. Alleen al de inzet van special forces was het eindresultaat van een kwarteeuw probeersels en mislukkingen, met als aanzet de rampzalig mislukte missie uit 1980 om Amerikaanse gijzelaars in Iran te bevrijden.

Ook daarbij waren helikopters betrokken. Een daarvan botste op de grond tegen een vliegtuig op. Beide toestellen ontploften. Acht Amerikaanse militairen kwamen om. Het fiasco zette een streep door alle pogingen om de mislukte operatie geheim te houden. De regering-Carter moest diep door het stof, en de Amerikaanse gijzelaars in Teheran zaten nog vele maanden gevangen. Carter kon daarna zijn herverkiezing vergeten. Voor de mollahs was het ook nog eens een enorme propagandaoverwinning. Ze beweerden dat een Amerikaanse invasie door God was verhinderd.

De missie waarbij bin Laden de dood vond, vertoonde frappant veel overeenkomsten met die mislukking, maar als één ding duidelijk was, dan was het wel dat 'special operations' enorme vorderingen hadden geboekt. Het Special Operations Command werd na de ramp van 1980 opgezet, juist na deze hardhandige demonstratie van wat het land níét kon. Het ging al een stuk beter in 1993, bij het heldhaftige, bloedige vuurgevecht in Mogadishu, toen een andere operatie van special forces uit de rails liep. Mijn boek *Black Hawk Down* gaat daarover, en er is ook een film van gemaakt. Sindsdien zijn bij duizenden missies, geslaagd en mislukt, groot en klein, mensen, machines en tactiek steeds verder geperfectioneerd – tot de Amerikanen Osama uiteindelijk op 2 mei 2011 in het vizier kregen.

De aanval kon pas worden ingezet als bin Laden was gevonden. Die zoektocht betekende het opnieuw opzetten van spionagenetwerken die waren ontmanteld in de zelfgenoegzame jaren na de Koude Oorlog, toen spioneren niet netjes werd gevonden, tegen de wet, een gevaar voor persoonlijke vrijheden en mensenrechten. Na 11 september ontdekten mensen opnieuw het nut van spionnen, en van oren en ogen aan de hemel. De aanslagen bespoedigden de ingebruikname van permanent waakzame satellieten en telecommunicatienetwerken. Die maakten permanent observeren mogelijk, iets wat in het nog recente verleden ondenkbaar was.

Vier maanden na de aanslagen kreeg John Poindexter, een ex-admiraal, de leiding van een nieuw initiatief dat mede dankzij hem tot stand was gekomen: Total Information Awareness. De opzet was om supercomputers te gebruiken voor het verzamelen van onvoorstelbaar grote databases. Eigenlijk zou, zoals de naam al laat doorschemeren, alles worden verzameld, waarna er software zou worden ontwikkeld om potentiële terroristen te identificeren en op te sporen. De admiraal had tijdens het Iran-Contraschandaal gelogen tegen het Congres, wat het vertrouwen in hem er niet groter op maakte, en daar kwam het enge, orwelliaanse idee van een overheid die enorme hoeveelheden informatie over de eigen burgers verzamelde nog eens overheen. De naam Total Information Awareness was in dit licht bezien een fatale publicrelationsblunder. De kale Poindexter met zijn witte snor kreeg allerlei bijnamen; de 'Big Brother van het Pentagon' was nog een van de minst erge. Het oorspronkelijke plan werd door het Congres afgeschoten. Poindexter ging terug naar het zakenleven, en wat er van zijn project overbleef mocht geen inlichtingen verzamelen over Amerikanen en kreeg ook een andere, tactvollere naam: Terrorism Information Awareness.

Poindexter was duidelijk niet de geschikte man om het project te leiden, al was het alleen maar vanwege zijn botte optreden, maar zijn ideeën klopten wel. Hij dacht daar al tientallen jaren over na. Een van de sterke punten van een computer is dat hij enorme aantallen gegevens kan opslaan en bewerken. Dat lijkt een open deur, maar in de praktijk is dit zo revolutionair dat het het moderne leven een heel ander aanzien heeft gegeven. Het wordt gebruikt door Google; door Walmart, om ondanks talloze internationale toeleveranciers de supermarkten toch bevoorraad te houden; door koeriersbedrijven die over de hele wereld pakjes versturen; door wetenschappers die er het menselijk genoom mee in kaart hebben gebracht. Computers verzwolgen een oceaan aan gegevens en haalden daar patronen en verbanden uit die anders in die veelheid onvindbaar zouden zijn geweest. Waarom zou je die rekenkracht niet inzetten om een terroristisch netwerk op te sporen, door verbanden te herkennen in feiten die volgens ervaren analisten niets met elkaar te maken hadden?

Poindexters ideeën bleven niet alleen bestaan, ze werden de basis onder de oorlog tegen terreur. Alle mogelijke informatie over al Qaida en daarmee verwante groepen waarmee inmiddels zeer actieve militaire inlichtingendiensten en spionagenetwerken aankwamen, werd omgezet in bytes en bekeken op aanwijzingen. Bij de jacht op bin Laden en anderen werd uiteindelijk gebruikgemaakt van een onvoorstelbaar grote database, die door iedereen op de wereld die over de juiste veiligheidscode beschikte kon worden gebruikt, of het nu een in Afghanistan gelegerde officier van de mariniers was of een ploeg analisten in Langley. Voor die massa gegevens moest software worden ontwikkeld die diep reikte en snel en flexibel was. Daar bleek de overheid minder goed in dan groepjes jonge softwarebedenkers in Silicon Valley. Een net opgezet bedrijf, Palantir, ontwikkelde software die elegant deed wat Poindexter met Total Information Awareness had willen doen. Palantir was in 2004 opgericht door Alex Karp en Peter Thiel, een miljardair die aan de wieg had gestaan van PayPal en al vroeg geld had gestoken in Facebook. Het bedrijf kwam met een product waarvoor de naam 'killer app' nu eens niet overdreven is. Dat deed het door net afgestudeerde softwarespecialisten van de beste computerscholen van het land aan te nemen. Die werden in een werkruimte van zeshonderdvijftig vierkante meter in Palo Alto neergezet. Overal kon je eten pakken of een videospelletje doen. Het bedrijf is genoemd naar een magische steen uit *In de ban van de ring*, waarmee je over grote afstanden kunt zien en communiceren, en de bedrijfsruimte werd uiteraard The Shire genoemd, de Gouw, waar de Hobbits uit het boek van Tolkien wonen. Dankzij de software die op deze onwaarschijnlijke plek werd ontworpen zouden de Amerikaanse special forces dodelijk effectieve jagers worden. Palantir is inmiddels miljarden waard, en heeft contracten met onder meer de CIA, de NSA, Defensie, de Defense Intelligence Agency, de FBI, het National Counterterrorism Center en het Department of Homeland Security.

Oorlog heeft keer op keer een impuls gegeven aan snelle technologische ontwikkelingen en nieuw gebruik van al bestaande middelen. In eerste instantie behaalden de Amerikaanse strijdkrachten in Irak een vrij gemakkelijke overwinning en viel het regime van Saddam Hussein, maar daarna werden ze steeds vaker aangevallen door extremistische soennieten. De meest gewelddadige factie was een nieuwe tak van al Qaida, onder leiding van een zekere Abu Musab al-Zarqawi, een moordenaar die de zaken origineel aanpakte. Zijn groep begon een campagne met bermbommen en drieste zelfmoordaanvallen, die vaak bedoeld waren om ook zo veel mogelijk burgers te treffen, het soort aanvallen dus dat de ondergedoken bin Laden onjuist vond. Mede door de grote aantallen doden wendde de soennitische meerderheid in Irak zich uiteindelijk van de extremisten af, wat een keerpunt in de oorlog werd. Maar tegelijkertijd pakte het US Joint Special Operations Command onder bevel van generaal Stanley McChrystal de terroristen van al Qaida steeds effectiever aan. De ene missie volgde op de andere, en terroristen werden opgepakt of geëlimineerd in een tot dan toe ongekend tempo. Eind 2003 werd Saddam Hussein ontdekt; hij hield zich verscholen in een gat in de grond. Zarqawi zelf vond tweeënhalf jaar later de dood bij een Amerikaanse aanval. McChrystals succes, dat gezien wordt als een van de grootste militaire prestaties uit het recente verleden, kwam voort uit wat hij 'collaborative operations' noemde, een combinatie van special forces, bestaande uit de beste mensen van allerlei eenheden, en de rekenkracht van de nieuwe computers, die beschikten over een massa gegevens uit allerlei bronnen. Er werd een enorme database aangelegd in Camp Victory in Irak, en toen nog een in Bagram in Afghanistan. Daar werd het grote overzicht gecombineerd met de kleinste details. Dat hield in dat een ander soort militair aan het front verscheen, een die meer gewend was op een muis te klikken dan de trekker over te halen.

Guy Filippelli, een jonge kapitein, was een van hen. Hij was opgeleid aan de militaire academie in West Point, nadat hij eerst in Oxford had gestudeerd. In 2005 vroeg zijn commandant hem om bij Task Force-76 langs te gaan, een special forces-eenheid, en daar te laten zien wat hij allemaal met zijn computer kon. Filippelli noemt zichzelf een nerd. Hij schreef al op de middelbare school computerprogramma's en had in West Point op de snel groeiende computerafdeling gezeten. Nu was hij in Bagram systemen aan het ontwerpen die bedoeld waren om de stroom informatie beter te verwerken, door inlichtingen die tijdens operaties en uit verhoren van arrestanten waren vergaard in te voeren in de snel groeiende nationale terreurdatabase. Toen hij aankwam bij de versterkte gebouwen waarin de taskforce was gehuisvest, was hij vol enthousiasme. Hij was er zeker van dat deze frontsoldaten het verhaal dat hij te vertellen had heel spannend zouden vinden. Maar zijn publiek was bepaald niet onder de indruk. Filippelli vond zijn hypertechnische en abstracte voordracht zelf wel heel cool, maar hij stond tegenover een zaaltje vol schutters, die kickten op dingen als op grote hoogte uit een vliegtuig springen en pas na een lange vrije val je parachute openen. Of beschoten worden.

Hun wereld was allesbehalve virtueel. Zijn verhaal kwam niet aan. De volgende keer dat de jonge kapitein een kans kreeg, dit keer bij een kleinere groep schutters, gooide hij het dus over een andere boeg.

'Jullie zijn in dit werk vast duizend keer zo goed als ik, en waarschijnlijk doen jullie dit allang, maar mag ik toch even laten zien wat ik doe? Tien minuutjes maar, dan ben ik weg.'

Eerst ging het om simpele dingen. De taskforce sloot arrestanten gewoon op in een cellencomplex, in afwachting van verhoor. Filippelli had een database van verdachten aangelegd, compleet met informatie over tot welke stam ze behoorden, achtergrond, familie en andere factoren. Als je een arrestant op de verkeerde plek opborg, zeg bij een groep uit zijn dorp, zouden zijn makkers hem meteen vertellen wat hij wel en wat hij niet moest zeggen. Filippelli kon aantonen dat een verhoor dan aanzienlijk minder opleverde. Het was dus belangrijk waar je arrestanten opsloot.

'Kijk,' zei hij. 'Je hebt een vent opgepakt. Je hebt hem bij die groep gezet. Maar je had het ook anders kunnen doen.'

En hij klapte zijn laptop dicht en liep naar de deur.

'Klaar,' zei hij. 'Als er nog iets is, hoor ik het wel.'

'Ho ho,' zeiden de militairen. 'Daar willen we wel wat meer van weten.'

Na een tijdje zat hij steeds vaker bij de special forces. Hij liet zien dat ze met de juiste gegevens veel efficiënter konden werken. In een oorlog draait het eigenlijk maar om één ding: sneller kennis verwerven dan de vijand en dan sneller toeslaan. Volgens Filippelli en anderen die hetzelfde werk deden, draaide alles om reactietijd. Als je een arrestant maar een etmaal mocht vasthouden, hoe kon je dan die tijd het efficiëntst benutten? Wat moet je weten om hem binnen die beperkte tijd de beste vragen te stellen? En dat was nog maar een stukje van het probleem. Kijk nou eens naar militaire missies. De special forces moesten de vijand op reactietijd verslaan. Vroeger ging het zo: er werd een nachtelijke operatie uitgevoerd. Die lukte. Een lid van een terroristische cel werd opgepakt of gedood. Maar de volgende ochtend, of al na een paar uur, hoorde de rest van de groep dat en kwam in actie. Mobieltjes werden gedumpt, harddisks vernietigd, een bommenfabriekje werd verplaatst en ga zo maar door. De terroristen doken onder. Maar als je nog sneller kon zijn dan zij, als je hen op reactietijd kon verslaan door meteen bij de eerste operatie mensen te ondervragen of naar een telefoon of een harddisk te kijken, kon je nog voor de zon opging een vervolgoperatie op touw zetten, of misschien wel een hele serie, nog voor de terroristen elkaar over de eerste hadden kunnen inlichten.

Dankzij TIA konden ook de kleinste beetjes informatie meteen worden gecheckt in de grote database. Technologische militairen als Filippelli keken naar het potentieel bruikbare materiaal dat bij een inval was meegenomen en stopten die tactische, plaatselijke gegevens in de nationale database. Het was alsof je eerst tussen de bomen stond en vervolgens een panoramisch beeld van het hele bos kreeg. Hij hielp de schutters om verbanden te leggen en zo orde uit wanorde te scheppen. Al snel deden de special forces het zelf. Nu ze gewapend waren met een snelle analyse van gegevens werden ze heel snel. Elke nacht werden er meerdere missies uitgevoerd, en werd de vijand moeiteloos op reactietijd verslagen. Ze hadden, om het strategisch te zeggen, 'het initiatief naar zich toe getrokken'. Jacht maken op terroristen, eerst een passieve onderneming, waarbij je tijden bezig was met het verzamelen van inlichtingen en het voorbereiden van een inval, werd nu actief en agressief aangepakt. Om in leven te blijven moesten de boeven met elkaar communiceren en voortdurend verkassen, twee dingen waardoor het makkelijker werd om hen te vinden. Onder McChrystal werden in 2007 en 2008 terroristische netwerken steeds sneller ontmanteld door teams van JSOC. Ze werden opgerold voor ze wisten wat hun overkwam.

McChrystal kreeg kort na het aantreden van Obama de leiding

over alle militaire operaties in Afghanistan. Hij droeg JSOC over aan viceadmiraal William McRaven, die begin 2009 een geheime overeenkomst tekende met de nieuwe directeur van de CIA, Panetta, waarin richtlijnen waren vervat voor een uitgebreidere samenwerking. In dezelfde periode waarin Obama de CIA onder druk zette om bin Laden op te sporen, haalde JSOC de banden met diezelfde CIA aan.

Het juiste wapen was er. Nog maar negen jaar eerder had president Clinton tegen generaal Hugh Shelton, de toenmalige voorzitter van de Chefs van Staven, geklaagd dat hij bij de jacht op Osama bin Laden over te weinig opties beschikte. 'Bij al Qaida zouden ze het in hun broek doen als er boven hun kamp opeens een helikopter verscheen waar zich zwarte ninja's uit lieten zakken,' zei hij. Hier sprak een man wiens kennis van wat militairen vermochten eerder uit films kwam dan uit de praktijk. Om een kamp van de vijand te overvallen moest je eerst weten waar het was en wie zich daar bevond. Af en toe wisten de Verenigde Staten, zoals gezegd, waar bin Laden zich bevond. Alleen waren ze nog niet in staat om snel en effectief, en tegen aanvaardbare risico's, tot actie over te gaan.

Maar nu lag het anders. Ongeacht of je de inval in Irak een verstandige zet vond, en ongeacht wat je dacht van het schijnbaar eindeloze conflict in Afghanistan, er was in het kleine decennium dat die strijd nu duurde een generatie militairen en materieel ontstaan die in de strijd waren beproefd en volledig toegesneden waren op het opsporen en doden van terroristen. Daar doelde journalist en schrijver Bob Woodward op toen hij in *60 Minutes* sensatie wekte door iets te zeggen over 'geheime operationele capaciteiten'. Heel even werd er wild gespeculeerd over een versneld researchprogramma, vergelijkbaar met het Manhattan Project uit de Tweede Wereldoorlog waaruit de atoombom was voortgekomen. Er waren mensen die een 'angstaanjagend radarkanon' voor zich zagen, of een thermisch 'oog' dat op een hoogte van zeven kilometer een doelwit kon herkennen. Maar het ging niet om één geheim wapen. Het nieuwe werktuig borg alles in zich: opnieuw opgezette spionagenetwerken, supercomputers, geavanceerde software, satellieten en vliegtuigen die de hele wereld in het oog hielden, en elite-eenheden.

Maar zonder één element zou het allemaal niet zijn gelukt. Het was een van de meest dramatische ontwikkelingen in de krijgsgeschiedenis. En het begon niet in een geheim lab met briljante wetenschappers, maar op een vliegveldje in Hongarije, en bij een kolonel van de luchtmacht met de codenaam Snake.

James Clark was bij zijn afstuderen aan de Catholic University in Washington DC, in 1973, van plan om de politiek in te gaan. Hij had het allemaal al uitgestippeld: rechten studeren, dan de advocatuur in, en dan zich verkiesbaar stellen voor het Congres. Maar hij had een beurs gekregen van het Reserve Officers Training Corps, en na zijn afstuderen vroeg de luchtmacht of hij belangstelling had voor een opleiding tot jachtpiloot. Dat bleek zo'n kick dat hij besloot ermee door te gaan. De vier jaren werden er tien, en daarna werd het een militaire carrière. Zijn codenaam was Snake.

Hij zat in 1995 in Taszár, in Hongarije, toen hij de kans kreeg om te spelen met iets wat indertijd Gnat werd genoemd. Gnat was het bewijs dat er voor een goed idee niet altijd een volledig nieuw concept nodig is, iets wat radicaal afweek van de gebaande paden, want de Gnat was in feite een zweefvliegtuig waarin de motor van een Oostenrijkse sneeuwscooter was gezet. Later zou het uiteraard een beter toestel worden, met de meest geavanceerde instrumenten die er waren. De motor werd vrijwel geruisloos, het vliegtuig kon steeds langer in de lucht blijven en uiteindelijk kreeg het ook zijn eigen raketten. Onder de naam Predator werd het het meest gezochte wapen in het peperdure arsenaal van de Amerikaanse luchtmacht.

De drone (de luchtmacht spreekt liever van een UAV, een onbemand luchtvaartuig) was geen nieuw idee. Al in de Tweede Wereldoorlog werden er radiobestuurde vliegtuigen gebruikt. Joe Kennedy, de oudere broer van de latere president, kwam om bij een geheime missie toen zijn speciaal ontworpen B-24, die zichzelf naar een Duits doelwit moest vliegen nadat Kennedy eruit was gesprongen, voortijdig ontplofte. Ook in Vietnam waren drones gebruikt, en de Israëliërs hadden ze in 1982 zeer efficiënt ingezet in de Beka'a-vallei. Een aantal van hun modellen was aangekocht door de CIA, die ze had overgedragen aan General Atomics, een defensiebedrijf in San Diego, om ze verder te ontwikkelen. Clark kreeg vier van deze experimentele toestellen, die hij in tenten bij de startbaan van Taszár zette. Ze werden meteen een succes. Militairen wilden al heel lang over de volgende heuvel kijken. Dankzij de Gnat hadden ze nu een blikveld van rond de honderd kilometer, terwijl het toestel ook nog eens min of meer permanent in de lucht kon blijven, want het hoefde pas na twaalf uur te landen. Bemande vliegtuigen konden zo lang in de lucht blijven als de piloot het uithield, of tot zijn brandstof op was. Satellieten waren prima, maar alleen als ze toevallig in de buurt waren, en er waren nog veel meer andere klanten voor. En bovendien waren ze duur, en waren er niet veel van. De Gnats van Clark begonnen in 1994 missies te vliegen boven Kosovo, en zijn sindsdien permanent in actie gebleven. En de vraag naar drones stijgt nog voortdurend.

Volgens de luchtmacht was het grote probleem tijdens de Koude Oorlog niet hoe je de vijand moest vinden. Die was bijna altijd goed te zien: tanks, raketsilo's, legereenheden en ga zo maar door. Het probleem was hoe je ze moest aanvallen. De oorlog die na 11 september in alle hevigheid losbarstte, stelde de Amerikanen voor een heel ander probleem. Terroristen van al Qaida waren een gemakkelijk doelwit, maar je moest ze wel eerst zien te vinden. Meestal zaten ze ergens in een gebouw, met een paar bewakers erbij. Een vliegtuigje waarmee je onopvallend en van dichtbij een doelwit in de gaten kon houden, dagen, maanden en desnoods jaren, was opeens net zo waardevol, en misschien nog wel waardevoller, dan een peperdure satelliet die hoog boven de aarde zijn rondjes draaide.

Generaal James Poss, die met Clark samenwerkte, had in 2001 de leiding over de eerste Predator-missies boven Irak, waar de Verenigde Naties een vliegverbod hadden ingesteld. Af en toe namen de Irakezen de Amerikaanse toestellen onder vuur die dat vliegverbod afdwongen. Daarbij gebruikten ze een grote, onhandige radar die ze tijdens de Koude Oorlog van de Sovjets hadden gekocht. Het ding – de NAVO had het de codenaam Spoon Rest gegeven – zat in een flinke vrachtwagen. Daar stak een mast uit, en daaraan zat weer een rij flinke antennes. Kortom, niet iets wat je snel over het hoofd ziet. Alleen zocht de luchtmacht er al negen maanden naar en kon ze ze niet vinden. Hoe kon zo'n groot, opvallend ding onzichtbaar blijven? Als een Amerikaans toestel merkte dat de Irakezen de radar aanzetten waarmee ze een luchtdoelraket naar zijn doel konden sturen, ging er meteen een AWACS (een Boeing-707, volgestouwd met radar- en communicatieapparatuur) heen. Maar die kreeg nooit een Spoon Rest in het oog. Was het mogelijk dat de Irakezen ze na elke keer demonteerden? In de oude Sovjethandboeken stond dat dat minimaal twintig minuten duurde, en de AWACS was ruim binnen die termijn ter plekke. De luchtmacht probeerde het met een U-2. Ook niets. Poss probeerde van alles. Hij liet alle grote gebouwen in de buurt in kaart brengen. Hij liet er patroonherkenningssoftware op los om te voorspellen waar de vrachtwagens weer op zouden duiken. Niets.

De Predator vond er meteen de eerste keer een. Het toestel kon onopgemerkt een Irakese stad observeren waar zich, dat wist Poss, een Spoon Rest bevond, en kwam met de oplossing van het raadsel. Poss en zijn mensen konden voor het eerst beelden zien van hoe Spoon Rest werkte. De Irakezen wisten al minuten voor de AWACS er was dat hij eraan kwam, omdat ze zijn radarsignaal oppikten. Dan reden ze met de vrachtwagen over de markt en parkeerden ze hem onder een brug.

Daarna werden de Spoon Rest-vrachtwagens in hoog tempo opgespoord en vernietigd.

Drones werden ook op andere manieren ingezet. In 2003, voor de bombardementen op Bagdad begonnen, lieten Poss en Clark een oude Predator, die eigenlijk voor de sloop was bestemd, laag en langzaam over de stad vliegen. De Irakezen zetten prompt alle radarinstallaties aan waarmee ze hun luchtverdediging aanstuurden. Daardoor kreeg de luchtmacht daar een goed beeld van. Toen de Predator door zijn brandstof heen was, lieten ze hem in de Tigris neerstorten. Uiteraard beweerden de Irakezen dat ze een Amerikaans vliegtuig hadden neergehaald. Ze borgen het toestel niet. De dag daarop haalden Poss en Clark hun truc nog een keer uit, alleen mikten ze de hoeveelheid brandstof net verkeerd uit en kwam het toestel niet in een meer aan de rand van de stad terecht, maar half op de oever. De dag daarop kwamen internationale filmploegen op de berging af. De Irakezen beweerden dat ze weer een Amerikaans toestel hadden neergehaald, maar wat ze uit het water haalden was een oude drone, overdekt met graffiti en zonder één kogelgat.

De eerste experimentele modellen konden tv-beelden alleen rechtstreeks naar een ontvanger versturen, maar het duurde niet lang voor er Predators waren die hun waarnemingen naar communicatiesatellieten stuurden. Dat hield in dat wat ze zagen overal kon worden bekeken en geanalyseerd, en op hetzelfde ogenblik. Dat was de echte doorbraak. Drones boden niet alleen beelden van boven het doelwit – tijdens de Amerikaanse Burgeroorlog waren daar al ballons voor gebruikt. De revolutionaire verandering was dat de drones werden geïntegreerd in het bestaande mondiale telecommunicatiesysteem. Dankzij deze vliegende observatieposten was het Amerikaanse leger in staat om permanent te surveilleren en uiteindelijk hele steden in het oog te houden.

Als je daar supercomputers aan hangt, met software die in staat is om de 'signatuur' van een specifiek doelwit te herkennen – een rode pick-up met rechts in het achterspatbord een deuk, om maar wat te noemen – dan kun je een doelwit dag en nacht blijven volgen.

In 2010 maakten hele vloten UAV's – Predators, Reapers, Global Hawks en nog andere types – deel uit van een wereldwijd, geïntegreerd netwerk. Op bases in de Verenigde Staten zaten mensen die vrijwel over de hele wereld missies konden doen, en beelden en gegevens van sensors konden terugsturen naar computers op de luchtmachtbasis Beale in Californië en het hoofdkwartier van de CIA in Langley. Er waren inmiddels duizenden drones, genoeg om vijfenzestig gebieden tegelijk in het oog te kunnen houden. Bij bepaalde doelwitten observeerde het starende oog van een drone heel simpele dingen. Hoeveel mensen wonen er in een gebouw? Hoe laat staan ze op? Hoe laat gaan ze naar bed? Wat voor wapens hebben ze? De luchtmacht zette nu drones in groepen in, met als resultaat de 'Gorgon Stare', met negen of zelfs twaalf camera's uitgeruste drones die een gebied van vier bij vier kilometer kunnen observeren. Die beelden hoeven niet per se door mensen te worden gecontroleerd. Dat kan worden gedaan door computers, die nooit afgeleid worden of last krijgen van verveling, en die absoluut geen moeite hebben met complexe zaken. Als, stel, een auto van een terrorist wordt herkend door de computer, en als die auto iets kenmerkends heeft aan de hand waarvan de computer hem kan volgen, dan kan die auto maanden- of desnoods jarenlang worden geobserveerd, zodat een gedetailleerde kaart ontstaat van waar de verdachte allemaal komt. Combineer die kaart met afgeluisterde telefoongesprekken en via persoonlijke contacten verkregen informatie, en je krijgt inzicht in de contacten van je doelwit, of in zijn netwerk. Dankzij steeds betere lenzen kon van grote afstand worden geobserveerd, zodat de drones niet eens meer recht boven hun doel hoefden te hangen. Ze konden waarnemingen op afstand doen, zonder in het luchtruim te komen van een land als... Als Pakistan, om maar wat te noemen.

Het spoor dat naar Abbottabad leidde en dat achteraf zo duidelijk leek, was een goed voorbeeld van verbanden leggen tussen dingen. Het begon met een naam. Niet eens een echte naam, en van iemand van wie, naar later bleek onterecht, werd gezegd dat hij dood was.

De naam Abu Ahmed-al Kuwaiti werd voor het eerst genoemd tegenover de Mauretaanse autoriteiten door Mohamedou Ould Slahi, een al Qaida-lid dat zich Abu Musab noemde. Slahi was een ervaren moedjahied, die twee keer in Afghanistan had gevochten, één keer tegen de Russen en toen tegen het regime dat die bij hun vertrek hadden geïnstalleerd. Hij had trouw gezworen aan bin Laden en woonde eind 1999 in Duitsland, waar hij een opleiding in elektrotechniek deed. Daar sloot hij vriendschap met twee van de jonge Arabieren die de aanslagen van 11 september zouden uitvoeren, Ramzi Bin al-Shibh en Marwan al-Shehhi. Het tweetal wilde in Tsjetsjenië tegen de Russen gaan vechten, maar Slahi ried hen aan om eerst naar Afghanistan te gaan en daar een training te ondergaan. Met hulp van Mohammed Atta, die de leider zou worden van de groep die de aanslagen van 11 september pleegde, hielp de jonge Mauretaniër hen op weg naar Karachi. Later zouden ze doorreizen naar de Verenigde Staten en daar op een vliegschool terechtkomen. Slahi was dus nauw betrokken bij de aanloop naar de aanslagen, en erna werd hij onmiddellijk gezocht. Het duurde maar tien dagen voor men erachter kwam dat hij weer in Mauretanië woonde. Daar werd hij door de autoriteiten ondervraagd. In november 2001 werd hij gearresteerd en daar, en later in Jordanië, uitgebreid verhoord. Zelf zegt hij dat hij is gemarteld, en waarschijnlijk is dat zo. Sinds 2002 zit hij vast in Guantánamo Bay.

Een van de vele namen die Slahi noemde tijdens zijn verslag van de reizen die hij had gemaakt en de gevechten die hij had geleverd, was Abu Ahmed al-Kuwaiti. Hij zei dat de man was gesneuveld. De naam, die 'de Vader van Ahmed uit Koeweit' betekent, was duidelijk een pseudoniem. Het was maar één naam van de duizenden die werden opgenomen in de Terrorism Information Awareness-database.

Hetzelfde pseudoniem en dezelfde man zouden meer dan een jaar later wat meer gestalte krijgen dankzij een ware gelovige, Mohammed al-Qahtani, een jonge Saoedi met een onschuldig gezicht die zich tot al Qaida had bekeerd en van plan was geweest om zich bij de kapers van 11 september aan te sluiten en hen te helpen het toestel in hun macht te krijgen en de passagiers in het gareel te houden. Hij was een maand voor de aanslagen in Orlando aangekomen – Mohammed Atta stond klaar om hem mee te nemen – maar werd geweigerd door een immigratieambtenaar, die het niet vertrouwde dat hij maar een enkele reis had en geen Engels sprak. Toen Qahtani verontwaardigd reageerde, werd hij op een toestel naar Afghanistan gezet. Het martelaarschap werd hem dus ontzegd, maar hij sloot zich wel opnieuw bij bin Laden aan en nam deel aan de strijd om Tora Bora. Nadat hij daar was gevlucht werd hij in december 2001 gearresteerd toen hij samen met andere moedjahedien de Pakistaanse grens overstak. Qahtani beweerde dat hij in Afghanistan was om met valken te leren jagen. Hij werd overgedragen aan de Amerikaanse autoriteiten, die na enige tijd ontdekten dat zijn vingerafdrukken overeenkwamen met die van een jonge Saoedi die een jaar daarvoor, in augustus, de Verenigde Staten niet was binnengekomen. Opeens werd hij een stuk interessanter.

Hij werd onophoudelijk verhoord in Guantánamo, van begin november 2002 tot januari 2003. Een verslag van de meedogenloze manier waarop hij werd aangepakt om zijn verzet te breken is op WikiLeaks te lezen. Hij verzette zich heldhaftig. Diverse keren ging hij in hongerstaking, hij viel zijn bewakers en ondervragers aan, bespuwde ze vaak, gaf er een zelfs een kopstoot en stortte zich lichamelijk op anderen. Toen artsen hem via een infuus vloeistof-fen probeerden toe te dienen trok hij de naald eruit, en toen zijn handen aan zijn stoel werden gebonden om dat te beletten wist hij de infuusslang in zijn mond te krijgen en beet hij die door.

De regering-Obama heeft beweerd dat foltering geen rol heeft gespeeld bij het opsporen van bin Laden, maar die mening lijkt onhoudbaar, tenzij je een wel heel beperkte definitie geeft van dat begrip. De aanklager van Slahi weigerde bij een militaire commissie een procedure tegen hem te beginnen omdat de bewijzen tegen hem door marteling waren verkregen. In het geval van Qahtani zijn de harde ondervragingsmethoden duidelijk gedocumenteerd en openbaar toegankelijk. Iedereen zou in zijn geval reppen van marteling. Zijn zaak bracht Defensie ertoe om richtlijnen op te stellen voor excessieve ondervragingstechnieken.

Uiteindelijk verloor Qahtani de slag met zijn ondervragers. Hij gaf toe dat zijn valkeniersverhaal gelogen was en begon gedetailleerde verhalen te vertellen over zijn werk bij al Qaida. Een van de vele namen van intimi van bin Laden die hij noemde, was de hierboven genoemde Abu Ahmed al-Kuwaiti. Hij wist niet hoe die echt heette, maar zei dat hij niet alleen nog leefde en niets mankeerde, maar dat hij bovendien had samengewerkt met Khalid Sheik Mohammed, de nummer drie van al Qaida, en dat hij hem in een internetcafé in Karachi enig onderricht had gegeven in het gebruik van een computer om te laten zien hoe hij met de leiding moest communiceren als hij eenmaal in Amerika zat. Peter Bergen beschrijft in zijn boek *Manhunt*, een uitstekend verslag van de zoektocht naar bin Laden, dat Qahtani werd verteld dat hij een verslag moest schrijven en dat als concept moest bewaren in plaats van het te versturen. Zijn collega's beschikten over de toegangscode van zijn e-mailaccount en konden dus inloggen en het concept lezen, zonder dat dat ooit werd verstuurd. Zo vermeden ze spiedende blikken. Qahtani zei ook dat Ahmed de Koeweiti een koerier was.

De naam was dus inmiddels twee keer opgedoken, bij twee mannen in twee verschillende landen, met een tussenpoos van meer dan een jaar. Niet dat iemand daar iets mee deed. In het begin werden verslagen van verhoren van arrestanten niet in brede kring verspreid, zelfs niet binnen de CIA. Het belang van één enorme database zou pas blijken toen een paar jaar later de software verscheen die nodig was om ermee te kunnen werken. In de eerste jaren van de jacht was het, ook al werd er door tientallen analisten fulltime aan gewerkt, ook al had Bush zijn lijstje in de bovenste lade van zijn bureau liggen en zei hij voortdurend 'Hoe staat het ermee?', en ook al werden er al wel computers ingezet, bijna onmogelijk om de stortvloed van tips bij te houden, om van 'Elvissen' die overal waren gesignaleerd maar te zwijgen. Het Amerikaanse ministerie van Buitenlandse Zaken had vijfentwintig miljoen dollar uitgeloofd voor informatie die de Amerikanen op het spoor van bin Laden zou zetten, en er was nog eens twee miljoen uitgeloofd door een groep vliegtuigmaatschappijen en de pilotenbond, en dus was het doorgeven van een tip net zoiets als het kopen van een loterijbriefje: je kan niet winnen als je niet meespeelt. In elk werelddeel werden lange, slanke Arabische types met een olijfkleurige huid gesignaleerd. De analisten hadden er weinig fiducie in, maar de taak had zo'n hoge prioriteit gekregen dat elke aanwijzing moest worden onderzocht. Dat vrat tijd.

Daarom zou van één flard informatie, die tijdens een harde ondervraging door Qahtani was losgelaten, pas jaren later worden vastgesteld dat hij van het grootste belang was. Op zich was Qahtani niet belangrijk. Hij behoorde tot het voetvolk, was een van de duizenden die waren opgepakt in Afghanistan of, zoals in zijn geval, op de vlucht naar Pakistan. Ze werden allemaal ondervraagd, en alle gegevens gingen de snel groeiende database in. Qahtani was wel interessanter dan het grootste deel van de rest. Hij was Arabier en had gevochten, en anders dan de meeste arrestanten was hij lid geweest van al Qaida. Hij had gestreden bij

Tora Bora, en had kort voor de aanslagen op de Twin Towers geprobeerd de Verenigde Staten binnen te komen. Misschien zou hij wel aan de aanslagen hebben meegedaan als hij niet was teruggestuurd. Maar meer dan een simpele soldaat was hij toch niet. Er was geen reden om aan te nemen dat hij wist waar bin Laden zat. Dat hij de naam Ahmed de Koeweiti liet vallen, viel op. De Koeweiti had hem geholpen om zich voor te bereiden, en kennelijk werkte hij nauw samen met Khalid Sheik Mohammed, dus de naam werd belangrijker dan de meeste van de duizenden andere namen. Maar het was nog maar een valse naam. Wie de Koeweiti in werkelijkheid ook was, in 2003 was zijn pseudoniem maar één druppel in wat snel een oceaan aan gegevens begon te worden.

Toen werd Khalid Sheik Mohammed gearresteerd in Pakistan, een paar maanden nadat Qahtani was gaan praten. De zwaargebouwde, harige, donkergekleurde man was met voorsprong het belangrijkste lid van al Qaida dat ooit was opgepakt. Hij was de nummer drie van de organisatie, stuurde de operaties aan en was de belangrijkste architect van 11 september. Zijn arrestatie zorgde voor een golf van opwinding. Dit was iemand die de hele organisatie in kaart kon brengen en wist waar bin Laden en al-Zawahiri zich schuilhielden, of die in elk geval de Amerikanen een eind op weg kon helpen. Misschien konden ze via hem wel op het spoor komen van nieuwe complotten, nog voor die tot grote aantallen doden konden leiden. En dus kreeg Sheik Mohammed de volle laag. Hij werd agressief ondervraagd, zowel door de Pakistanen als de Amerikanen. In een geheime vestiging van de CIA in Polen werd hij honderdachtendertig keer aan waterboarding onderworpen. En tussendoor werden hem vragen gesteld over namen. Heel veel namen. Een van die namen was Ahmed de Koeweiti. Naast de talloze andere informatie die Sheik Mohammed losliet, voor een deel waar en voor een deel gelogen, zei hij dat de man bestond, maar dat hij onbelangrijk was en zich al jaren daarvoor uit al Qaida had teruggetrokken.

De analisten van de CIA die in 2003 naar deze Koeweiti keken, zagen in hem dus nog geen belangrijke aanwijzing. Maar nu drie mensen, zij het tijdens martelingen, zijn naam hadden genoemd, werd het idee dat het om een verzonnen figuur ging steeds onwaarschijnlijker. Hij bestond, of had bestaan. Misschien was hij dood, maar er was een grotere kans dat hij nog in leven was. Misschien had hij behoord, of behoorde hij nog steeds, tot de intimi van bin Laden. Misschien was hij zelfs een koerier. Toch ging het nog steeds om een valse naam, een van vele. En het was nog geen aanwijzing, want als je zo weinig weet, kun je daar eigenlijk niets mee.

De teams die de gegevens analyseerden waren intelligent en gedreven, en werkten op de kalme, onopvallende manier die analisten van de CIA eigen was. Ze waren een onderdeel van een soort universiteit van de analyse. De leiding had Michael Morell, die tot kort daarvoor assistent van Bush was geweest, maar promotie had gemaakt. Er waren meer dan twintig analisten, mannen en vrouwen. Er waren meer vrouwen dan bij dit werk gebruikelijk was, voor een deel omdat de CIA had besloten om de verhouding mannen-vrouwen wat meer gelijk te trekken, maar ook omdat men vond dat vrouwen heel goed waren in dit geduldige detailwerk. Ze merkten subtiliteiten op die de meeste mannen ontgingen. Dat was al bij Scheuers Alec Station gebleken. De teamleden waren van middelbare leeftijd of jonger. De leden leken als twee druppels water op forenzen die de hele dag in een hokje achter een computer zitten, of eindeloze vergaderingen bijwonen. Ze grinnikten als ze in boeken of op de film zagen hoe CIA-agenten werden uitgebeeld – die sprongen uit vliegtuigen of raasden in een regen van kogels met een sportwagen door allerlei Europese hoofdsteden. De groep bestond grotendeels uit intellectuelen, maar die hadden meer weg van accountants of jonge mensen uit het bedrijfsleven dan van academici, en als je het vroeg, zouden ze waarschijnlijk zeggen dat dat hun werk was. Ego en excentriciteit werden onderdrukt en gesublimeerd, geofferd op het altaar van het werk.

'Elvis' werd steeds minder waargenomen, en in 2004 hielden de meldingen helemaal op. Bin Laden was spoorloos. De teams begonnen meer tijd te steken in het doorzoeken van de vergaarde gegevens en bedachten slimmere manieren om die te analyseren. Hij had een familie, een enorm talrijke familie zelfs, met een verbijsterend aantal verwanten in diverse gradaties, plus nog eens aangetrouwde familie, en die kon hij allemaal gebruiken om een bericht door te spelen naar zijn moeder. Bin Laden had altijd een nauwe band met zijn moeder gehad, en dat was potentieel een zwakte. Hij had de leiding over al Qaida; ze wisten dat hij voortdurend berichten verzond en ontving. Mensen voorzagen hem van eten, medicijnen, informatie… Op wat manieren gebeurde dat? En dan de toespraken die hij op video of audio afstak. Wie van de mensen die hij goed kende, kon met die apparatuur omgaan? De beelden werden uiterst nauwgezet bekeken. Wat voor behang is dat, achter hem? Wat voor planten staan er in de kamer? Wat heeft hij aan? Ze hadden veel meer belangstelling voor de uiterlijkheden dan voor wat hij te zeggen had. Als hij in een grot woonde, hoe kwam zijn mantel dan zo schoon? Er was een mediateam dat zich daarop richtte. En wie bezorgde de beelden en banden bij Al Jazeera en andere organisaties? Daar hield het koeriersteam zich mee bezig. De CIA wist via de koeriers het spoor terug te volgen tot Nummer Drie: Sheik Mohammed, en daarna tot diens opvolger, Mustafa al-Uzayti, een Libiër die zich Abu Faraj al-Libi noemde. Maar daar liep het spoor altijd dood.

In januari 2004 arresteerde de Koerdische politie Hassan Ghul, een bekend lid van al Qaida, toen hij Irak binnen probeerde te komen met geld en tekeningen voor het maken van bommen. Hij had een brief bij zich van bin Laden aan Abu Musab al-Zarqawi, de moordlustige leider van al Qaida in Irak, een plaatselijke onderafdeling die net aan een bloedige campagne begon tegen Amerikanen en Irakese burgers. Toen Ghul werd verhoord, noemde ook hij deze geheimzinnige Abu Ahmed al-Kuwaiti. Hij zei dat het een belangrijke koerier was, een van de meest vertrouwde helpers van bin Laden. Het was de vierde keer dat de naam van deze geheimzinnige man was gevallen. Het leek er steeds meer op dat hij dus bestond. Maar wat voor iemand was het? Hoe werd je een betrouwbare koerier? Als bin Laden zich in Pakistan schuilhield, moest een koerier, wilde hij waardevol zijn, zowel Pashtu als Arabisch spreken. Paste de Koeweiti binnen dat profiel? En zo ja, hoe spoor je iemand op als je alleen een bijnaam weet?

In de laatste jaren van Bush' ambtsperiode kreeg het publiek te horen dat bin Laden zich waarschijnlijk ophield in een grot in Waziristan. Maar de teams van de CIA dachten dat na 2002 niet meer. Hij was nooit gezien in het noordwesten van Pakistan; er waren niet eens geruchten dat hij daar was. Niet één. Er deden ook veel verhalen de ronde dat hij een ernstige nieraandoening had, maar ook die werden al snel ontzenuwd. Bin Laden had dat eerder al zelf gedaan door in aanwezigheid van de Pakistaanse journalist Mir een flinke maaltijd tot zich te nemen. De CIA wilde er niet aan omdat dialyse organisatorisch veel te lastig zou zijn geweest en de Sjeik er op zijn video-opnamen fysiek best goed uitzag.

Als de analisten niet met hun computers bezig waren, waren ze aan het vergaderen. Er werden theorieën opgesteld, en daar werd over gedebatteerd. Er werden gedetailleerde profielen opgesteld. Hoe zou bin Ladens bestaan eruitzien? Wie zou hij bij zich kunnen hebben? Hoe groot was zijn huishouden? Waar zou hij kunnen zitten? In wat voor huis?

De vier meest veelbelovende ingangen waren, dacht men, familie, organisatie, geld en koeriers. De CIA had commissies ingesteld die zich daarmee bezighielden. En elke ingang genereerde opnieuw zijn eigen gegevens, namen, nummers, foto's, gesprekken. Alles ging de database in, de grote collectie van potentiële aanwijzingen. Het werk ging door, week in, week uit, jaar in, jaar uit. En niets leek erg veel op te leveren.

De arrestatie van Abu Faraj al-Libi, in mei 2005 in Pakistan, wekte hoop. Hij was de tweede Nummer Drie van al Qaida die werd opgepakt. Bekend was dat hij in de jaren na 11 september in direct contact had gestaan met bin Laden. Maar hoewel hij na zijn arrestatie veel vertelde, kwam hij niet met iets waar de teams die naar bin Laden zochten veel aan hadden. Maar indirect hielp hij hen wel. Een van de vele namen die al-Libi werden voorgelegd, was die van de Koeweiti. Hij zei dat hij nog nooit van hem had gehoord.

Dát was interessant. De vraag was aan vijf verschillende arrestanten voorgelegd. Vier wisten van zijn bestaan. Drie plaatsten hem dicht bij bin Laden, al zei een van hen dat hij dood was en zei Sheik Mohammed dat hij niet meer bij al Qaida zat. En nu zei al-Libi, die al meer dan twintig jaar deel uitmaakte van al Qaida, dat hij nog nooit van hem had gehoord. Hoe kon het dat hij niets wist van een man die Sheik Mohammed wél kende? Zo groot was de organisatie nu ook weer niet. De analisten trokken hun conclusies. Hun twee belangrijkste arrestanten minimaliseerden het belang van de Koeweiti of ontkenden zijn bestaan – dat zou wel eens kunnen betekenen dat Ahmed de Koeweiti juist heel belangrijk was. Bin Laden was het kroonjuweel. Als hun belangrijkste arrestanten iets wilden maskeren, dan was dat informatie die naar hem zou kunnen leiden. Dat was een verklaring. Bovendien was de Koeweiti van de aardbodem verdwenen. Net als bin Laden. Voor het eerst begonnen de teams van de CIA rekening te houden met de mogelijkheid dat de Koeweiti nog steeds bij bin Laden was en als zijn voornaamste contact met de rest van de wereld fungeerde.

Dus binnen alle andere mogelijkheden die werden onderzocht, werd de Koeweiti weer wat belangrijker. Nog steeds was zijn naam een van vele, en nog steeds was het een alias. Het zou nog vijf jaar duren voor ze hem wisten te koppelen aan een echt bestaande man. In 2007 kwam de CIA te weten dat de echte naam van de Koeweiti Ibrahim Saeed Ahmed was. Hoe dat verband werd gelegd wil men niet zeggen. Misschien verliep het gewoon via een informant. Misschien was het iemand die in een ander land vastzat en daar werd ondervraagd, of kwam de naam bovendrijven toen de supercomputers op de gegevens werden losgelaten, zat hij in de database van Terrorism Information Awareness, of werd er ergens ter wereld een telefoongesprek afgeluisterd waardoor de naam werd gevonden. Een hooggeplaatste functionaris zei dat de informatie van 'een derde land' afkomstig was. Later zei Morell tegen me: 'Je zou een boek kunnen schrijven over de manier waarop we daarachter zijn gekomen.' Maar het was een boek dat hij niet graag in druk zou zien verschijnen...

Hoe het verband ook is gelegd, een echte naam was gezien de sterk groeiende menselijke netwerken én de enorme TIA-database een enorme vooruitgang. Het was een echte man, en hij had een voorgeschiedenis. Ibrahim was afkomstig uit een grote Pakistaanse familie, die later naar Koeweit was verhuisd. Hij en zijn broers spraken vloeiend Pashtu en Arabisch. Een van zijn broers was gesneuveld in de strijd tegen de Sovjets in Afghanistan. Een man met een grote familie had verwanten die beschikten over telefoons en e-mail en computers met een internetverbinding. Een man als Ibrahim had een netwerk dat in kaart kon worden gebracht en geobserveerd. Nu de Amerikanen in staat waren om ook de kleinste snippers informatie te analyseren, en verbanden te vinden in terabytes aan gegevens, was het heel goed mogelijk dat een verdachte telefoon opviel, waarmee vanuit Pakistan naar Koeweit werd gebeld. Daarna kon je de zendmasten opsporen waarvan de beller gebruik had gemaakt en dan kijken of er in de massa's nummers die van die toren gebruikmaakten patronen zichtbaar konden worden gemaakt. Je zou ook de gesprekken die met die telefoon werden gevoerd kunnen gaan afluisteren, al wijst niets erop dat iemand voldoende belangstelling had om daaraan te beginnen.

Want erg veel opwinding maakte Ibrahim de Koeweiti nog steeds niet los. Hij was maar een van de vele sporen die ze volgden, en veel andere zagen er een stuk veelbelovender uit. De analisten richtten zich vooral op het opsporen van de nieuwe Nummer Drie van al Qaida of van andere sleutelfiguren, wat als extra voordeel had dat de plannen van de groep konden worden doorkruist. De Koeweiti was een randfiguur. Een groot deel van wat ze over hem te weten waren gekomen, leek uit te wijzen dat hij zich volledig uit al Qaida had teruggetrokken. De banden die hij met anderen had gehad waren kennelijk reden genoeg voor hem om zich nu gedeisd te houden. Misschien kwam het doordat Obama in 2009 de druk opvoerde, of misschien nam een team bij de CIA zelf wel het besluit om eens wat nader naar mogelijke koeriers te kijken. En misschien was het dat niet, en kwam de sleutel uit het geduldig verzamelen van informatie en het steeds geavanceerder worden van de software waarmee in de TIA-database kon worden gezocht. Of het nu was doordat er iets aan het servicepakket van zijn telefoon veranderde of doordat de Verenigde Staten informatie beter konden verwerken: in juni 2010 wist de CIA de telefoon te traceren. Dat hield in dat ze ook de Koeweiti konden vinden en hem konden observeren.

Ze merkten – en dat wekte meteen de nodige nieuwsgierigheid in Langley – dat Ibrahim en zijn broer Abrar uiterst behoedzaam waren. Ze gebruikten hun telefoon alleen in de auto. Ibrahim had een witte Suzuki Jimny met een reservewiel achterop, die van boven goed te volgen was. Voor hij zijn telefoon aanzette reed hij eerst een uur vanaf wat een heel curieus gebouw in Abbottabad bleek te zijn. Ibrahim en zijn broer gebruikten ook valse namen, Arshad en Tareq Khan. Dat was interessant, maar daar konden tal van verklaringen voor zijn, waaronder de contacten die Ibrahim in het verleden had gehad. Mogelijk waren ze betrokken bij illegale activiteiten; langs de grens tussen Pakistan en Afghanistan werd op grote schaal aan drugssmokkel gedaan. Of misschien werkten ze nog steeds voor al Qaida.

Reden genoeg om eens wat nader naar de twee te kijken. Want als Ahmed de Koeweiti, inmiddels dus Ibrahim, nog steeds een koerier was, kon hij ze misschien naar de schuilplaats van bin Laden leiden.

De telefoongesprekken van de broers werden opgenomen en afgeluisterd. Geen van de twee liet iets merken van wat ze op dat moment deden, maar wel viel op dat ze ook tegen familieleden voortdurend logen over waar ze woonden. En in een van Ibrahims gesprekken kwam een kort zinnetje voor dat leek te beduiden dat hij nog steeds voor al Qaida werkte.

'Ik werk nog steeds voor dezelfde mensen als vroeger.'

Opeens stond het gebouw in Abbottabad in het brandpunt van de belangstelling.

5

'Zorg alsjeblieft dat de kinderen en alle gezinnen uit de buurt blijven van de plaatsen die worden gefotografeerd en gebombardeerd.'

HERFST 2010

Negen jaar na zijn spectaculairste succes liep het allemaal niet zoals Osama bin Laden had voorzien. Hij was geïsoleerd geraakt van zijn mensen, hij was gefrustreerd en zijn organisatie begon slijtplekken te vertonen. De op 11 september gepleegde aanslagen waren zijn grootste prestatie geweest, maar ook zijn ondergang. Het instorten van de torens van het wtc en het binnenvliegen van een passagiersvliegtuig in het Pentagon hadden, anders dan hij had gedacht, de Verenigde Staten niet in een spiraal van angst, terugtrekking en financiële ineenstorting doen belanden. In plaats daarvan waren al Qaida en hijzelf op de vlucht geslagen voor een geduldige, vastberaden en dodelijke achtervolger. De groep zelf was fysiek en qua gedachtegoed uiteengedreven. De naam al Qaida was een vrijbrief geworden, een vlag waarmee mannen zwaaiden die bin Ladens precieze, goddelijke inzicht niet deelden en die de naam hadden bezoedeld met acties waarbij mensen die hij wilde verdedigen en bekeren waren gedood en verminkt, en van hem vervreemd waren geraakt. De heilige zaak was uit de rails gelopen. Vanuit zijn isolement kon hij de organisatie niet meer eigenhandig besturen. Maar de Sjeik had de moed niet opgegeven. Dat doen goddelijk geïnspireerden niet.

En dus schreef hij brieven, vele pagina's lange, uitvoerige brieven, in een gestage stroom die via een keten koeriers zijn weg vond naar mannen die hij als zijn plaatsvervangers erkende. Hoe benauwend de werkelijkheid ook was, zijn brieven bevatten onveranderlijk optimistische inschattingen van al Qaida's kansen. In de brieven gaf hij gedetailleerde instructies om mannen te bevorderen naar posities die door een arrestatie of een drone-aanval vrij waren gekomen, gaf of onthield hij zijn officiële goedkeuring aan nieuwe organisaties in andere landen, vroeg hij om gedetailleerder nieuws en informatie, betreurde hij de doden en sprak hij zijn steeds versnipperder opererende troepen moed in. Hij had kennelijk weinig anders omhanden. Hij zat ofwel zelf aan het toetsenbord met zijn slanke vingers de brieven te tikken, of hij dicteerde ze aan een van zijn echtgenotes. Hij mocht ook graag heen en weer lopen.

'In de naam van God de allerbarmhartigste,' begon hij een brief die hij in oktober 2010 schreef aan sjeik Mahmoud Atiya Abd al-Rahman, een van zijn trouwste en langst dienende soldaten. Ik hoop dat deze brief u en uw familie in goede gezondheid aantreft. Ik betuig u mijn deelneming met de dood van onze geliefde broeders. Moge God hun zielen genadig zijn en hen opnemen in zijn schare martelaren.'

Als tiener die vastbesloten was om de strijd aan te binden met de grote Sovjetoorlogsmachine had al-Rahman, een Libiër, de Sjeik meer dan twintig jaar daarvoor opgezocht in Afghanistan. Ook nu nog had hij een jeugdig, steevast onverzorgd uiterlijk, met een lichte huid en een baard die zo dun was dat de plukjes op zijn kaken zich pas onder zijn kin verdichtten. Tot voor kort had Rahman in betrekkelijke veiligheid in Iran gewoond, waar hij optrad als gezant van bin Laden bij de mollahs van dat land, met wie hij een ongemakkelijke relatie onderhield. Een van de drie vrouwen van bin Laden, en enkele van zijn tweeëntwintig nog in leven zijnde kinderen, hadden jaren in Iran doorgebracht, in gevangenschap of in 'beschermende bewaring'. Het was maar hoe je het bekeek. Al-Rahman had bemiddeld bij hun vrijlating en was nu terug in de stamgebieden in het westen van Pakistan, ergens in Noord- of Zuid-Waziristan, klaar om een operationele rol op zich te nemen.

Het toeval wilde dat er een positie vrij was. Bin Laden zal Rahmans terugkeer met dankbaarheid hebben begroet. Drone-aanvallen op al Qaida-eenheden in Waziristan hadden de gelederen zo uitgedund dat de groep moeite had met de bezetting van de vitale positie van Nummer Drie, de operationeel bevelhebber, die in rang direct volgde op bin Laden zelf en al-Zawahiri. Trouw zweren aan al Qaida maakte je hoe dan ook tot een doelwit, maar als Nummer Drie tekende je in feite je eigen doodvonnis. Anders dan de meeste andere notoire leiders van de organisatie moest de operationeel bevelhebber voortdurend contact onderhouden met het voetvolk van de groepering, acties beramen, geldtransporten regelen en nieuwkomers opleiden, en hoe actiever je was, hoe groter de kans dat de Amerikaanse satellieten, drones of jachtvliegtuigen je in het vizier kregen. Nummers Drie maakten het niet lang. Een van hen was 11 september-planner Khalid Sheik Mohammed, die in 2003 in Pakistan werd opgespoord en gearresteerd. Zijn opvolger, Abu Faraj al-Libi, werd in 2005 opgepakt, terwijl zijn opvolger, Hamza Rabi'a, later dat jaar bij een drone-aanval werd gedood. De volgende, sjeik Saeed al-Masri, werd in mei 2010 gedood. De Amerikanen gingen vooruit. De regen des doods daalde steeds sneller neer. Rahman, die in de voetsporen was getreden van wijlen al-Masri, zou binnen het jaar sterven, nog geen maand voordat zijn opvolger, Abu Hafs al Shahri, op soortgelijke wijze omkwam bij een aanval met een Predator. Diens opvolger, Abu Yahya al-Libi, zou in juni 2012 sneuvelen.

Inmiddels begon elke brief die bin Laden in Abbottabad in zijn benauwde werkkamer op de tweede verdieping componeerde met gebeden voor de martelaren en lijsten met condoleances.

'Dit is de weg van de jihad,' reciteerde hij onaangedaan in een andere brief aan Atiyah Abd al-Rahman, zijn nieuwe Nummer Drie. 'God zei: "Je zult je rijkdom en jezelf opofferen omwille van Hem." Zij vallen ons aan en wij slaan terug.'

De beperkingen van deze aanpak waren evident. Terwijl bin

Laden zijn volgelingen beleefd vroeg om meer aanvallen op de Verenigde Staten uit te voeren, waren de mogelijkheden van al Qaida om dat soort ambitieuze plannen ten uitvoer te brengen uitgeput. De aanslagen van 11 september hadden jaren van voorbereiding en substantieel internationaal vliegverkeer, lange maanden van training, geld en nauwgezette coördinatie gevergd. Op het moment dat het plan in gang werd gezet was de groepering een marginaal probleem voor de vs en de westerse wereld. Michael Sheehan, die in de nadagen van de regering-Clinton de Amerikaanse ambassadeur voor terreurbestrijding was, had het gevoel gehad dat hij tegen een muur op liep toen hij eind jaren negentig mensen ervan probeerde te overtuigen dat bin Laden en zijn groepering serieus genomen dienden te worden. Michael Scheuer en 'de Manson family' van analisten op Alec Station werden als paniekzaaiers gezien.

Dat was niet langer het geval. Amerika had een onzichtbaar bewakingsweb uitgerold dat alles wat bewoog leek op te merken. De regen des doods viel onophoudelijk. Voor de leiders van de organisatie was het al gevaarlijk om zich van het ene naar het andere huis te verplaatsen, laat staan dat ze een nieuwe internationale samenzwering op poten konden zetten. En toch was daar nog altijd de Sjeik, die nog steeds zijn grote droom koesterde. Zijn eigen mannen, zelfs degenen die zijn visioen deelden, begonnen erachter te komen dat hun vereerde leider in een fantasiewereld leefde. Hij riep hen nog altijd op om zich 'voorover te buigen en het blad van hun lansen rood te doen kleuren'. Bin Laden was de waanzinnige officier geworden die, zwaaiend met zijn zwaard, de uitgedunde troepen bijeendrijft om zich voorover in verzengend vuur te storten – vóór hem uit, welteverstaan, en niet achter hem aan. Hij stuurde hun brede strategische analyses toe en riep op tot specifieke missies die van elke realiteitszin waren gespeend, of zelfs regelrecht geschift waren.

'Ik heb sjeik Sa'id, Allah zij zijn ziel genadig, gevraagd om broeder Ilyas opdracht te geven twee groepen samen te stellen – één in Pakistan en één in het gebied rond Bagram in Afghanistan – met als missie bezoeken van Obama of Petraeus aan Afghanistan of Pakistan tijdig te signaleren en te volgen en het vliegtuig van de betrokkene op de korrel te nemen,' schreef hij. 'Ze moeten zich niet richten op bezoeken van de Amerikaanse vicepresident Biden, minister van Defensie Gates, voorzitter van de Chefs van Staven Mullen, of de speciale afgezant voor Pakistan en Afghanistan Holbrooke. De groepen zullen blijven uitkijken naar de komst van Obama of Petraeus. De reden dat ze zich op hen moeten concentreren is dat Obama leidinggeeft aan de ongelovigheid, en het presidentschap bij zijn overlijden automatisch voor de rest van de ambtstermijn op Biden zal overgaan, zoals daar gangbaar is. Biden is volstrekt onvoorbereid op die positie, wat de Verenigde Staten in een crisis zal doen belanden. Wat betreft Petraeus: in dit laatste jaar van de oorlog is hij de man van het moment, en zijn dood zou het verloop van de oorlog veranderen. Vraag broeder Ilyas daarom alsjeblieft mij te laten weten welke stappen hij in die richting heeft ondernomen.'

Bin Laden constateerde dat hun belangrijkste probleem niet de dodelijke Amerikaanse achtervolging was, maar hun eigen gebrek aan doelgerichtheid. Ondertussen was hij ook een querulant geworden.

'Nadat de oorlog zich had uitgebreid en de moedjahedien zich naar tal van regio's hadden verspreid, raakten sommige broeders volkomen ondergedompeld in de strijd tegen onze plaatselijke vijanden, terwijl andere fouten het gevolg waren van misrekeningen van de broeders die de operaties voorbereidden.'

Er waren te veel acties tegen Amerikanen geweest waarbij onbedoeld moslims waren gedood. Hij bekritiseerde met name twee acties, beide het werk van plaatselijke, aan al Qaida gelieerde jihadisten, waarvan de eerste de mislukte moordaanslag op de Afghaanse regiocommandant generaal Abdul Rashid Dostum was, in januari 2005. De zelfmoordterrorist in kwestie had zichzelf opgeblazen voor de Ghocha Park-moskee in Dostums woonplaats Shebergan, waar de generaal en zijn gevolg tijdens het jaarlijkse Eid al-Adha festival hadden gebeden. Zo'n twintig mensen waren gewond geraakt. De tweede actie was een poging, in juni 2004, om de Pakistaanse generaal Muhammad Khan om het leven te brengen, eveneens door bij een moskee een bom tot ontploffing te brengen. Bij beide gelegenheden waren veel moslims omgekomen en beide hadden, schreef bin Laden, 'een buitengewoon negatief effect op de partizanen van de jihad. Voor een individu is het buitengewoon triest om meer dan één keer in dezelfde fout te vervallen.'

De terreurcampagne onder aanvoering van al Qaida's afdeling in Irak had aan acht keer zo veel moslims het leven gekost als aan niet-moslims, aldus een in 2009 verschenen rapport. Bin Laden vernam dit soort informatie via satelliettelevisie. Naar gedacht werd had de slachting veel soennitische groeperingen die tegen de Amerikaanse invasie gekant waren ertoe gebracht zich tegen al Qaida te keren. Het was een duidelijke tactische fout geweest, en een morele. De regel was dat je geen moslims doodde, tenzij er geen andere manier was om legitieme doelwitten aan te pakken.

'Dit heeft geleid tot de dood van moslims. We vragen God om genade en vergiffenis voor hen, en genoegdoening voor hun families.'

Bin Laden was er inmiddels niet meer zo zeker van dat de regel die deze uitzondering op het doden van medemoslims als deze toeliet, nog gold. Hij wilde dat dergelijke principes werden...

... herzien in het licht van de hedendaagse context, en er duidelijke grenzen worden gesteld voor alle broeders, opdat geen moslims slachtoffer worden als het niet absoluut noodzakelijk is. Dit is een belangrijke kwestie die onze aandacht verdient. Het ondoordacht plegen van meerdere aanslagen heeft de sympathie voor de moedjahedien onder de massa's van de Natie beïnvloed. Het zou kunnen leiden tot een situatie waarin we verschillende veldslagen winnen, maar uiteindelijk de oorlog verliezen. Het maakt een zuiver criterium noodzakelijk voor het toetsen van de gevolgen van elke aanslag voordat hij wordt uitgevoerd; daarnaast het wegen van de voor- en nadelen, om dan te bepalen wat de meest geëigende aanpak is.

Zelfs successen zaten hem niet lekker. Bij een belegering in Khobar, Saoedi-Arabië, in mei 2004, nam een grote groep internationale terroristen werknemers van twee installaties van oliemaatschappijen in gijzeling en doodde negentien buitenlanders. De aanvallers maakten deel uit van de 'al Qaida op het Arabisch schiereiland'-afdeling, die vanuit Jemen opereerde. Ze vroegen de gijzelaars een voor een of ze moslim waren en sneden degenen die dat niet waren de keel door. De meeste aanvallers kwamen om bij een bevrijdingsactie, en het incident was mede aanleiding voor een genadeloze Saoedische strafexpeditie tegen terroristen.

Bin Laden waarschuwde vervolgens tegen het binnen de landsgrenzen van Arabische landen uitvoeren van aanvallen als deze.

'Het regime zal naar de moedjahedien toe met een enorme reactie komen. Dit zal maken dat ze zichzelf gaan verdedigen en zich zullen wreken op het regime,' schreef hij. 'De broeders en het regime zullen dan verwikkeld raken in een oorlog die wij niet tegen hen zijn begonnen, aangezien de broeders daar nog niet sterk genoeg voor zijn.' De juiste strategie was om het conflict met lokale Arabische staten, zoals Jemen en Irak en Saoedi-Arabië, uit de weg te gaan, dit 'om te voorkomen dat we onze energie in dit stadium aan deze regimes verspillen en de sympathie verspelen die de moslims voor ons hebben. Wij zijn degenen die de moslims verdedigen en strijden tegen hun grootste vijand, de alliantie van kruisvaarders en zionisten.'

Het was nu voldoende dat het 'grote publiek' de slachtoffers als moslims beschouwde, ook al zag bin Laden, die zuiverdere normen hanteerde, dat zelf anders. Het doden van leden van deze categorie was, hoe moreel verdedigbaar ook, een strategische blunder. Toekomstige aanslagen konden maar beter plaatsvinden op locaties ver van het Midden-Oosten, zei hij. Hij noemde Zuid-Korea met name.

'Een van de nog te benutten kansen om de Amerikanen aan te vallen is de lakse veiligheidstoestand in landen waar we nog geen aanslagen hebben gepleegd.'

In deze brieven las de Sjeik de ontvangers vaak de les, in een poging zijn organisatie terug te laten keren naar zijn belangrijkste doelstellingen. Het baarde hem niet alleen zorgen dat plaatselijke al Qaida-afdelingen van zijn leiding waren afgedwaald, maar ook dat al Qaida aan kracht verloor door doelwitten en kwesties te kiezen die in zijn ogen van ondergeschikt belang waren.

'Door Gods genade is de jihad op verschillende fronten aan de gang [Irak en Afghanistan, en tot op zekere hoogte Pakistan], en deze zijn voldoende, door Zijn wil en Zijn glorie, alsmede de vastberadenheid van de moedjahedien aldaar, om de aanvoerder van de ongelovigen, Amerika, zo te laten bloeden dat het land wordt verslagen, als God dat wil. Dan zal de islamitische Natie in staat zijn datgene te verdrijven wat de natie zwakheid, onderdanigheid en achteruitgang heeft bezorgd. De plaag die heerst binnen de moslimnaties heeft twee oorzaken: de eerste is de aanwezigheid van Amerikaanse hegemonie, de tweede de aanwezigheid van heersers die de islamitische wetten aan de kant hebben geschoven en zich met de hegemonie vereenzelvigen, en de belangen ervan dienen in ruil voor het veiligstellen van hun eigen belangen. De enige manier waarop wij de religie kunnen vestigen en de plaag kunnen verlichten is door de hegemonie uit de weg te ruimen. Na deze fase volgt de fase waarin zij die de tweede oorzaak vormen – heersers die de islamitische wetten terzijde hebben geschoven

– omver worden geworpen, en dit zal de fase zijn waarin Gods religie wordt gevestigd en de islamitische wetgeving heerst.'

Overhaast te werk gaan in regio's zoals Jemen ondermijnde de langetermijndoelstellingen van de beweging, betoogde hij. Hij beschouwde de taliban in dit opzicht als een wijze les.

'Wat de gevolgen zijn van het vestigen van een moslimstaat zonder eerst de vijanden ervan te hebben verslagen valt af te lezen aan de val van het islamitische emiraat in Afghanistan, waarvan we tot God bidden dat die zich niet zal herhalen.'

In deze in oktober geschreven brief aan Rahman, en in verschillende andere die rond die tijd tot stand kwamen, gaf bin Laden een radicale beoordeling van de zaak, van zijn organisatie, en van de wereld. In weerwil van de omstandigheden waarin hij verkeerde bleef hij hardnekkig optimistisch. Hoewel Amerika de grootste vijand was, was Pakistan voor hem de vijand die meer binnen handbereik lag, en hij beschouwde de natuurrampen en de politieke strijd van dat jaar in dat land als een hoopgevend signaal.

'Wat betreft de lokale vijand: zoals je weet verkeren zij in grote problemen en dreigt de regering te vallen, zeker na de overstromingen [van afgelopen juli van dat jaar] en de toename van het aantal mensen dat gebukt gaat onder de financiële crisis.' De overstromingen, schreef hij, waren 'Gods straf' voor Pakistan vanwege 'zijn zonden', maar hij drukte Rahman op het hart dat niemand van al Qaida dit openlijk mocht zeggen, 'vanwege het geval met de joodse man met het zieke kind, die door de Profeet werd uitgenodigd om zich tot de islam te bekeren, maar zonder hem te vertellen dat zijn zoon ziek was, aangezien hij geen gelovige was'. Pakistan kon maar beter niet worden beledigd.

Hij genoot van de botsingen tussen zijn twee vijanden, Pakistan en de door Amerika aangevoerde NAVO-coalitie in Afghanistan. In de voorafgaande maanden had Pakistan zijn grens met Afghanistan gesloten, en op die manier de belangrijkste aanvoerroutes naar de daar gelegerde Amerikaanse strijdkrachten afgesneden. 'Door Gods grootmoedigheid is de situatie aan het kenteren ten gunste van de moedjahedien. Jullie zullen geduld moeten betrachten en sterk zijn, dan zal God ons belonen.'

Gezien de aanhoudende aanvallen van de Amerikanen was het voor alle 'broeders', op de meest gedisciplineerde na, tijd om Waziristan te verlaten. Hij zei dat de overigen maar het beste naar Afghanistan konden terugkeren en drukte Rahman op het hart hun te zeggen dat ze hun auto's moesten achterlaten, aangezien de Amerikanen anders mogelijk huizen op de korrel zouden gaan nemen, wat 'het aantal slachtoffers onder vrouwen en kinderen' zou vergroten. Bin Laden was een pietje-precies als het ging om het beschermen van de levens van onschuldige moslims. Hij drukte volgelingen op het hart om zich op 'bewolkte dagen te verplaatsen, om te voorkomen dat hun vlucht vanuit de lucht gemakkelijk zou kunnen worden opgemerkt'. Hij stuurde aanwijzingen voor zijn volwassen kinderen, degenen die zich niet samen met hem schuilhielden, waarbij hij de voorzorgsmaatregelen uiteenzette die ze moesten nemen als ze reisden, en de plaatsen waar ze volgens hem heen moesten gaan. Hij was twee van zijn oudere zoons, Saad en Mohammed, al kwijtgeraakt aan de zaak. De Sjeik beschouwde zichzelf als expert op veiligheidsgebied, met name in het voorkomen van observatie vanuit de lucht, waarvoor hij reizigers aanraadde om in tunnels van auto te wisselen, en broeders adviseerde om rond hun uitvalsbases grote bomen te planten die dekking boden tegen camera's in de lucht. Hij waarschuwde dat volg- en afluisterinstrumenten zo klein konden zijn 'dat ze in het reservoir van een injectiespuit kunnen worden gestopt'.

In een van die brieven, vol betuigingen van medeleven, benadrukte hij de noodzaak van oplettende bewaking en memoreerde hij het vertoon van moed van zijn jongere jaren. Nu en dan verloor de Sjeik zich heel even in een warme herinnering aan die glorietijd. Tegenover al-Rahman, zijn toenmalige Nummer Drie, haalde hij herinneringen op aan dat moment in hun gedeelde verhaal: '[De aanslagen] vervulden moslims met sympathie jegens hun mede-moedjahedien, omdat volmaakt duidelijk werd dat zij, in de strijd tegen de alliantie van kruisvaarders en zionisten, die de Natie allerlei vormen van pijn en vernedering heeft doen ondergaan, tot de voorhoede behoren en de vaandeldragers zijn van de islamitische gemeenschap. Een van de aanwijzingen daarvoor is de grootschalige verspreiding van jihadistische ideologie, vooral op internet, en het enorme aantal jonge mensen dat de jihadistische websites bezoekt – een enorme prestatie voor de jihad, bij de gratie Gods, in weerwil van onze vijanden en hun inspanningen.'

Maar die vijanden en die inspanningen hadden er wel voor gezorgd dat hij al die tijd op de vlucht of ondergedoken was geweest. Hij was verstoten door zijn uitgebreide familie. Twee van zijn zoons waren gedood, en de meeste van zijn naaste bondgenoten waren dood of gevangengezet. Hij was er zeker van geweest dat Amerika hem en de taliban in Afghanistan niet rechtstreeks zou durven aanpakken. Tegenover een Pakistaanse journalist had hij opgeschept: 'Ik wil dat de Amerikanen doorgaan naar Afghanistan, waar al hun misvattingen en illusies om zeep zullen worden geholpen. Ik ben er echter van overtuigd dat de Amerikanen niet zullen komen, omdat het lafaards zijn. Zij vallen alleen de ongewapenden en zwakkeren aan.'

De Verenigde Staten kwamen wel degelijk naar Afghanistan, versloegen de taliban en trokken vervolgens Irak binnen. Ondanks de prijs die ze betaalden bleven ze nog altijd komen.

Daarnaast hadden de Verenigde Staten iets gedaan wat bin Laden nooit had kunnen bevroeden: ze hadden een zwarte man tot president gekozen, Barack Hussein Obama. Het klonk als een moslimnaam. En inmiddels al bijna twee jaar lang hielpen Obama's woorden en beleidsdaden om het anti-amerikanisme waar al Qaida's zaak op dreef te verzwakken, terwijl zijn drones het ledental decimeerden.

Wat nog erger was, was dat al Qaida en zijn zelfbenoemde partners met hun ongedifferentieerde brute werkwijze miljoenen moslims, degenen op wie bin Laden doelde als hij het had over 'het volk' of 'de Natie', van zich hadden vervreemd. Dit was voor hem het lastigst te verteren. Dit alles was gebeurd, geloofde hij, doordat hij de controle was kwijtgeraakt. Zijn afzondering had het hem onmogelijk gemaakt het imago en de boodschap van de groepering vorm te geven, en omdat al Qaida er niet in was geslaagd binnen de Amerikaanse landsgrenzen nieuwe spectaculaire aanslagen te plegen, was zijn betekenis tanende. De aanslagen waar hij zich over had verheugd, en die het begin hadden geleken van iets glorierijks, hadden hem in plaats daarvan tot voorbij zijn uitgangspositie teruggeworpen. Zijn wereld bestond nu uit twee bovenverdiepingen van een huis in Pakistan, dat hij en zijn gezin nooit durfden te verlaten.

Het was een groot, driehoekig complex aan het eind van een ongeplaveide weg op zo'n halfuur rijden van Islamabad, de hoofdstad van Pakistan, in de wijk Bilal Town. De stad Abbottabad lag in een kom die aan alle kanten werd omgeven door de ruige Sarbanheuvels. Vanuit de hoofdstad liep de weg erheen omhoog, en Abbottabads relatief koele lucht maakte het gedurende de verzengend hete zomermaanden tot een toevluchtsoord voor de beter gesitueerde inwoners van de grote stad. In de buurt lagen verschillende golfbanen. Op iets meer dan anderhalve kilometer stond Pakistans grote militaire academie in Kakul.

Het complex was nieuw, en hoewel Bilal Town een welvarende buurt was, was het perceel met zijn ruim vijfendertighonderd vierkante meter vele malen groter dan andere huizen in de omgeving ook. De omringende muren waren gemaakt van betonblokken die aan de voorzijde waren afgepleisterd. Op sommige plaatsen waren ze wel zes meter hoog, en ze waren aan de bovenkant voorzien van prikkeldraad. De hoofdwoning was een grote, drie woonlagen tellende doos, met een zo te zien later aangebrachte tweede bovenverdieping die qua hoogte slechts twee derde van de parterre en de eerste verdieping mat. Deze afgeknotte verdieping was merkwaardig. Alleen in de muur aan de noordzijde had ze ramen: in het midden een groot raam met daarin glas dat van een ondoorzichtige spiegelende laag was voorzien, en pal onder het overhangende dak vier kleine rechthoekige raampjes, die een soortgelijke coating hadden. Het huis was grotendeels wit geschilderd, terwijl voor de ramen op de eerste verdieping eenvoudige witte zonneschermen hingen. De Sjeik en zijn grote gezin woonden op de bovenste verdiepingen. Bin Laden zelf werd, zelfs door de andere twee gezinnen die het complex met hem deelden, en die zo te zien de eigenaren waren, de broers die zichzelf Arshad en Tareq Khan noemden, zelden gesignaleerd.

Weggestopt en met een macht die tanende was had bin Laden het niet opgegeven, en zich ook niet uit het leven teruggetrokken. Zijn eerste twee echtgenotes waren voorafgaand aan 11 september van hem gescheiden, maar hij had drie andere vrouwen als echtgenote aangenomen. Zijn jongste verovering, Amal, een Jemenitische die een kwarteeuw jonger was dan hij, deelde met hem een matras op de benauwde tweede verdieping. De twee oudere vrouwen, Khairiah en Siham, wachtten beneden het moment af waarop ze met hem samen konden zijn. Deze huiselijke schikking kende, zoals latere gebeurtenissen zouden laten zien, geen volmaakte harmonie. Op zijn keukenplank stond een fles avenasiroop, een van haver gemaakt huismiddeltje dat bij de minder potente man lust beloofde op te wekken. Hij heeft er mogelijk zelfs iets aan gehad, aangezien er op de smalle gangen van zijn kloosterverdieping twaalf kinderen rondkrioelden, van wie de jongste, Hussein, nog maar twee jaar oud was. De vader van bin Laden had tweeëntwintig vrouwen aangenomen, wat de zoon tot een relatief bescheiden polygamist maakte die, volgens de meeste waarnemers, zijn uiterste best deed zijn plichten jegens elke echtgenote, zelfs degenen die hem hadden verlaten, na te komen. Hij had zich neergelegd bij de beslissing van Najwa en Khadijah om van hem te scheiden. Hij kende de moeilijkheden die het door hem gekozen pad aankleefden en drong zijn koers niet op aan hen of aan zijn kinderen. Maar persoonlijk wankelde hij nooit in zijn toewijding aan de zaak. Hij sprak met zachte stem, maar was niet echt een makkelijk persoon om mee te leven. Voor hem was het huwelijk geen partnerschap van gelijken. Zijn geloof legde de nadruk op een strikt patriarchaat, en bin Laden was een gehoorzaam volgeling. Hij heerste over zijn gezin. Hij nam niet alleen alle beslissingen, maar deelde ook graag instructies uit, en zoals alle mannen die de ultieme waarheid in pacht hebben oreerde hij graag. Binnenshuis gaf hij zijn echtgenotes veelvuldig hoorcollege over de juiste manier om kinderen op te voeden en te leren gehoorzamen. En elke dag was er een religieuze zedenpreek.

Zijn lange, slanke gestalte had nog altijd niets gebogens, en dagelijkse kuiersessies achter de hoge muren van zijn complex boden hem althans nog enige lichaamsbeweging. Hij maakte zijn wandeling onder een over de moestuin van het complex gespannen tentzeil dat de tuin beschermde tegen direct zonlicht, en hemzelf tegen spiedende blikken. In zijn jonge jaren was bin Laden een sportief type geweest en had hij gevoetbald en gevolleybald. Dat zijn haren en baard grijs werden, zat hem dwars. Hij, de meest gezochte man ter wereld, zat minder in over herkend worden dan over niet herkend worden. Dat wil zeggen: op televisie. Hij had zich zo goed schuilgehouden, dat nu al jaren maar weinigen buiten zijn directe familiekring hem in levenden lijve hadden gezien. Zijn zelfgemaakte video's, de periodieke verklaringen die door koeriers het land uit werden gesmokkeld, waren echter overal te zien. Het zou geen pas geven als hij er oud uitzag. Als gevolg van het binnen de fundamentalistische islam geldende verbod op afbeeldingen van de menselijke gestalte waren er maar een paar afbeeldingen van de profeet Mohammed bekend, maar de Sjeik kende als geen ander de kracht van beelden, en op de beelden van de Profeet die er wél waren stond deze doorgaans jong en viriel afgebeeld, met loshangende gewaden en een donkere baard. Hij had die beelden zijn hele leven nageaapt. En dus verfde hij nu voor zijn opnamesessies zijn haren en baard zwart, met het amateuristische resultaat dat je kon verwachten. De kleur was te gelijkmatig en te donker. Hij leek een karikatuur van zichzelf: Osama bin Laden met een goedkope kleurspoeling.

Hij had tijd genoeg om na te denken. Hij had een beeld van wat er te doen stond, maar was niet meer in staat om te zorgen dat het ten uitvoer werd gebracht. Al Qaida's naam was zodanig ingepikt en bezoedeld geraakt door jongere, minder zorgvuldige strijders in Irak, Jemen en elders, mannen die zich minder dan hij gelegen lieten liggen aan de strenge geloofsdictaten, dat bin Laden schijnt te hebben overwogen om zijn groepering een andere naam te geven. Tussen zijn papieren bevonden zich lange lijsten met mogelijke alternatieven, de meeste ervan amusant klungelig in hun Engelse vertaling, maar stuk voor stuk pogingen om de beweging sterker in verband te brengen met zijn religieuze ambities. Steeds vaker waren afdelingen verwikkeld in lokale oorlogen rond lokale problemen en negeerden ze zijn overkoepelende visie. Dat was geen geringe kwestie. Aan de weg die hij voor zich zag, viel niet te tornen, en ervan afdwalen betekende niets minder dan een mislukking. Hij bezag elke actie en elke uiting van al Qaida met toenemend afgrijzen.

Neem het geval van Faisal Shahzad, de jongeman die door bin Ladens aanhangers in Waziristan was gecoacht om op Times Square een autobom tot ontploffing te brengen. Shahzads poging liet zonder twijfel zien hoe bin Ladens mannen hun best deden zijn aanwijzingen op te volgen – hij had herhaaldelijk aangedrongen op nieuwe aanslagen in de Verenigde Staten op algemeen bekende, drukbezochte locaties. Times Square voldeed perfect aan de eisen, en Shahzad ook. Hij was de zoon van een welgestelde en prominente Pakistaanse luchtmachtofficier. Hij was in luxe opgegroeid en had de best mogelijke internationale opleiding genoten. Na met een Amerikaanse vrouw van Pakistaanse afkomst te zijn getrouwd en in Connecticut te zijn neergestreken, en na twee keer vader te zijn geworden, meldde hij zich aan voor een inburgeringsprogramma dat hem tot Amerikaans staatsburger maakte. Vervolgens reisde hij naar Pakistan, waar hem geleerd werd hoe hij de bom tot ontploffing moest brengen. Een jonge vrijwilliger met een Amerikaans paspoort moet voor de in het nauw gedreven samenzweerders in Waziristan een godsgeschenk zijn geweest. Shahzads missie was echter verijdeld door oplettende straatverkopers op Times Square, waarna de bommenlegger in spe was gearresteerd. Vlak voordat hij tot levenslang werd veroordeeld, had een rechter hem een vraag gesteld over de eed van trouw aan de Verenigde Staten die hij had afgelegd toen hij staatsburger werd gemaakt.

'Ik legde de eed wel af,' zei hij, 'maar ik meende het niet.'

Dit vond bin Laden stuitend. Jaren daarvoor had bin Laden het tegenovergestelde standpunt over het verbreken van een eed ingenomen in een twistgesprek met zijn mentor Abdullah Azzam, die bezwaar maakte tegen bin Ladens plan om in Pakistan een bus vol toeristen op te blazen. In plaats van degenen te prijzen die deze gedurfde poging tot een aanslag hadden gedaan, gaf hij hun dus een veeg uit de pan. 'Shahzad kreeg een vraag voorgelegd over de eed die hij had afgelegd toen hij het Amerikaans staatsburgerschap verkreeg,' schreef hij aan Rahman.

> En hij antwoordde dat hij had gelogen. Jullie zouden moeten weten dat het binnen de islam niet is toegestaan vertrouwen te beschamen en een overeenkomst te verbreken. Misschien was de broeder hiervan niet op de hoogte. Vraag de broeders in talibaans Pakistan alsjeblieft om dit punt aan hun leden duidelijk te maken. Op een van de foto's stond broeder Faisal Shahzad met commandant Mehsud

[Hakimullah Mehsud, die in 2012 bij een aanval met een drone zou worden gedood]; ga alsjeblieft na of Mehsud weet dat je voor het verkrijgen van het Amerikaans staatsburgerschap een eed moet afleggen dat je Amerika niet zal schaden. Dit is een kwestie van groot belang, aangezien we niet willen dat moedjahedien worden beschuldigd van woordbreuk.

De Sjeik leek weinig oog te hebben voor de moordende druk waaronder zijn volgelingen in het veld stonden. Hij wilde dat er meer aanslagen werden gepleegd op Amerika, maar hij had geen nieuwe ideeën. In plaats daarvan drong hij, met een eigenaardige hoffelijkheid en toegewijde zuinigheid, aan op een herhaling van de aanslagen van 2001. Hij schreef:

Het zou fijn zijn als je een aantal broeders selecteerde, op zijn hoogst tien, en hen los van elkaar naar hun land stuurde, zonder dat ze weet van elkaar hebben, om daar te leren vliegen. Het zou het beste zijn als ze uit de Golfstaten afkomstig waren, aangezien je daar op kosten van de staat studeert. Ze moeten met de grootst mogelijke zorg en aan de hand van zeer nauwgezette specificaties worden geselecteerd, waaronder de eis dat ze bereid moeten zijn tot zelfmoordacties en bereid moeten zijn om de gewaagde, belangrijke en precieze missies uit te voeren die we in de toekomst mogelijk van hen zullen vragen. Geef deze zaak, gezien het enorme belang ervan, dus alsjeblieft de grootst mogelijke aandacht. Zet een mechanisme in werking voor het in de gaten houden van de broeders die luchtvaart gaan studeren, zodat we de kans dat ze hun jihad laten versloffen tot een minimum kunnen beperken. Het zou mooi zijn als je de broeders in alle regio's vroeg of ze een broeder kennen die zich onderscheidt door zijn goede omgangsvormen, integriteit, moed en vermogen tot geheimhouding, en die in staat is binnen de Verenigde Staten te opereren. Hij zou er moeten kunnen wonen of gemakkelijk heen kunnen reizen. Ze zouden ons dit moeten laten weten zonder al iets te doen, en ons ook moeten vertellen of hij wel of niet bereid is tot een zelfmoordactie.

Hij besloot zijn op 21 oktober gedateerde brief aan Rahman door te informeren naar de groeiende lijsten met 'weduwen en wezen'.

'Zorg alsjeblieft dat de kinderen en alle gezinnen uit de buurt blijven van de plaatsen die worden gefotografeerd en gebombardeerd. Ik bid tot God de Almachtige dat hij jou en alle broeders om je heen zal beschermen. Moge Hij jullie succes schenken. Moge Gods vrede, genade en zegeningen met jullie zijn.'

Hij ondertekende met een oude bijnaam: 'Je broer Zamray.'

Op het moment dat hij dit schreef had bin Laden, nadat hij zich vijf jaar had schuilgehouden en zijn rigoureuze zelfbeschermingsprocedures dagelijkse kost waren geworden, zonder ook maar het minste spoortje argwaan dat iemand buiten zijn intiemste kring zijn verblijfplaats kende, alle reden om zich veilig te wanen.

Maar veilig was hij niet.

6

Verhulde onzekerheid

In de herfst van 2010 viel het Ben Rhodes op dat er in het Witte Huis steeds meer vergaderingen waren waarvoor hij niet werd uitgenodigd. Hij had de toespraak geschreven die Obama had uitgesproken bij het aanvaarden van de Nobelprijs, en ook latere toespraken en verklaringen over diens veiligheidsbeleid. Zijn officiële titel was nu 'Deputy National Security Adviser for Strategic Communications and Speechwriting'. Zijn haar begon dunner te worden, hij was eigenlijk altijd aan het werk en nu, op zijn tweeendertigste, speelde hij een rol die iedereen wiens belangstelling parallel liep aan de zijne hem zou benijden. Er waren niet veel veiligheidsbesprekingen op hoog niveau waarbij hij niet aanwezig mocht zijn.

Zijn bureau stond in de wirwar van kleine kamers op de begane grond van de West Wing, een verdieping onder het Oval Office, het hart van de Amerikaanse macht. Het was een soort bezemkast zonder ramen, en ook de kantoren van de andere veiligheidsadviseurs waren even bescheiden als hun werk belangrijk was. Het kamertje van Rhodes was net groot genoeg voor een bureau en een stoel, een anderhalve meter hoge boekenkast en een tweede stoel, aan de andere kant van het bureau. Een spartaans vertrek, en toch had hij in zijn baan ongekende invloed. Rhodes hielp de president bij het opstellen van toespraken, het uitzetten van het veiligheidsbeleid en het aan het Amerikaanse volk verduidelijken van kritieke kwesties. Hij wist dat John Brennan, de hoogste adviseur van Obama op het gebied van contraterrorisme, al maandenlang vaak in bespreking was, en dat Tom Donilon, Obama's National Security Adviser, daar vaak bij was. Het groepje werd 'John Brennan's Group' genoemd. Er hingen camera's in vergaderruimten, zodat stafleden en secretaresses konden zien waar mensen waren, maar als de groep van Brennan vergaderde bleven de schermen zwart. Rhodes vroeg zich af wat dat betekende. Stond het land een nieuwe aanval te wachten? Waren er kritieke ontwikkelingen met betrekking tot kernwapens? Er waren maar weinig dingen die binnen de veelheid aan kantoortjes dit soort geheimhouding teweeg konden brengen. Een van de gedachten die bij hem opkwamen, was dat ze misschien bin Laden gevonden hadden.

Obama was aan het eind van de zomer ingelicht over het gebouw in Abbottabad. Hij had de top van zijn inlichtingendiensten geïnstrueerd om na te gaan wie er woonde en dat te melden. Er werden gigantische inspanningen geleverd om het gebouw op afstand te observeren. Dankzij agenten ter plaatse en observatiemiddelen die zich zo ver van het gebouw bevonden dat ze niet konden worden waargenomen, was de CIA veel meer te weten gekomen van het leven in en om het gebouw. De gebroeders 'Khan' waren erg op zichzelf. Ze gingen alleen af en toe naar de moskee, en brachten hun kinderen naar de *madrassa*, de Koranschool die eraan verbonden was. Op een plaatselijke klusjesman na kwam niemand ooit binnen de muur die het complex omgaf. Als je diepgelovig was, en dat waren de gebroeders Khan duidelijk, was het niet ongebruikelijk om vrouwen achter hoge muren en afgesloten deuren te verstoppen. Toen er wat langer werd geobserveerd, viel op dat de kinderen van het verborgen gezin, de kinderen die niet naar de madrassa gingen, het complex alleen verlieten om met een van de broers naar de dokter te gaan, voor een routinebehandeling of als ze een kleine verwonding hadden opgelopen. Daardoor kwam de CIA op een idee.

Maar van buiten was er geen manier om iets te zien van het gezin dat zich binnen schuilhield. De muren waren hoog, de ramen ondoorzichtig. Slechts één lid van het gezin liet zich regelmatig zien: een man in een traditioneel Pathanen-gewaad met een bidmutsje op, die elke dag binnen de muren van het complex een ommetje maakte. Hij liep met stevige tred om de moestuin heen. Over een deel daarvan was een zeil gespannen om de gewassen te beschutten voor het felle zonlicht, of misschien om hem onzichtbaar te houden voor spiedende ogen aan de hemel. Ze wisten toch foto's van hem te maken, maar daar hadden ze niet veel aan. De CIA wilde er geen drone of observatietoestel op afsturen uit angst dat ze zich dan zouden verraden aan de Pakistaanse regering of aan het complex – één pot nat, vermoedden ze. Door de ongunstige hoek van de camera's en de hoogte waarop ze hingen, kregen ze het gezicht van de man niet in beeld. Hij leek lang en tenger. Ze probeerden zijn lengte exacter vast te stellen door zijn passen en de schaduw die hij wierp te meten, maar al die berekeningen leverden maar één ding op dat met zekerheid kon worden gezegd: hij was lang.

Brennan kan niet goed verklaren waarom, en misschien was de wens wel de vader van de gedachte, maar hij voelde diep in zijn hart dat het bin Laden was. De man had de bijnaam 'The Pacer', de Stapper, gekregen. Misschien wilde Brennan het juist zo graag geloven omdat men zich zo veel moeite getroostte om deze man uit het zicht te houden. Maar zodra hij een foto zag van de Stapper wist hij het. We herkennen mensen aan veel dingen, niet alleen aan hun gezicht en haarkleur, hun postuur en lichaamsvorm. Soms herkennen we een bekende al als we vanuit een ooghoek een glimp van hem opvangen. Dan is het iets in de manier waarop hij loopt, of zich even bukt, of zijn hoofd scheef houdt, of met zijn armen zwaait. Brennan, een stevige, bruuske man die voor de CIA had gewerkt, was al in de tijd van Alec Station betrokken bij de jacht op de leider van al Qaida. In die tijd was hij gestationeerd in Saoedi-Arabië en botste hij regelmatig met Scheuer over de vraag of de Saoedi's te vertrouwen waren of niet. Na de bomaanslagen in Dar es Salaam en Nairobi had hij nauw samengewerkt met de Saoedi's. En hij had foto's gezien die indertijd door een Predator van bin Laden genomen waren: een man in een lang gewaad, omringd door lijfwachten, wiens tred vol zelfvertrouwen was. Abbottabad was een heel andere plek, en ook de kleding was anders. Maar het was dezelfde man, dezelfde manier van lopen. Brennan had geen harde bewijzen om anderen mee te overtuigen, en toch *herkende* hij de Stapper.

Die herfst praatte Panetta de president geregeld bij, en in december kwamen zijn plaatsvervanger Morell – 'John', het hoofd van het bin Laden-team van de CIA – enkele anderen en Donilon en Brennan bijeen in het Witte Huis. Er waren geen grote vorderingen geboekt. De beelden van de Stapper waren niet duidelijk genoeg om alle twijfel weg te nemen. Ondanks al hun inspanningen was het niet gelukt om verder te komen dan de muren om het complex. Inmiddels woonde er een team van de CIA in een huis in Bilal Town, de wijk waarin het complex lag. Ze noteerden alles wat ze zagen, maar veel was het niet. Ze observeerden het komen en gaan van de gebroeders Ahmed. Ze telden het wasgoed dat te drogen hing. Ze hadden al vastgesteld dat het verborgen gezin groot moest zijn: drie vrouwen, een nog jonge man en tien of meer kinderen, onder wie een paar tieners of jongvolwassenen. Het aantal vrouwen en kinderen kwam overeen met de theorie over de mensen met wie een ondergedoken bin Laden zich kon omringen. Hij had altijd het grootste deel van zijn gezin bij zich gehad. Ze konden nog steeds niet bewijzen dat de geheimzinnige man bin Laden was, maar aan de andere kant was er ook geen enkel bewijs voor het tegendeel. Als je heel intensief naar iets kijkt, als je verdacht bent op alles wat je theorie onderuit kan halen en er gebeurt niets, dan begint dat erg op een bewijs te lijken.

'Al onze gegevens wijzen erop dat dit de plek is waar bin Laden zich ophoudt,' zei Morell tegen Donilon.

En dus ging Panetta op 14 december, net voor Obama met zijn gezin op vakantie zou gaan naar Hawaï, bij hem langs.

In het Oval Office luisterde Obama en woog hij de bewijzen af. Hij was onder de indruk. Nu het complex daadwerkelijk in het oog werd gehouden leek het allemaal een stuk echter, en de nieuwe informatie paste precies in het plaatje. Obama vond het net als alle anderen heel wat dat hij deze mysterieuze figuur echt kon zien. Je kon niet precies zeggen wie het was, maar dat hij een doelwit zag lopen, binnen die hoge muren, zich schuilhoudend voor de wereld, was intrigerend.

'Je wist wel dat het allemaal indirecte bewijzen waren,' vertelde hij, 'maar alles bij elkaar was het toch een patroon dat je moeilijk anders kon verklaren. En dus begon ik te denken dat het wel eens raak kon zijn.'

Maar hij bleef behoedzaam. Tegen Panetta zei hij: 'Het zou ook een sjeik kunnen zijn die zich voor een van zijn vrouwen verborgen houdt.'

Hij wilde meer zekerheid. Panetta kreeg opdracht om de zaak creatief aan te pakken. Er mocht niets uitlekken. En Panetta kreeg nog een opdracht: opties voor actie op een rij zetten.

Hoe streng de zaak ook geheim werd gehouden, Bill McRaven was er in november al het een en ander over te weten gekomen. De monitors werden wel uitgezet als de mensen van de National Security Council in het souterrain van het Witte Huis vergaderden, en McRaven zat inmiddels het grootste deel van de tijd in Afghanistan, maar het viel niet mee om het hoofd van JSOC overal buiten te houden.

Hij had zelf in het Witte Huis gewerkt, toen hij nog herstellende was van de zware verwondingen die hij bij een sprong had opgelopen en zijn lichaam nog moest wennen aan de metalen platen en schroeven die zijn bekken bij elkaar hielden. In oktober 2001 had hij een onverwacht telefoontje gekregen van de inmiddels overleden Wayne Downing, een voormalige viersterrengeneraal die aan het hoofd had gestaan van de Special Operations Command. De twee mannen hadden elkaar leren kennen in de jaren die voorafgingen aan Downings pensioen. De generaal had net een verzoek gekregen van president Bush om zijn pensioen op te schorten en in het Witte Huis een functie te aanvaarden als coördinator contraterrorisme. In die vaag omschreven functie moest hij voor meer onderlinge samenhang zorgen bij de talloze organisaties en overheidsinstellingen die bij deze nieuwe oorlog betrokken waren. Voor Downing ja zei, belde hij McRaven om te vragen of die mee wilde naar Washington om hem te helpen.

'Nou en of,' zei de seal-kapitein.

Een paar weken later, nadat Downing ja had gezegd tegen de functie, belde hij de gehavende seal toen hij van San Diego dwars door de Verenigde Staten reed naar Norfolk in Virginia, waar hij zou gaan werken.

'Ik heb die baan genomen,' zei Downing. 'Kun jij maandag hier zijn?'

'Dat zal wel lukken,' zei McRaven.

Toen hij zich in zijn rolstoel bij het Witte Huis meldde, zei Downing niet veel meer dan: 'Bepaal zelf maar wat voor werk je wilt doen.'

Het was een enorme kans voor een militair, zeker omdat McRaven al jaren daarvoor een militaire carrière vaarwel had gezegd om aan operaties deel te kunnen blijven nemen, uit vliegtuigen te springen en onder water te kunnen werken. En McRaven greep die kans met beide handen aan. Meteen vanaf het begin leek al duidelijk dat voor het opsporen en ontmantelen van een in het geheim opererende terroristische organisatie de creatieve, multidisciplinaire aanpak nodig zou zijn die bij special operations de norm was. Als het waar is dat elke nieuwe oorlog het militaire apparaat dwingt om een heel nieuwe manier te bedenken om strijd te leveren, dan was McRaven zijn collega's altijd een paar slagen voor. Hij had er een boek over geschreven toen hij op de Naval Postgraduate School in Monterey in Californië zat: *Spec Ops: Case Studies in Special Operations Warfare: Theory and Practice.* Het was een van de weinige militaire werkstukken die door een gewone uitgever werden opgepikt: The Presidio Press bracht het in 1995 uit. Hij had acht verschillende missies van special forces bestudeerd, van de bliksemaanval van Duitse luchtlandingstroepen op het Belgische Fort Eben-Emael, in mei 1940, tot aan de Israëlische overval op Entebbe, in 1976, die president Carter ertoe bracht om de aanzet te geven voor het oprichten van een soortgelijke contraterroristische eenheid binnen het Amerikaanse leger. McRaven had de plaatsen bezocht waar deze operaties hadden plaatsgevonden en met veel hoofdrolspelers gepraat, en zich zo een mening gevormd over dit soort gespecialiseerde missies en over de redenen waarom ze waren geslaagd of mislukt. Nu kreeg hij de kans om zijn opvattingen in te zetten bij de recentste militaire uitdaging waarvoor de Verenigde Staten stonden.

Special operations waren door conventionele militairen lang met veel scepsis bekeken. De geheime elite-eenheden die ze uitvoerden, kostten enorm veel middelen en essentiële militairen. Als special operations lukten, leken ze bijna magisch, zoals bij Entebbe, waarbij Israëlische commando's naar Oeganda vlogen, achtendertighonderd kilometer van Israël, daar veel grotere Oegandese eenheden verrasten, honderdtwee gijzelaars redden en alle Palestijnen doodden die een Frans verkeersvliegtuig hadden gekaapt. Als ze mislukten, zoals in 1980, bij de missie om de Amerikaanse gijzelaars in Iran te bevrijden, kwamen ze achteraf bijna altijd onbezonnen over. Ze waren op allerlei manieren hoogst riskant. De mannen die eraan deelnamen accepteerden dat ze persoonlijk veel gevaar liepen, en de mannen die er opdracht toe gaven zetten hun reputatie en hun carrière op het spel. En natuurlijk was het zo dat mislukkingen enorm opvielen, terwijl aan successen, behalve heel af en toe, zoals bij Entebbe, vaak opzettelijk weinig aandacht werd besteed, zodat die vrijwel onopgemerkt bleven.

Het debacle in de Iraanse woestijn had de aanzet gegeven tot het opzetten van JSOC, met Fort Bragg in North Carolina als hoofdkwartier. De mislukking werd voor een groot deel geweten aan het onhandige combineren van mensen van verschillende onderdelen die er niet aan gewend waren om samen te werken. Helikopters van de marine werden bestuurd door piloten van de mariniers, die special forces van het leger diep in Iran moesten brengen, waar ze na de missie zouden worden opgepikt door toestellen van de luchtmacht. De hele taskforce was uit Iran weggevlucht zonder een poging te doen om de gijzelaars te bevrijden, met achterlating van verwoeste helikopters en verkoolde Amerikaanse lijken. Operatie Eagle Claw was een van de spectaculairste mislukkingen uit de Amerikaanse geschiedenis. Het was echter niet de nekslag voor het opzetten van special forces, maar juist een reden om dat krachtdadiger aan te pakken. JSOC werd opgericht om elite-eenheden uit alle onderdelen van de krijgsmacht te verenigen tot een soepel opererende gevechtseenheid, en die te voorzien van de uitrusting die nodig was voor gewaagde en vaak onorthodoxe missies. JSOC bundelde de krachten van Delta Force en het 75th Ranger Regiment van het leger, het Special Tactics Squadron van de luchtmacht en de SEAL-teams van de marine. Het debacle in Iran was te wijten geweest aan een mislukte poging om eenheden bij hun doelwit te brengen, en dus werd in Fort Campbell in Kentucky het 160th Special Operations Aviation Regiment opgericht, de Night Stalkers, waar aangepaste helikopters werden ontworpen en getest en waar de beste helikopterpiloten die er waren trainden voor special ops-missies.

McRavens ideeën werden de kern van de opleiding voor special operations. Hij stelde dat een kleine, goed getrainde eenheid een beslissende slag kan toebrengen aan een doelwit dat door veel grotere eenheden wordt verdedigd. Daarbij ging het, zei hij, om 'missies die worden uitgevoerd door speciaal getrainde eenheden, met de bijbehorende uitrusting en militaire ondersteuning, waarbij het doel (het vernietigen of uitschakelen van een tegenstander of het redden van gijzelaars) van het grootste militaire of politieke belang is'. Dé sleutel voor succes bij dit soort operaties, zei hij kort maar krachtig, was 'een simpel plan, zorgvuldig geheimgehouden, waarop herhaaldelijk en realistisch is geoefend en dat daarna overrompelend snel en doelgericht wordt uitgevoerd'.

In de jaren na 11 september zette president Bush twee grote oorlogen in gang, waarbij honderdduizenden gewone militairen betrokken waren. Daardoor drong het besef door dat special forces verreweg het beste instrument waren om al Qaida te bestrijden. De enorme inspanningen en nieuwe technieken die nodig waren om een doelwit te vinden en ermee af te rekenen waren niets waard als het misging bij de derde F uit F3EAD, de Finish. Bij het model dat McRaven in zijn dissertatie had ontwikkeld, ging het vooral om aanvallen op grotere, stevig verschanste vijandelijke eenheden, maar de principes die hij daarbij hanteerde – een bliksemaanval door goed getrainde eenheden – zouden uiterst effectief blijken tegen een vijand die zich verschool binnen de burgerbevolking. Voor een groot deel kwam dat doordat er bij dit soort chirurgische operaties, anders dan bij luchtaanvallen of frontale aanvallen door conventionele eenheden, zelden of nooit doden vielen onder onschuldige omstanders. En verder kon ter plekke informatie worden vergaard en meegenomen, heel belangrijk voor het up-to-date houden van de zoekmachine. McRaven zou in het decennium dat volgde de kans krijgen om zijn strategieën verder te verfijnen en zijn theorieën in de praktijk te brengen, en dat in een tempo dat hij zich nooit voor had kunnen stellen.

Dankzij de twee jaar die hij in Washington doorbracht voor hij weer in actieve dienst ging, kon hij zijn revalidatie combineren met het leggen van de contacten die nodig zijn voor een militaire carrière. Een hoge rang was niet iets waarnaar hij actief op zoek was. Jaren eerder, nog voor zijn ongeluk, beschouwde hij zich als de laatste man die een topfunctie bij de marine zou krijgen. Maar een paar jaar erna was de lange Texaan met zijn uitstaande oren en lange, iets gebogen gezicht, weer helemaal de oude. Hij diende in Irak onder generaal McChrystal als onderbevelhebber van JSOC en had veel bewondering voor de combinatie van snelle inlichtingen en getrainde eenheden die zijn commandant had opgebouwd. Af en toe ging hij mee op nachtelijke missies als je naar het doelwit kon rijden of lopen. Geen sprongen meer uit vliegtuigen of met touwen uit helikopters, geen lange marsen meer met volledige bepakking. In deze jaren, eerst onder McChrystal en daarna als commandant van JSOC, speelde McRaven een belangrijke rol bij het omvormen van deze organisatie tot het belangrijkste wapen van Defensie. JSOC zelf verdubbelde in omvang, tot bijna vierduizend mannen en vrouwen, en werd in feite het vijfde onderdeel van de strijdkrachten, een leger binnen een leger. De organisatie werkte mondiaal, voerde geheime operaties uit binnen meer dan twaalf landen, en was nu ook verlost van de eerst zeer strikte controle vanuit Washington. Dat was gedaan om JSOC in staat te stellen om snel in actie te komen: nu konden McChrystal, en later McRaven, routineoperaties uitvoeren zonder dat ze eerst hun meerderen om toestemming hoefden te vragen.

In het eerste decennium van de eeuw hadden McRaven en zijn mannen meer special ops-missies uitgevoerd dan welke andere eenheid ook. In een gesprek met mij schatte hij dat hij, toen hij in januari 2011 naar Langley werd ontboden om te worden ingelicht over wat er in Abbottabad was ontdekt, persoonlijk betrokken was geweest, als commandant of deelnemer, bij *duizenden* van dit soort operaties.

Begin 2011 had ook de CIA eigen eenheden in het veld. Na 11 september waren de onzekerheden en twijfels die Amerikanen koesterden over spionage en geheime missies snel verdwenen. Agenten van de CIA, voor het grootste deel uit het leger afkomstig, waren bij de oorlogen in Irak en Afghanistan steeds nauwer met JSOC gaan samenwerken. Toen Panetta en Morell in december terugkwamen van de bespreking met Obama waarbij hij hun vroeg om een plan voor actie op te stellen, dachten ze daarbij vooral aan hun eigen eenheden.

De twee meest voor de hand liggende mogelijkheden waren een bombardement op het complex of een snelle aanval door special forces. De tweede optie was een stuk ingewikkelder. Er moesten plannen worden opgesteld, er moest worden geoefend en er waren allerlei specialisten voor nodig, en dus was hun eerste ingeving om die optie intern te verwezenlijken. Een extra voordeel was dat het geheim, dat nu vier maanden oud was, niet in bredere kring bekend werd. De mensen buiten de CIA die ervan op de hoogte waren, waren nog steeds op de vingers van twee handen te tellen. Obama uiteraard, en een paar van zijn topmensen: Brennan, Donilon en een of twee anderen. De Director of National Intelligence, James Clapper, was ingelicht. Bij Defensie waren er maar vier mensen die het wisten: minister Robert Gates; de voorzitter van de Chefs van Staven, Michael Mullan; vicevoorzitter generaal James 'Hoss' Cartwright; en Michael Vickers, die als onderminister bij Defensie was belast met inlichtingen.

De CIA-eenheden vonden een missie enorm spannend en stonden al helemaal klaar om op pad te gaan, en nog snel ook. Maar Panetta en Morell hadden niet echt haast. En verder had Obama hun opdracht gegeven om meer moeite te doen om de identiteit van de geheimzinnige man te achterhalen. Dus voor ze zeiden dat ze hun eigen eenheden gingen inzetten, wilden ze even overleggen met McRaven.

Het enige wat de commandant van JSOC wist toen hij werd gebeld, was dat de CIA nieuwe informatie had over bin Laden. Dat had hij in het verleden vaker gehoord, en elke keer bleek het loos alarm. In de beginfase van de oorlog in Afghanistan, vertelde hij me, hadden zijn mannen veel tijd gestoken in de jacht op bin Ladens geest. Hij had gehoord dat de nieuwe informatie betrouwbaarder leek dan bij eerdere gelegenheden, maar hij verwachtte er niettemin niet echt veel van. In het kantoor van de plaatsvervangend directeur van de CIA praatten McRaven en een van zijn topmensen met Panetta, Morell en de hoofden van de aanvalseenheid van de CIA zelf. Hij kreeg foto's van het complex te zien. Ze wisten nog niet hoe groot het gebouw was of hoeveel vierkante meter het terrein besloeg. Alles was met onzekerheden omgeven. Morell maakte duidelijk dat ze nog niet zeker wisten of het echt om bin Laden ging, en dat ze ook niet wisten waartoe Obama zou besluiten. Met die twee slagen om de arm begonnen ze aan een tactische discussie. Als je dat doelwit wilde uitschakelen, hoe moest je dat dan aanpakken?

De mannen van de CIA hadden van hun voorsprong gebruikgemaakt om vijf verschillende opties uit te werken. Dat was al veelzeggend. McRaven zag meteen dat er eigenlijk maar één goede manier was om het karwei aan te pakken. Hij sloot een bombardement onmiddellijk uit. Dat was de eenvoudigste optie, en het bracht geen Amerikaanse levens in gevaar, maar hij schatte dat er vijfentwintig ton of meer aan bommen nodig zou zijn om een complex van deze omvang te verwoesten en te zorgen dat bin Laden, áls hij zich al daar bevond, het er niet levend van af zou brengen. En je moest er rekening mee houden dat er tunnels waren, of dat er een ondergrondse bunker was van het soort waarin Saddam Hussein zich verborgen had gehouden. De bommen zouden iedereen binnen het complex het leven kosten, plus heel wat mensen daarbuiten.

Een aanval door special forces bracht weinig problemen met zich mee. Zijn mannen vielen al jaren dit soort gebouwen binnen, vaak tien of meer per nacht. Dit complex was bepaald niet uitzonderlijk. Er was een gebouw met drie woonlagen en een kleiner bijgebouw, met hoge muren om het geheel heen. Juist door de plek en hoe het gebouw eruitzag, wist hij eigenlijk al dat de aanval moest worden uitgevoerd door een kleine groep mensen in helikopters.

Maar hij hield zijn ideeën voor zich terwijl de commandanten van de CIA-eenheden vertelden welke opties ze hadden bedacht. Toen het McRavens beurt was, feliciteerde hij Panetta en Morell met hun veelbelovende informatie en beschreef toen hoe JSOC het zou aanpakken. Je had een eenheid nodig die groot genoeg was om het complex veilig te stellen als je eenmaal binnen was. Het grootste probleem was de locatie. Abbottabad lag meer dan tweehonderd kilometer van Afghanistan. Het probleem was dus om de eenheid ter plaatse af te zetten en weer weg te krijgen zonder dat er een gewapend conflict met Pakistan ontstond. Dat was lastig, maar uitvoerbaar. De missie werd er complexer door, en een complexe missie hield in dat er veel meer dingen verkeerd konden gaan. Maar afgezien daarvan was de aanval op het complex en de gebouwen een routineklus. De tactische aanpak die de teams van McRaven hadden ontwikkeld was gebaseerd op jaren ervaring met missies die goed of verkeerd waren afgelopen. Er waren heel wat mannen omgekomen bij het perfectioneren van die aanpak. Hij liet de mensen van de CIA zien hoe zijn mensen te werk zouden gaan, en waarom. Hij kwam zelfs met de naam van de man die heel goed de operatie zou kunnen leiden, de commandant van SEAL Team Six, die een legendarische reputatie had verworven: hij had in 2009 de leiding gehad over een befaamde missie waarbij drie Somalische piraten waren gedood en de Amerikaanse kapitein van een vrachtschip was gered. McRaven legde uit dat de meest waardevolle inbreng van zijn mensen ervaring was. Hoe goed de operatie in Abbottabad ook werd voorbereid, er zou iets misgaan. Dat was simpelweg een ervaringsgegeven: er ging *altijd* iets mis. Wat je dan nodig had, waren mannen die snel konden reageren en de juiste beslissingen konden nemen, ook onder hoge druk. Mannen die alle mogelijke missers hadden meegemaakt en het er toch levend van af hadden gebracht. Geen eenheid ter wereld kon het qua ervaring tegen JSOC opnemen. Het SEAL-team dat hem voor ogen stond was net naar de Verenigde Staten teruggekeerd en kon meteen met het voorbereidende werk beginnen.

Morell en Panetta waren diep onder de indruk. Hun jongens waren goed, maar de mannen van McRaven waren dé professionals.

'Als de president besluit om het zo te doen,' zei Panetta, 'dan moet het door JSOC worden gedaan.'

Panetta vroeg zijn mensen creatieve manieren te bedenken om wat meer te weten te komen over het complex, met beperkt succes. Ze kwamen met allerlei voorstellen. Geen idee, hoe bizar ook, ging de prullenbak in zonder dat er eerst serieus over werd gepraat. Was er een manier om de bewoners van het complex de straat op te krijgen? Een brand? Een stinkbom? Een onverwachte oproep voor het gebed? Panetta legde een lijstje van alle ideeën aan.

Was er een manier om een camera dichterbij te krijgen, op een boom of zo, zodat ze binnen de muren konden kijken? Of misschien op een boom die verder weg stond, maar dan met een betere lens? Hoe zat het met riolering? Konden ze zo niet een microfoon of een camera binnen de muren krijgen? Een paar ideeën werden daadwerkelijk toegepast, maar leverden niets bruikbaars op. De boom binnen de muren werd omgezaagd voor er een manier was bedacht om er gebruik van te maken – een beetje griezelig, omdat het net was of iemand in het complex Panetta's lijstje had gezien. Een voor een liepen de plannen op niets uit of werd er een streep door gezet. Iedereen was bang dat ze zich zouden verraden. Het complex was ontworpen om een heel gezin verborgen te houden, en dat deed het goed. Als de bewoners vermoedden dat ze in het oog werden gehouden, was de kans verkeken. Er was vast niet veel voor nodig om hen op de vlucht te jagen. Morell was voortdurend bang dat hij op een ochtend zou horen dat de bewoners van het complex de nacht daarvoor waren vertrokken.

Iemand opperde een creatief idee: de enige keer dat een lid van het verborgen gezin ooit te zien was, was toen er een kind naar de dokter werd gebracht. De CIA kwam met de ingeving om in de omgeving een kliniek te openen waar kinderen zich gratis konden laten inenten tegen hepatitis B. Misschien konden ze zo een paar van de ondergedoken kinderen naar buiten lokken. Ze vonden een Pakistaanse arts, Shakil Afridi, die in het hele land gedreven dit soort klinieken opzette. Hij ging dan in de buurt de deuren langs om de mensen te informeren en ze zover te krijgen dat ze met hun kinderen langskwamen. Agenten benaderden Afridi en boden hem een flink bedrag, iets in de zes cijfers, voldoende om zijn programma een flinke tijd draaiende te houden. Het enige wat hij daarvoor terug hoefde te doen, was de naalden die hij gebruikte aan de Amerikanen te geven. Ze vertelden niet waarom ze de naalden wilden hebben, maar het plan was om zo aan DNA te komen en dat te analyseren. De CIA beschikte over genetisch materiaal van nauwe verwanten van bin Laden. Als dat van een van de ondergedoken kinderen daar sterk op leek, was dat vrijwel een bewijs dat hij de vader was van de kinderen. De kliniek zou echt zijn, en de inentingen ook. De kinderen in Abbottabad zouden er baat bij hebben en de CIA zou het antwoord weten op allerlei vragen. De agenten verhulden tegenover Afridi niet dat ze van de CIA waren; ze zeiden dat de CIA het inentingsprogramma betaalde.

Een paar maanden later, terwijl in Langley en in het Witte Huis de plannen steeds vastere vorm aannamen, opende Afridi zijn kliniek. Hij ging de deuren langs en nodigde alle mensen uit om met hun kinderen langs te komen. Hij entte er heel wat in. Maar toen hij op de poort van het grote complex in Bilal Town klopte deed niemand open.

Niemand zou ooit opendoen.

Die hele februarimaand werd er gepraat over plannen voor een aanval met vliegtuigen of special forces. Ondanks de druk die Panetta uitoefende wist de CIA nog steeds niet wie de Stapper was. De mensen van McRaven stelden gedetailleerde plannen op in een anoniem kantoor op de begane grond van de drukkerij van de CIA, en de luchtmacht werkte aan een aanval met een of meer B-2's om het complex in een bliksemaanval met de grond gelijk te maken. Elke keer was het nodig om de kring mensen die wisten wat er aan de hand was uit te breiden. Michèle Fournoy, een van de onderministers van Defensie, werd geïnformeerd door haar chef, Mike Vickers, en begon daarna nauw samen te werken met generaal Cartwright. De topmensen kwamen inmiddels elke week bij elkaar, meestal in het Witte Huis, maar soms bij de CIA. Daar werd informatie uitgewisseld en werden alle mogelijke militaire opties doorgesproken. Tot de aanwezigen behoorden doorgaans Cartwright, Morell, Vickers, Robert Cadillo, de directeur van National Intelligence, en soms John Brennan en zijn plaatsvervanger Denis McDonough. Tegen het eind van de maand was ook McRaven een paar keer aanwezig, om zich zo voor te bereiden op het gesprek met Obama waarbij ze formeel met aanbevelingen zouden komen.

Zoals gewoonlijk stonden er veel punten op de nationale veiligheidsagenda. Drie dagen eerder hadden een aardbeving en een tsunami ongekende verwoestingen aangericht in Japan, met vele doden tot gevolg, en het Amerikaanse leger maakte zich op om humanitaire hulp te bieden. Er werd op grote schaal gedemonstreerd in Egypte, en ook in andere landen in het Midden-Oosten liet de Arabische Lente zich gelden, een inspirerende, maar potentieel verraderlijke overgangsperiode in een regio waarvan de stabiliteit al vele jaren van vitaal belang was voor de Verenigde Staten. Medio februari had Obama Hosni Mubarak, die al vele jaren als dictator over Egypte heerste, opgeroepen om af te treden, en nu woog hij opties af voor een beperkt ingrijpen in Libië, waar het regime van een tweede dictator, Muammar Gadaffi, meer en meer onder druk kwam te staan van steeds gewelddadiger protesten. En in Pakistan zelf had Raymond Ellis Davis, een Amerikaan die voor de CIA werkte, op straat in Lahore twee gewapende mannen doodgeschoten die hem, zei hij, hadden willen beroven. Hij was gearresteerd op beschuldiging van moord, en de Verenigde Staten deden hun uiterste best om hem vrij te krijgen. De grote weerzin die in Pakistan tegen het Amerikaanse beleid bestond had het incident hoog doen oplopen. Demonstranten en een deel van het Openbaar Ministerie eisten dat de CIA-man zou worden vervolgd en bestraft. Het Witte Huis en het ministerie van Buitenlandse Zaken waren dus verwikkeld in gevoelige gesprekken over David, terwijl tegelijkertijd voorbereidingen werden getroffen voor een bewuste schending van het Pakistaanse luchtruim.

In deze context overlegde Obama met de National Security Council over wat de CIA hem had gemeld. Het begon tijd te worden voor belangrijke beslissingen. Obama was zich er terdege van bewust dat naarmate hij een besluit uitstelde, de groep mensen die van het geheim op de hoogte was groter werd, en dat bijgevolg de kans groter werd dat de informatie uit zou lekken of dat er iets ingrijpend zou veranderen. De groep kwam samen in de Situation Room in het Witte Huis, waar een groot deel van de dramatische ontwikkelingen van de volgende twee maanden zou plaatsvinden.

De Situation Room ligt een paar treden lager dan de begane grond van de West Wing. Van een aantal vergaderruimten in de directe omgeving is de Situation Room de grootste, maar hij ziet er heel anders uit dan wat de decorontwerper van een film voor ogen zou staan als hij het commandocentrum van 's werelds enige supermacht vorm zou moeten geven. De zaal, die al tijden geleden de bijnaam 'The Woodshed', het Houthok, heeft gekregen, is gebouwd in opdracht van president Kennedy, die een commandocentrum wilde hebben met de allerlaatste snufjes op het gebied van de mondiale telecommunicatie. Het vertrek heeft geen ramen en komt benauwd over. Het is dan ook een stuk kleiner dan de eetzaal in een groot landhuis doorgaans is. Een groot deel van de mahoniehouten lambrisering waaraan de zaal zijn bijnaam dankt is in 2007 bij een renovatie weggehaald om het technici gemakkelijker te maken om bij de kabels en bedrading erachter te komen. Nu zijn de beige wanden behangen met platte videoschermen. Het plafond is laag en voorzien van inbouw-tl-buizen, die een schel licht verspreiden. Het vertrek wordt vrijwel volledig gevuld door de lange, glimmend gepolitoerde mahoniehouten tafel in het midden. Eromheen staan dertien zwartleren stoelen met een hoge rug. Het blauwe tapijt eronder is voorzien van een brede gele rand. Op die rand staan kleinere zwartleren stoelen voor medewerkers en stafleden. De president zit aan het ene hoofd van de tafel. Achter zijn stoel hangt het ronde presidentiële wapen. Er staat geen stoel aan het andere hoofd van de tafel, zodat de aanwezigen onbelemmerd zicht hebben op het reusachtige videoscherm dat van het tafelblad tot aan het plafond reikt. Er liggen leren onderleggers bij elke plaats aan de tafel, voor de ministers van Defensie, Buitenlandse Zaken, de National Security Advisor, de vicepresident, de voorzitter van de Chefs van Staven en de president. Bij bijna alle bijeenkomsten waren de directeur en plaatsvervangend directeur van de CIA aanwezig, en anderen. Tot hij door zijn commando te velde niet meer aanwezig kon zijn, woonde ook admiraal McRaven de vergaderingen bij.

Wat vooral opvalt, is hoe krap de ruimte is. Als er veel mensen zijn, en dat was bij een groot aantal van deze vergaderingen het geval, kun je gerust zeggen dat de top van het land hutjemutje op elkaar aan het overleggen is.

Begin maart had de CIA vastgesteld dat zich binnen het complex in Abbottabad een 'hoogwaardig doelwit' bevond, naar alle waarschijnlijkheid Osama bin Laden. 'John', de lange teamleider van de CIA, de meest ervaren analist van alle mensen die jacht maakten op bin Laden, was daar vrijwel van overtuigd. Hij schatte de kans op 95 procent.

Obama vroeg hoe de anderen erover dachten. Brennan was dezelfde mening toegedaan als 'John', maar anderen waren er toch minder zeker van, en sommigen wisten het helemaal niet zeker. De theorie dat bin Laden zich in Abbottabad bevond was drie keer nagelopen door analisten die geprobeerd hadden om er gaten in te schieten: in het Counterterrorism Center, door medewerkers van Brennan en door een groep binnen de CIA. Vier hoge medewerkers van het Directorate of National Intelligence hadden de zaak bekeken en hun eigen mening erover geformuleerd. De meesten schatten de kans dat het om bin Laden ging op ongeveer 80 procent. Maar sommigen zaten veel lager, op 40 of zelfs 30 procent. Obama vroeg Morell, die op een stoel achter hem zat, onder het presidentiële wapen, wat hij dacht.

Morell had bewondering gekregen voor de manier waarop Obama tot besluiten kwam. Hij had president Bush bijna elke dag van dichtbij meegemaakt, en hij had ook hem bewonderd, maar de twee mannen waren wel heel verschillend. Morell had gemerkt dat Bush een stuk intelligenter was dan hij voor de camera overkwam. Hij vond dat Bush ernstig werd onderschat. Hij was behoorlijk intelligent. Hij nam schriftelijke rapporten niet zo gretig tot zich als Obama, maar kon goed luisteren. Hij had de essentie van een zaak snel door, stelde goede vragen, moedigde een levendig debat aan en nam dan zonder te aarzelen, en vaak van het ene ogenblik op het andere, een besluit. Obama daarentegen liep niet te koop met zijn intellect en beschouwende vermogens. Hij las graag rapporten, initieerde een discussie tussen aanhangers van tegenovergestelde meningen en trok zich dan terug voor hij met een beslissing kwam.

Hij vond vooral één ding indrukwekkend aan Obama. Morell had inmiddels duizenden briefings gedaan en meegemaakt, genoeg om de trucs te kennen die medewerkers van de president hanteerden. Zo'n briefing was meestal zo opgezet dat de president de keus kreeg tussen twee alternatieven, en vaak werden die ook nog eens zó gepresenteerd dat de keus viel op de optie die al door de medewerkers was voorgekookt. Die aanpak had bij Obama geen schijn van kans. Hij luisterde naar beide opties, kwam met veel goede vragen en stelde dan meer dan eens een heel andere koers voor, een derde optie, die hij volledig ter plekke leek te bedenken. Dat had hij een paar dagen daarvoor ook al gedaan, na een uitvoerige discussie over wat de Verenigde Staten moesten doen aan Gadaffi's kennelijke voornemen om een slachting aan te richten onder de mensen die in opstand waren gekomen tegen zijn regime. De eerste optie was de terughoudende aanpak. Niet bij de strijd betrokken raken. De gevolgen zouden vreselijk zijn, maar militair ingrijpen in een derde land, terwijl er ook nog werd gevochten in Irak en Afghanistan, zou in Amerika zelf op hevige weerstand stuiten en zou in Libië, waar nog lang niet duidelijk was wie na Gadaffi aan de macht zou komen, de zaken er wel eens erger op kunnen maken. De tweede optie was militaire steun geven aan de rebellen, dus doen wat er gedaan moest worden om de dictator ten val te brengen. Sommige adviseurs waren sterk geporteerd voor de eerste optie, andere voor de tweede, maar de meerderheid was duidelijk tegen militair ingrijpen. Toen kwam Obama met een derde optie, en die werd uiteindelijk uitgevoerd: de Verenigde Staten zouden een paar dagen de leiding nemen bij aanvallen op eenheden van Gadaffi. Daarna zou een coalitie van Europese en Arabische landen het overnemen. Amerikaanse vliegtuigen zouden zich na de eerste fase onthouden van gevechtsmissies, maar wel onder de vlag van de NAVO luchtsteun blijven leveren en een vliegverbod helpen afdwingen. Dat vond Morell een briljant idee.

Zelf schatte Morell de kans dat de Stapper bin Laden was op 60 procent.

'Het is dus een kwestie van kansberekening,' zei Obama. 'Leon, vertel daar eens wat meer over.'

CIA-directeur Panetta legde uit dat na de onjuiste berichten van tien jaar eerder dat Saddam Hussein over massavernietigingswapens beschikte, waarna een lange, peperdure oorlog was losgebarsten, de CIA een bijna komisch ingewikkelde procedure had bedacht om te bepalen hoe waarschijnlijk iets was. Alsof je een exacte formule probeerde op te stellen om tot een goed oordeel te komen. Analisten werd nu niet alleen naar hun mening gevraagd, nee, ze moesten erbij zeggen hoe hoog ze de kans achtten dat ze gelijk hadden – hoog, gemiddeld of laag. En dan moesten ze uitleggen waarom. Obama merkte, en zei dat later ook tegen mij, dat het resultaat niet meer zekerheid was, maar meer verwarring.

Ook nu gebruikte hij woorden van die strekking. Toen draaide hij zich om in zijn stoel en keek Morell recht in de ogen.

'Michael, zeg eens wat jij denkt.'

Morell had er heel veel over nagedacht. Hij was persoonlijk betrokken geweest bij het zoeken naar Saddams massavernietigingswapens, en hij was er toen zekerder van geweest dat die er waren dan hij nu was over de Stapper.

'Mensen hebben geen andere mening omdat ze andere informatie hebben,' zei hij. 'We kijken allemaal naar dezelfde dingen. Het hangt vooral af van wat je in het verleden hebt meegemaakt.' Hij vertelde dat de CIA-afdeling die zich met contraterrorisme en al Qaida bezighield de afgelopen vijf jaar grote successen had geboekt. De terreurgroep had binnen Pakistan zware klappen opgelopen, en verdere aanslagen in de Verenigde Staten waren direct of indirect voorkomen. Mensen die dit werk al langer deden, zoals hij, hadden ook mislukkingen gekend. Ze wisten hoe broos ook de meest solide klinkende analyse kon zijn. Het verhaal over de massavernietigingswapens was een pittige les, en hij was er indertijd verantwoordelijk voor geweest.

'Als we een informant hadden die zei dat bin Laden in dat complex woonde, zou ik nog steeds niet hoger dan 60 procent gaan.' Hij zei dat hij grondig had nagedacht over beide problemen: de massavernietigingswapens en Abbottabad. Over de wapens had hij niet minder dan dertien rapporten gezien, en over de plaats minstens evenveel. 'En de argumenten dat Saddam die wapens had, waren niet alleen sterker, ze waren véél sterker.'

Daarop volgde een discussie over hoeveel die zekerheidspercentages waard waren. Obama luisterde, maar zijn besluit stond al vast.

'Een van de dingen die je leert als je president bent,' vertelde hij me, 'is dat je altijd te maken hebt met waarschijnlijkheidsberekeningen. Ik krijg nooit iets op mijn bureau wat meteen kan worden opgelost. Nooit iets waarbij er honderd procent kans is dat je het goede besluit neemt. Want als mensen daar absoluut zeker van zouden zijn, zou dat besluit al door een ander zijn genomen. Dat gaat op voor de economische crisis. En het gaat ook op als je een piraat op de korrel neemt. Het gaat op voor de meeste beslissingen die ik elke dag weer neem. Ik ben dus gewend dat mensen met waarschijnlijkheidsberekeningen aankomen. Maar hier maskeerden die onzekerheid in plaats van dat ze bruikbare informatie boden.' Obama vond het geen punt om de waarheid onder ogen te zien: als hij besloot in te grijpen, zou dat een gok zijn. Een grote gok.

Als de informatie klopte en de Stapper was inderdaad bin Laden, dan zou zijn dood of gevangenneming een duidelijke, beslissende overwinning zijn in de strijd tegen al Qaida die bijna tien jaar geleden was begonnen. Dan zou de belofte zijn waargemaakt die Obama vier jaar daarvoor tijdens zijn verkiezingscampagne had gedaan, toen hij zei dat hij zonder met Pakistan te overleggen bin Laden zou elimineren als zich een goede kans voordeed, een uitspraak waarop vrijwel iedereen kritiek had gehad, ook mensen als Hillary Clinton en Joe Biden, die hem nu hielpen om tot een besluit te komen. Die uitspraak was in zekere zin bepalend geworden voor zijn beleid op het gebied van de nationale veiligheid. Een succes zou triomfantelijk demonstreren dat het recht uiteindelijk zegevierde, hoe hoog de kosten ook waren en welke offers het ook vergde, en daarnaast laten zien wat de Amerikaanse technologie vermocht. Het zou een prestatie zijn die alom met instemming zou worden begroet, en daarnaast zou het een beloning zijn voor de vastberadenheid en de kunde van iedereen die een flink deel van zijn leven, en soms zijn hele leven, aan die strijd had gewijd. Praktisch gezien zou het een enorme slag toebrengen aan een organisatie die nog steeds van plan was om Amerikanen te vermoorden.

Maar als hij een poging deed en die mislukte – en ze hadden nog niet eens nagedacht over de spectaculaire manieren waarop het kon mislukken – dan konden moedige Amerikanen sneuvelen bij een gênante wanvertoning, net als in 1980 was gebeurd toen Carter opdracht had gegeven tot Operatie Eagle Claw in Iran. Dat was uitgedraaid op een enorme publiciteitsoverwinning voor de moellahs. Een mislukking zou ook het prestige van al Qaida enorm opkrikken en hun stelling staven dat hun bloedige aanslagen goddelijke steun genoten. Bin Laden, wiens prestige sinds 2001 aanzienlijk was teruggelopen, zou sterk aan aanzien winnen, met bijgevolg meer geld, rekruten en aanslagen. Voor Obama zou een succes een paar weken goed zijn in de peilingen, maar als het mislukte, zou hij overkomen als een ineffectieve leider en kon hij een tweede termijn wel vergeten, net als Carter nadat Operatie Eagle Claw in Iran was mislukt.

Of het nu lukte of mislukte, ze konden een woedende reactie verwachten van Pakistan. De relatie met het lastige, maar hoogst strategisch gelegen land, dat ook nog eens over kernwapens beschikte, was al uiterst gespannen. Hoe zijn beslissing ook uitviel, vertelde Obama me later, ze zou gebaseerd zijn op indirecte bewijzen en stukjes en brokjes informatie. Het was nog steeds mogelijk dat het een krijgsheer uit Afghanistan was die zich hier had gevestigd, of een drugsdealer uit de Golf die privacy belangrijk vond, of een maîtresse of een tweede gezin had. Er waren andere verklaringen mogelijk voor wat ze zagen. De afweging die Obama moest maken was of de kans dat het om bin Laden ging zo groot was dat ze het risico moesten nemen. Want wat in het geding was, was wél de nationale veiligheid van het land.

De president, die bij dit soort vergaderingen vaak meer luisterde dan dat hij zelf aan het woord was, doorbrak de discussie over zekerheidspercentages.

'De kans is dus fiftyfifty,' zei hij. 'Alsof je een munt opgooit. Ik kan geen beslissing nemen als ik niet meer zekerheid heb.'

Als hij besloot om in te grijpen, wat waren dan zijn opties? Er werden hem twee voorgelegd. De simpelste, die ook het minste risico opleverde voor de Amerikanen, was om het hele complex in puin te gooien, met iedereen en alles erin en eromheen. De luchtmacht had berekend dat daarvoor dertig of meer precisiebommen uit een op grote hoogte vliegende B-2 nodig waren, of een vergelijkbaar aantal kruisraketten. Dan hadden ze de zekerheid dat alle leven in en bij het doel zou worden weggevaagd. Alles boven de grond zou met de grond gelijk worden gemaakt, alles eronder zou worden verwoest. De Pakistaanse luchtverdediging was geen probleem: tegen de tijd dat het land merkte dat het getroffen was, was die ene B-2 allang weer weg. Er waren geen grondeenheden bij betrokken, en dus was er ook geen kans op een treffen met leger of politie. Het zou een machtige, onverwachte slag zijn uit een duistere hemel, waarna in een wijk van Abbottabad een groot, rokend gat zou overblijven. Toegegeven, dat was niet makkelijk te verkopen. En door de bijkomende schade zou de woede van Pakistan des te gerechtvaardigder zijn. Maar het kon.

Obama vroeg hoeveel mensen er in het complex woonden. Vier volwassen mannen, zo bleek, vijf vrouwen en bijna twintig kinderen. Hij vroeg wat er met de huizen zou gebeuren die in de buurt van het complex stonden. Ook die zouden volledig worden verwoest, en alle bewoners – mannen, vrouwen en kinderen – zouden de dood vinden. Hij haalde onmiddellijk een streep door deze optie. Amerika mocht niet al die slachtoffers maken als er maar een kans van 50 procent was dat ze zo ook bin Laden te pakken kregen. Een luchtaanval was alleen te overwegen als de bommen of raketten zo precies konden worden ingezet dat een veel kleiner gebied werd geraakt, zei hij.

Daarna vertelde McRaven voor het eerst wat een aanval met special forces inhield. Zijn team had nog niet alles in detail uitgewerkt. De enige zekerheid die hij Obama kon bieden was deze: als zijn mensen bij het complex konden komen, konden ze tegenstand elimineren en bin Laden gevangennemen of doden, met een minimaal aantal doden aan Amerikaanse zijde. De admiraal gaf zijn mening met een op enorme ervaring berustend zelfvertrouwen. Hij deed geen poging om deze aanpak erdoor te drukken. Kort na 11 september, toen hij nog herstellende was van zijn verwondingen, had hij dit soort vergaderingen ook al meegemaakt. Toen had hij gemerkt dat er bepaalde groepen en facties waren die hun aanpak aan de president probeerden op te dringen. Zo werkte Obama niet. Wat hem verbaasde, gezien het grote belang van de missie en de risico's die ermee samenhingen, was dat de gesprekken niet vinniger waren. Panetta en Brennan zetten vanaf het begin de toon. Keer op keer werden er meningen op tafel gelegd en werd er over voor- en nadelen gediscussieerd. McRaven had tegen de paar mensen van jsoc die van de zaak op de hoogte waren gezegd: 'Misschien doen we het zo, maar misschien ook niet. We doen het uiteindelijk op de manier die het beste is voor het land. En als dat betekent dat we er een bom op gooien, dan doen we dat.' En dus presenteerde hij de nog niet volledig uitgewerkte grondoptie als een nuchtere mededeling. 'Zo'n aanval gaat lukken. Dat kan ik nu al wel vertellen. Wat ik nog niet kan vertellen, is hoe ik erin en eruit kan komen. Daar moeten gedetailleerde plannen voor worden opgesteld door mensen die dat de hele dag doen. En we moeten kijken naar de luchtverdediging van Pakistan, en een aanvliegroute bepalen, en bedenken hoe we later weer vertrekken en wat voor problemen we daarbij kunnen verwachten.

Ik zeg dus niet dat we het zo moeten doen,' zei hij tegen Obama. 'Ik zeg alleen maar dat het gaat lukken als ik bij dat complex kan komen. Daar weer wegkomen zou iets precairder kunnen worden. Ik kan pas adviseren om het zo te doen als ik mijn huiswerk heb gedaan.'

Maar ook als de admiraal zijn huiswerk al zou hebben gedaan, dan nog zou hij niet dwingend een aanval met grondtroepen hebben bepleit, juist omdat hij ervan overtuigd was dat alle aanwezigen vanzelf tot de conclusie zouden komen dat die aanpak de beste was. De feiten lieten gewoon geen andere optie open. En hij verwachtte dat Obama deze kans niet zou laten lopen. Bombarderen was te agressief en gaf te veel gedoe, er zouden te veel onschuldige mensen bij omkomen, en achteraf had je ook nog eens geen bewijs dat bin Laden daadwerkelijk was omgekomen. Na zo'n aanval, die een groot, rokend gat zou achterlaten, zou Pakistan om begrijpelijke redenen razend zijn. Er was geen kans op dat de Amerikanen in de puinhopen op zoek konden gaan naar DNA. Bin Laden te pakken nemen was het enige wat opwoog tegen een woedende reactie van Pakistan. Maar dat moest je dan wel kunnen aantonen. Dat betekende dat je hem moest doden of gevangen moest nemen. Alleen zo kon je uitleggen waarom je in actie was gekomen. Je liep altijd meer risico als je grondeenheden inzette, maar zijn mannen waren meer dan competent, en hij wist dat Obama dat wist. Hij was ook te weten gekomen dat de president niet ten koste van alles risico's wilde vermijden. De afgelopen twee jaar had hij een positieve indruk gekregen van Obama. Die had de eindbeslissing genomen bij vrijwel alle belangrijke missies die JSOC in die periode had ondernomen, en hij bleek niet bang te zijn. Hij luisterde naar discussies over de militaire en politieke risico's, zonder meteen te zeggen wat hij er zelf van vond, trok zich dan een paar uur terug, of tot de volgende ochtend, en kwam dan meestal met: 'We gaan het doen.' De enige keer dat hij nee zei, waren de risico's te groot.

McRaven begreep heel goed dat Obama meer verantwoordelijkheden had dan hij als militair, en hij was op diens oordeel gaan vertrouwen. De president hechtte meer gewicht aan de risico's die de in te zetten militairen liepen dan aan de politieke risico's, en dat is wat een militair van zijn opperbevelhebber wil. In een aantal gevallen hadden zelfs McRavens meerderen gezegd dat er beter even kon worden gewacht omdat de risico's te groot waren, maar dan had de president gezegd: 'Nee, we gaan ervoor.' En dus gaf de admiraal niet zijn eigen mening over de vraag of ze het al dan niet zo moesten doen. Dat hoefde niet.

Panetta kwam met nog een overweging. Als bin Laden niet aanwezig was, konden de SEALS misschien wel gewoon vertrekken, zonder dat er veel ophef over ontstond. De omwonenden zouden wel de nodige verhalen te vertellen hebben, maar omdat de missie een geheime operatie van de CIA was, konden de Verenigde Staten volstaan met een ontkenning. Niet dat de Pakistaanse regering daarin zou trappen, maar het zou minder als een openlijk affront overkomen. Als ze elke betrokkenheid ontkenden, kwam de missie in het grijze gebied terecht dat al jarenlang Amerikaanse operaties in Waziristan mogelijk maakte.

Aan het eind van de bijeenkomst vroeg Obama de luchtmacht om een kleinschaliger bombardement te plannen of naar andere middelen te kijken. Dat betekende raketten of, en dat was waarschijnlijker, drones. Maar de president wilde er ook een duidelijk beeld van hebben hoe een aanval door grondtroepen eruit zou zien. Hadden ze vuurkracht genoeg? Zouden de Pakistanen niet meteen in actie komen? Konden ze het land in en uit komen zonder de strijd aan te hoeven gaan met de Pakistaanse luchtverdediging?

'Meneer de president, dit is een plan dat ik en één andere man hebben bedacht,' zei McRaven. 'Of het allemaal gaat lukken kan ik nog niet zeggen. Dat kan ik pas als ik de mensen bij elkaar heb gehaald en we hebben kunnen oefenen.'

En dus kreeg McRaven opdracht om zijn 'huiswerk' te doen. Dat betekende dat hij een bijna eindeloze lijst dingen moest afvinken. Want er waren heel wat variabelen. Het terrein was ruim vijfendertighonderd vierkante meter. Dat was fors. Hoe groter het terrein, hoe meer mensen er moesten worden ingezet. Op een complex van gemiddelde grootte in Afghanistan stuurde McRaven doorgaans zeventig man af. Je moest binnen het complex posities kunnen verdedigen, en ook alle deuren en ramen. Het huis had een begane grond en twee verdiepingen, en er was nog een tweede gebouw. Je moest dus voldoende mensen inzetten. En ze moesten er komen zonder te worden ontdekt. Het was een heel eind naar Abbottabad en een heel eind terug, en dus moest je bijtanken. Dat betekende dat je buiten de stad een verzamelplaats moest inrichten, met grotere helikopters die extra brandstof bij zich hadden, plus een snelle interventie-eenheid. De prestaties van de helikopters waren afhankelijk van hoogte, temperatuur en andere factoren, dus je moest goed berekenen hoeveel mensen ze konden vervoeren. In feite draaide alles om gewicht. Elke kilo ging ten koste van de vliegtijd. Hoe meer helikopters je gebruikte, hoe zichtbaarder je werd en hoe groter de kans dat je werd ontdekt en dat er iets misging met een toestel of een piloot. De geesten van het fiasco in Iran waarden nog steeds rond. Pas als ze begonnen te oefenen beschikte hij over de laatste berekeningen, maar hij kon nu al vertellen dat de toestellen zwaarder zouden zijn en dat ze over minder mensen zouden beschikken dan hem aanstond.

Eind maart, twee weken later, was McRaven terug, dit keer met een volledig uitgewerkt plan. Hij zei tegen Obama dat hij er voor honderd procent zeker van was dat zijn mannen deze aanval uit konden voeren. Zijn vluchtplanners hadden een manier bedacht om het Pakistaanse luchtruim binnen te dringen zonder ontdekt te worden. Daarvoor zouden twee stealth-versies van de Black Hawk worden gebruikt, speciale toestellen die weinig lawaai maakten en op de radar niet of vrijwel niet te zien waren. Ze zouden worden gevolgd door twee grote Chinooks met brandstof en een eenheid die kon ingrijpen als het misging. Die zouden landen in Kala Dhaka, tachtig kilometer ten noordwesten van Abbotta-bad. De Black Hawks zouden de special forces bij het complex af-leveren en na het voltooien van de opdracht terugbrengen naar de Chinooks. Daar zouden ze bijtanken en terugvliegen naar Afgha-nistan. Volgens hem was er een goede kans dat dat allemaal kon zonder dat er alarm werd geslagen. Als zijn mannen binnen een halfuur na aankomst weer konden vertrekken, hoefden ze geen georganiseerd verzet van de Pakistanen te verwachten. Het was altijd mogelijk dat een kleine politie-eenheid op het toneel zou verschijnen. Een paar man met AK-47's. Het was zelfs mogelijk dat er in de buurt een paar verdedigers van het complex zaten. Maar zulke kleine eenheden vormden geen bedreiging voor zijn man-nen.

Als het allemaal zo verliep waren de gevaren minimaal. Maar als de Pakistanen nu eens beter opletten dan ze dachten? En als ze in het complex nu eens veel meer tijd kwijt waren? De admiraal kreeg veel lastige vragen voor zijn kiezen. Veel van de aanwezigen keken sceptisch toen hij zei dat de Pakistanen niet snel in actie zouden komen. Wist hij niet dat het complex dicht in de buurt lag van een militaire academie? Anderhalve kilometer maar. En dat er in de stad ook nog legerkazernes waren, en een complex van de ISI, de Pakistaanse inlichtingendienst?

Dat wist McRaven allemaal. Hij legde uit dat de aanwezigheid van die kazernes niet inhield dat er snel zou worden gereageerd. Ook als een gewone soldaat of een politieman merkte dat er iets niet pluis was, zou er behoorlijk wat tijd overheen gaan voor er een gecoördineerde reactie kwam. De Pakistaanse strijdkrachten kenden een rigide bevelsstructuur. Mensen van lage rang deden zelden iets op eigen initiatief. Het Amerikaanse leger moest wei-nig van zo'n starre werkwijze hebben, maar in heel wat landen deden de meeste jonge officieren liever niets dan dat ze iets verkeerds deden. Dat was meegenomen in zijn schatting van een halfuur. Veel sneller kon het niet, zei de admiraal. Maar als hij het nu eens mis had? Als er binnen het complex nu eens iets gebeurde waardoor zijn mannen vertraging opliepen?

Als een grote Pakistaanse eenheid op het toneel verscheen voor zijn mannen waren vertrokken, legde McRaven uit, zou er een vuurgevecht uitbreken. Dat wilde hij vermijden. Zijn mannen zouden die slag winnen, maar de oorlog verliezen. In dat scenario zouden de Pakistanen het morele gelijk aan hun kant krijgen. Elke keer dat Amerikaanse militairen een Pakistaanse militair of politieman doodden, kwamen er heel vervelende politieke repercussies. Toen de admiraal er meer planners bij betrok, had hij er meteen bij verteld dat ze al het mogelijke moesten doen om doden aan Pakistaanse zijde te vermijden. Daar was in alle fasen van het plan aandacht aan besteed. Als ze snel binnen waren en snel weer weg konden was er geen probleem, maar hij kon moeiteloos een scenario bedenken waarbij ze vertraging opliepen. Stel dat ze hem niet konden vinden, maar vermoedden dat hij zich achter een valse deur of een valse muur had verstopt, wat moesten ze dan? Gewoon weer aan boord van de helikopters gaan en vertrekken? Terwijl bin Ladens vrouwen of medewerkers bevestigden dat hij daar was? Nee, dat kon niet. Daarvoor waren ze van te ver gekomen en te dicht bij hun doelwit. Dan moesten ze bereid zijn om defensieve posities in te nemen en het complex te slopen, tot ze hem vonden. Dat betekende veel langer blijven dan gepland. De kans dat dat nodig zou zijn was groot, en elke extra minuut dat ze daar waren vergrootte de kans op een confrontatie met Pakistaanse troepen.

'Dus wanneer geef je het zoeken op?' vroeg McRaven hypothetisch. 'En wat doe je als je wordt omsingeld door Pakistaanse eenheden?'

De admiraal kwam met een verrassend antwoord op zijn eigen vraag: als het zover kwam zouden zijn mannen zich verschansen en afwachten tot Washington en Islamabad het probleem hadden opgelost.

'Je gaat naar hen toe en zegt: "Oké jongens, jullie weten al tig jaar dat we naar deze vent op zoek zijn en dat we hem zouden komen halen, waar hij ook zit. Nou, hij blijkt dus hier te zitten. Er zijn nog geen doden gevallen. We zitten in het complex. Zullen we erover praten?"'

Dat, dacht McRaven, zou nog eens een halfuur opleveren. Daarna zou hij niet meer te maken hebben met plaatselijke officieren, maar met de Pakistaanse legerleiding.

Maar hier week de manier waarop een president dacht af van de manier waarop een officier dacht. Volgens McRaven konden zijn mannen zich bij een gevecht prima redden, wat er ook gebeurde. Er stond een snelle interventie-eenheid klaar voor als het onverwacht misliep. Als het op vechten aankwam zou het wel lukken om van het complex weg te komen. Maar dan moesten ze naar Kala Dhaka. En vandaar moesten alle Amerikaanse helikopters door het Pakistaanse luchtruim. En Pakistan had F-16's. Als ze de helikopters wilden beschermen, moesten ze het opnemen tegen de Pakistaanse luchtmacht. Dat kon de Amerikaanse luchtmacht wel aan, met zijn superieure toestellen en raketten tegen gronddoelen, maar dan werd het wel erg precair. Dat scenario wilde de admiraal koste wat kost vermijden. Na twee jaar in Afghanistan, waarheen het grootste deel van zijn mannen uit Irak was overgeplaatst, wist hij heel goed hoe gevoelig de relatie met Pakistan lag. Die relatie was niet bestand tegen grote aantallen dode Pakistanen, neergehaalde vliegtuigen en brandende raketbatterijen. Dus als zijn mannen in Abbottabad onverhoopt zouden worden omsingeld, moesten ze vooral niet gaan schieten, maar defensieve posities innemen en wachten tot Washington en Islamabad de zaak hadden opgelost. Per slot van rekening ging het om Amerikaanse militairen die bezig waren met een missie die Pakistan, althans in naam, steunde: het oppakken van 's werelds meest gezochte terrorist. Iemand in het Witte Huis of bij Buitenlandse Zaken zou vervolgens de telefoon pakken en generaal Ashfaq Kayani bellen, de chef-staf van het Pakistaanse leger, of president Asif Zardari, en de zaak uitleggen. *Hoe komen we hieruit zonder dat er een hoop slachtoffers vallen? Wij willen geen doden, jullie willen geen doden.* Zo, dacht McRaven, zou het gesprek kunnen verlopen. Dat ze liever niets deden dan dat ze een gevecht aangingen bewees al dat ze geen kwaad in de zin hadden tegen Pakistan en geen bedreiging vormden voor dat land.

De president zag het anders. Hij was niet van plan om zo'n gesprek aan te gaan. Nick Rasmussen, presidentieel adviseur op het gebied van contraterrorisme, zei later dat Obama's reactie op dit idee van McRaven 'recht uit het hart' kwam.

'Als ze vast zouden komen te zitten en een speelbal werden van politieke krachten binnen Pakistan, voorzag ik de grootst mogelijke problemen,' vertelde Obama me later. 'Ik wilde hen niet in die kwetsbare positie brengen.'

Als hij te maken kreeg met een woedend Pakistan, en het zag ernaar uit dat dat in vrijwel alle scenario's het geval zou zijn, wilde hij niet ook nog rekening hoeven houden met moedige Amerikanen die in dat land klem zaten.

Een paar dagen daarvoor had Obama eindelijk de lastige onderhandelingen afgerond over Raymond Davis, de man die voor de CIA werkte. Die was pas vrijgelaten nadat de Amerikanen hadden beloofd om 2,4 miljoen dollar te betalen aan de nabestaanden van de mannen die hij – zei hij – uit zelfverdediging had doodgeschoten. Het incident had nogal wat beroering gewekt in Pakistan, waar een flink deel van het volk en ook de politieke top meer dan genoeg hadden van de Amerikaanse inbreuken op de soevereiniteit van hun land. In het openbaar dan. Officieus waren de leiders van het land een stuk flexibeler, maar ze sloten niet voor alles de ogen.

Bij deze missie wilde Obama niet uitgaan van welwillendheid

bij de Pakistanen, omdat de kans daarop niet al te groot leek. Net als bij veel andere landen in dit deel van de wereld was de Pakistaanse top niet zozeer een samenhangende hiërarchie als wel een collage van elkaar overlappende belangen. De relatie kon alleen maar standhouden als je al die belangen min of meer met elkaar in evenwicht wist te houden. En de relatie met Pakistan was belangrijk. Het grootste deel van de voorraden en de benzine die de Amerikanen in Afghanistan nodig hadden, kwam via Pakistan het land binnen. Terroristen van al Qaida hadden een toevluchtsoord gevonden in het noordwesten van het land en konden rekenen op de steun van machtige facties binnen de top van het land, maar de Verenigde Staten hadden de stilzwijgende steun van de regering nodig om drones te kunnen blijven inzetten. En Pakistan bezat kernwapens, dat mocht geen moment worden vergeten. Een stabiel Pakistan was essentieel voor de veiligheid van niet alleen de regio, maar van de hele wereld. Er heerste in Islamabad al veel weerzin tegen de Amerikaanse bemoeienis. En dan bied je ze op een presenteerblaadje een kleine Amerikaanse elite-eenheid aan en ga je onderhandelen over een aftocht, terwijl ze zich hebben verschanst in een complex, met gijzelaars of doden, onder wie misschien wel Osama bin Laden. Het was heel goed voorstelbaar dat de SEALS allemaal omkwamen of zelf gijzelaars zouden worden.

'Ik had er na latere gesprekken met McRaven alle vertrouwen in dat ze daar weg konden komen zonder dat het tot een botsing met Pakistaanse eenheden kwam,' vertelde Obama me later. 'Er was een heel behoorlijke kans dat ze daar konden landen en weer weg konden komen. En ook als er iets misging en ze bin Laden niet te pakken konden nemen, verwachtten we dat het Pakistaanse leger pas na enige tijd in actie zou komen en dat de kans dat het tot een vuurgevecht zou komen dus heel klein was. Vandaar dat ik per se wilde dat ze daar weg konden komen. Eerst zij veilig thuis; daarna konden we aan de politieke problemen beginnen.'

Obama zei dat ook tegen McRaven. Als de SEALS landden, zouden ze ook weer vertrekken. Bin Laden was van groter belang dan de relatie met Pakistan. Als de Pakistanen sneller dan verwacht alarm sloegen en in actie kwamen, jammer dan. Dan kwam er maar een confrontatie. Hij zei tegen McRaven dat die desnoods geweld mocht gebruiken om uit Abbottabad weg te komen.

Maar Obama was er nog niet uit of hij special forces zou inzetten. De luchtmacht kwam terug met een alternatief: kleinere bommen, minder schade. Ze konden het complex verwoesten zonder dat omwonenden omkwamen, maar als ze minder explosieven inzetten konden ze niet garanderen dat eventuele ondergrondse ruimten werden geraakt. Er zouden nog steeds veel doden vallen, ook vrouwen en kinderen, en uiteraard was ook bij deze aanpak nog steeds niet te zeggen of bin Laden zich onder de doden bevond.

Maar er was nog een tweede mogelijkheid om vanuit de lucht toe te slaan; Cartwright, een van Obama's favoriete generaals, was daar zeer van gecharmeerd. Een jaar daarvoor had Cartwright een tussenoplossing bedacht toen Obama klem zat tussen twee onaantrekkelijke opties: een grootschalige campagne in Afghanistan om de taliban te bestrijden of helemaal uit het land vertrekken. Toen had Cartwright voorgesteld om een veel kleinere strijdmacht te sturen dan het Pentagon wilde. Zo kon je de taliban nog wel bestrijden; alleen zat het opbouwen van een heel land er niet in. Ook nu had hij een afwijkende optie.

Hij stelde voor om alleen de Stapper uit te schakelen. Ze moesten wachten tot de lange man in zijn *shalwar kameez* en bidmutsje verscheen voor zijn wandelingetje om de moestuin heen en hem uitschakelen met een kleine raket, afgevuurd door een drone. Het zou grote precisie vergen, maar de luchtmacht kon het, met wat in feite het vliegende equivalent was van een scherpschutter. Geen rokend gat in Abbottabad, geen dode vrouwen en kinderen, weinig of geen bijkomende schade, geen potentiële dode of gewonde SEALS, en geen kans op een hachelijke confrontatie met Pakistaanse legereenheden.

Het leek te mooi om waar te zijn. De mannen die met dit soort dingen omgingen kwamen behoorlijk competent over, maar de raket riekte wel erg naar de testfase. En als het lukte en je wist de Stapper om te leggen? Wat dan? Hoe wist je dat je bin Laden te pakken had? En als hij het niet was en je een overspelige sjeik uit Dubai had gedood? Kon je dat nagaan? De onzekerheid rond de missie zou blijven bestaan, en bin Laden zou in zekere zin voortleven, ook als hij de Stapper was. En je had maar één kans. Miste je, dan zouden de Stapper en zijn gezin verdwijnen.

Er was één sterke aanwijzing dat Obama al had besloten wat hij zou gaan doen. McRaven had gezegd dat zijn team de eerste week van mei klaar kon staan. Dan was de maan een paar dagen niet te zien en zouden de nachten duister zijn – precies wat JSOC graag wilde. Niemand zei iets, maar die datum betekende een scherpe deadline. Achter de optie met de drone zat geen haast. Dat moest overdag gebeuren, en de Stapper wandelde elke dag. Je kon het doen wanneer je wilde. Waarom vond iedereen de maancyclus dan zo belangrijk?

Obama gaf McRaven opdracht om te gaan oefenen en klaar te staan om te vertrekken als de nachten donker werden. En hij gaf Cartwright opdracht om de optie met de drone uit te werken. Hij wilde beide opties openhouden tot hij een beslissing nam.

Maar de mensen die hem kenden wisten eigenlijk al wat hij wilde.

7

*'... al negen jaar de manier
waarop wij te werk gaan'*

APRIL 2011

In wat later de laatste paar weken van zijn leven zouden blijken te zijn, was Osama bin Laden door de gebeurtenissen ingehaald. In heel het Midden-Oosten waren er volksopstanden uitgebroken. De tektonische verschuivingen van wat later de Arabische Lente zou worden genoemd, gaven zijn wereld een heel ander aanzicht, land voor land, maar die revolutie vertoonde weinig overeenkomsten met zijn visie of zijn methoden. En alom werd opgemerkt dat al Qaida bij deze ontwikkelingen geen rol van betekenis speelde. Dat baarde hem zorgen.

Hij had die aprilmaand tal van zorgen aan zijn hoofd, en die legde hij neer in een zoveelste lange brief, die als datum 26 april droeg, maar waaraan hij waarschijnlijk al een tijd eerder was begonnen, aan 'Mahmoud' Atiyah Abd al-Rahman. Het was de zesde lente dat hij in Abbottabad zat opgesloten. Zijn kalifaat was verschrompeld tot de hoge muren om het complex heen en tot de benauwde, overvolle vertrekken op de twee verdiepingen. Als hij op de bovenste verdieping rechtop stond, bevond zijn gebedsmutsje zich maar een paar centimeter van het plafond. Zijn dagen en nachten verliepen volgens een geijkt patroon waarvan maar zelden werd afgeweken: maaltijden, zeven keer per dag bidden, lezen, een stevige wandeling om de moestuin, poëzie onderwijzen aan zijn kinderen en kleinkinderen en de preken die hij regelmatig tegen zijn drie vrouwen afstak.

De rest van de dag bracht hij voor een groot deel voor de tv door. Via zijn schotel kreeg hij schokkend nieuws uit de hele wereld binnen. In Egypte, Tunesië, Libië, Jemen en Syrië waren tirannen verdreven of werden ze fel bestreden. Op andere plaatsen rommelde het. Al met al was er een orkaan opgestoken, gevoed door Arabische trots, islamitisch vuur en een hartstochtelijk verlangen naar democratie. Niemand had die orkaan voorzien, en hij al helemaal niet. Voor bin Laden was het alsof hij op een zijspoor was gerangeerd, alsof hij werd bestraft, en daar zat hij mee. Het grote ontwaken dat hij had voorspeld en waar hij zo naar had verlangd was begonnen, maar hij speelde er geen rol in.

'Ik beklaag me vaak tegenover God over mijn isolement en eenzaamheid,' had hij in een andere brief geschreven. 'Ik ben bang dat mensen genoeg van mij zullen krijgen en dat ze mijn ideeën oud en versleten zullen vinden. Maar ik beklaag me alleen tegenover God.'

Wat er in het Midden-Oosten gebeurde beklemde hem. Hij wilde terug naar een model dat vele eeuwen oud was: het oude kalifaat, dat alle ware gelovigen zou verenigen in één heilige natie, een streng islamitische staat die zou functioneren volgens in de Koran neergelegde principes, zoals geïnterpreteerd door Qutb, bin Laden zelf en gelijkgestemde schriftgeleerden. Zijn methoden, zelfmoordaanvallen op ongelovigen om angst en verwarring te zaaien, hadden plaatsgemaakt voor vrijwel altijd niet-gewelddadige volksbewegingen: massa's vrolijke, boze, dappere demonstranten die uitdagende liederen en leuzen zongen en vrijheid en verandering eisten. Daar had hij van alles over te zeggen, en dus zat hij met zijn lange vingers op het toetsenbord van zijn computer te tikken, in een klein werkkamertje op de tweede verdieping, waar ook een primitieve boekenplank was. Af en toe liep hij rond en dicteerde hij aan een ander. Kort daarvoor had hij zijn baard geverfd en een eleganter gewaad aangetrokken om een nieuwe videoboodschap op te nemen. Die zou samen met dit stapeltje brieven worden verzonden. In de brief aan al-Rahman deed hij zijn best om gelijke tred te houden met de Arabische Lente, om de gebeurtenissen te interpreteren in het licht van zijn onwrikbare overtuigingen en om zijn volgelingen mee te delen wat ze moesten vinden van deze veranderingen, en hoe ze erop moesten reageren. Hij zag de revoluties als de gedeeltelijke vervulling van zijn profetieën – hij noemde ze 'halve oplossingen' – alleen waren ze potentieel een gevaar voor zijn uiteindelijke doel, omdat een groot deel van de steun vanuit het volk afkomstig was van jonge Arabieren die 'bezoedeld' waren met minder rechtlijnige opvattingen over de islam of, nog erger, westerse seculiere opvattingen huldigden over verdraagzaamheid, mensenrechten en democratie. Hij had het nog steeds over 'de Natie': dat was het beeld dat hij had over een verenigd moslimrijk.

'Om te beginnen wil ik wat zeggen over de belangrijkste gebeurtenis uit onze recente geschiedenis, het lanceren van de revolutie van de Natie tegen de tirannen. Ik heb Allah gevraagd om daarvan de aanzet te maken tot een nieuwe waardigheid van ons geloof, in al zijn glorie. Wat wij meemaken in deze dagen, waarin de ene revolutie volgt op de andere, is een groots en roemrijk iets, en om redenen van werkelijkheid en historie is het waarschijnlijk dat het grootste deel van de moslimwereld erbij betrokken zal raken.'

De invloed en de macht van de Verenigde Staten liepen ten einde.

'Daar maken de Amerikanen zich zorgen over, en dat is goed. De minister van Buitenlandse Zaken zei tijdens haar bezoek aan Jemen: "We zijn bang dat de hele regio in handen valt van gewapende islamisten." De val van de overgebleven tirannen in de regio werd dankzij de wil van Allah onontkoombaar, en dat was het begin van een nieuw tijdperk voor de gehele Natie. Deze gebeurtenissen zijn de belangrijkste waarvan de Natie in eeuwen getuige is geweest, en bekend is dat grote volksbewegingen steevast tot grote veranderingen leiden. Dus als we onze inspanningen verdubbelen om alle moslims bij te sturen en te onderwijzen en hen te waarschuwen voor halve oplossingen, en als we hun tevens goede raad geven, is de toekomst, zo God het wil, aan de islam.'

Hij zat met de opkomst van de Moslimbroederschap in Egypte, omdat die organisatie zich naar zijn idee niet had gecommitteerd aan zijn vorm van jihad, die streng en gewelddadig was. Hij had de hoop dat de groep van haar dwaalwegen zou terugkeren, want hij had gehoord van een nieuwe militante stroming binnen de Broederschap, vooral onder jongeren. 'De terugkeer van de Broederschap en vergelijkbare groepen tot de ware islam is dus, zo Allah het wil, een kwestie van tijd. Hoe meer aandacht wordt besteed aan het verklaren van de islam, hoe eerder die terugkeer zal plaatsvinden, en dus moeten we energie en aandacht steken in het aansturen en bijsturen van moslimbewegingen, en ons voor ogen houden dat we vriendelijk moeten zijn tegen de zonen van de Natie die vele decennia lang dwaalwegen hebben bewandeld.'

De rol van al Qaida, legde hij uit, was 'gids en raadgever te zijn, en zo het lot van de Natie te bepalen'.

Osama beklaagde zich erover dat zijn jaren daarvoor geuite advies om een aantal 'geleerden en wijze mannen' aan te wijzen die het opzetten van het kalifaat moesten begeleiden, was genegeerd. Juist daardoor volgde de Arabische Lente een onjuiste koers. 'Op dit keerpunt,' schreef hij, 'dienen wij moedjahedien die taak op ons te nemen, voor zover we daartoe in staat zijn die leemte op te vullen, een van de heiligste opgaven die er na het geloof zijn, zodat de Natie, zo God het wil, wordt bevrijd en ons geloof zijn glorie herwint. De taken waarvoor de moedjahedien zich gesteld zien, zijn zonder enige twijfel talrijk, maar toch dienen wij het grootste deel van onze inspanningen hierop te richten, zodat het niet te weinig aandacht krijgt, en dienen wij de revolutie in onze landen niet te laten corrumperen, zoals eerder is gebeurd met revoluties tegen westerse bezetters.'

In het verleden waren corrupte, verwesterde, seculiere dictators zoals Saddam Hussein en Muammar Gadaffi met zulke revoluties aan de haal gegaan of waren ze, zoals de taliban in Afghanistan, ten val gebracht door westers ingrijpen. Bin Laden betoogde dat hij en zijn volgelingen de zaken op de juiste manier bezagen, met door God ingegeven denkbeelden over de manier waarop leiding moest worden gegeven aan de veranderingen. Interpretaties van de Arabische Lente die stelden dat al Qaida irrelevant was geworden, waren onjuist, betoogde Osama. Juist zijn inspanningen hadden voor die lente de weg vrijgemaakt. Het was al Qaida dat 'het hoofd van de internationale ketterij' [Amerika] had laten leegbloeden en de moslimbroeders de moed had gegeven om op te staan tegen de regimes die zich een groot deel van de afgelopen eeuw met Amerikaanse steun staande hadden weten te houden. Het belangrijkste was nu om de conflicten tussen de islamistische facties te beëindigen, in elk geval tijdelijk, en te zorgen dat alle moslims zich aansloten bij de snel opkomende springvloed.

'We dienen dus meer aandacht te besteden aan het uitdragen van onze denkbeelden via de media, aan het aansturen van het onderzoek van de Natie en aan het bespreken en vaststellen van een specifiek plan, want de fase die er nu aankomt is belangrijk en hoogst gevaarlijk,' schreef hij. 'Er mag geen sprake zijn van tweedracht in denkwijze. Een van de belangrijkste stappen van de fase die nu aanbreekt is naar mijn mening het tot revolutie aansporen van de mensen die daar nog niet aan deelnemen en hen opzetten tegen hun heersers en hun methoden. We dienen aan te geven dat dit een godsdienstige plicht is, en een logische noodzakelijkheid, zodat de pijlen zich richten op het ten val brengen van de heersers, en er geen discussie ontstaat over inhoudelijke verschillen, maar maximale aandacht gaat naar het verbreiden van inzicht en het bijsturen van de gelovigen. We dienen broeders in alle regio's erop te attenderen dat ze het boek *Misvattingen over de Islam* van sjeik Muhammad Qutb moeten verspreiden. Neem contact op met sjeik Yahya [Abu Yahya al-Libi, die nog geen jaar later zou worden uitgeschakeld door een drone] en andere broeders die zich goed kunnen uitdrukken, en breng me op de hoogte van hun standpunten. Laat er niet één weg, want elke stem die in deze fase een bijdrage kan leveren moet worden gehoord.'

Vervolgens zette bin Laden een serie 'algemene principes' uiteen, met het verzoek om een videoboodschap over de Arabische Lente die hij op een stick had gezet en bij de brief zou voegen aan Al Jazeera te geven, zodat die haar kon uitzenden, en vroeg hij al-Rahman om diens mening over een stuk dat hij over hetzelfde onderwerp had geschreven. Over de leden van al Qaida in de landen waar nu dramatische veranderingen plaatsvonden schreef hij: 'We moeten hun vragen geduldig en vastberaden te blijven en hen waarschuwen tegen confrontaties [met andere islamistische facties].' Hij voorzag, en dat bleek juist, dat in de meeste landen de nieuwgekozen regeringen 'zullen worden gedomineerd door islamistische partijen en groepen als de Broederschap. In deze fase is het onze taak om aandacht te hebben voor de bewegingen binnen de moslimgemeenschap en daar steun te winnen en de juiste inzichten te verbreiden, want de huidige ontwikkelingen hebben ongekende mogelijkheden geschapen. Hoe meer tijd er voorbijgaat, hoe meer steun er zal komen van mensen [die het eens zijn met de doelstellingen van al Qaida] en hoe wijder de juiste inzichten verbreid zullen raken onder de komende generaties gelovigen.'

Bin Laden had veel te zeggen in deze brief. Hij stapte van grootse politieke statements en adviezen over op een massa gedetailleerde instructies voor zijn wijdvertakte netwerk. Hij had gelezen of gehoord dat er in Jemen door leden van al Qaida werd geëxperimenteerd met gifgassen. Dat wekte zijn bezorgdheid. Hij ried uiterste behoedzaamheid aan en verwees nog even naar zijn twijfels over methoden waarbij niet alleen ongelovigen, maar ook moslims om konden komen. Daarnaast was hij verontrust 'over de reactie van politici en media op de moedjahedien en het image dat wij in de ogen van de mensen hebben'. Hij vroeg zich af waarom hij niets had gehoord van 'de broeders in Irak' en gaf een groep in Somalië, die zich liet voorstaan op haar banden met al Qaida (maar die hij geen officiële status had willen geven) opdracht om een vrouwelijke gijzelaar en een paar anderen vrij te laten en te wachten met het doden van de rest tot de revolutie in Libië haar beslag had gehad en de verkiezingen in Frankrijk achter de rug waren. Hij wilde dat de 'broeders in Somalië' zich meer richtten op de economische opbouw van het verwoeste land, en zich inhielden bij het opleggen van de brute straffen die de sharia voorschreef. Hij citeerde daarbij de woorden van de Profeet: 'Gebruik twijfel om straffen af te wenden.'

In zijn ellenlange brief gaf bin Laden richtlijnen voor het veilig overbrengen van leden van de organisatie van het ene land naar het andere, weidde hij uit over de reizen van zijn twintigjarige zoon Hamza, en besprak hij nog allerlei andere zaken. Hij gaf ook adviezen over de manieren waarop je je het best verborgen kon houden voor de autoriteiten. Bin Laden had zich al negen jaar schuil weten te houden en beschouwde zich dus als zeer deskundig.

'Het is bewezen dat de Amerikaanse technologie met haar moderne systemen een moedjahied niet kan vinden als hij geen fout begaat die hem verraadt,' schreef hij. 'Dus als we bepaalde veiligheidsvoorschriften in acht nemen, is hun geavanceerde technologie niets waard en brengt zij slechts teleurstelling.'

Hoeveel zorgen hij zich ook maakte over wat er in de wereld gaande was, hij voelde zich veilig en vertrouwde op zijn veiligheidsmaatregelen. Maar hij wist dat niet iedereen bij machte was om zich aan de regels te houden. Sommige mensen konden zich lange tijd schuilhouden, andere niet.

'Een aantal mensen is daartoe niet in staat, en met hen moet anders worden omgegaan dan met de anderen. Misschien is het beter om hun de kans te bieden om zich in de strijd te bewijzen,' schreef hij. Met andere woorden: deze mensen konden worden opgeofferd. 'Mensen van wie u ziet dat ze gedisciplineerd en competent zijn, moet u woonruimte bieden aan de rand van de stad. Daar zijn ze in het gezelschap van vertrouwde lieden, die als dekmantel ook wat betaald werk doen, alsof ze daarvan bestaan, zeker als ze buren hebben met scherpe ogen.'

Hij had het over zijn eigen situatie, het complex in een buitenwijk van Abbottabad, en zijn vertrouwelingen Ibrahim en Abrar, de twee broers die zich nu Arshad en Tareq Khan noemden, en zeiden dat ze een vervoersbedrijf hadden. Alleen was er wel één groot probleem: de kinderen.

'Een van de grootste veiligheidsproblemen die het leven in een stad aankleven, is dat je kinderen in het gareel moet houden. Die mogen het huis niet uit, behalve in extreme noodgevallen, zoals ziekte en om hun de plaatselijke taal te leren. Ze mogen alleen buiten zijn in aanwezigheid van een volwassene die erop toeziet dat ze niet te hard praten. Met dank aan Allah is dat al negen jaar de manier waarop wij te werk gaan.'

Negen jaar sinds 11 september.

Hij had nog vijf dagen te leven.

Terwijl Osama deze brief schreef, zijn laatste, en opschepte over zijn strakke veiligheidsmaatregelen en behoedzame gedrag, zij het dat kinderen en kleinkinderen wel een probleem waren, hadden de Verenigde Staten hem op de korrel. Volgens de terminologie die de Amerikanen hanteerden, was hij 'Found' en 'Fixed'.

Voor de volgende fase, de 'Finish', had president Obama opdracht gegeven tot het nader uitwerken van twee opties. Dat moest voor de eerste week van mei zijn gedaan. Bij het inzetten van grondeenheden speelde tijd een grote rol. De eerste paar dagen van mei was er niet alleen geen maan, maar was de temperatuur op een hoogte van twaalfhonderd meter nog zo laag dat er geen gevaar was dat de motoren van de Black Hawks oververhit zouden raken. De helikopters zouden na vertrek uit Jalalabad anderhalf uur laag en snel hebben gevlogen en dan bij het doelwit nog moeten manoeuvreren en erboven blijven hangen. Dat viel technisch niet mee.

Vier helikopters zouden Pakistan binnengaan: twee Black Hawks met de vierentwintig man die het complex in Abbottabad zouden bestormen, en twee veel grotere Chinooks, die met extra brandstof en een snelle interventie-eenheid van nog eens vierentwintig man op een afgelegen plek buiten de stad zouden landen. Een vijfde helikopter had een grotere reserve-eenheid aan boord – plan C, voor als de invallers versterking nodig hadden. Die eenheid was nog vergroot nu Obama McRaven opdracht had gegeven om indien nodig geweld te gebruiken als Pakistan de SEALS probeerde tegen te houden. Deze helikopter stond net over de grens klaar om de lucht in te gaan als dat nodig mocht zijn. Alle helikopters waren voorzien van stealth-technologie en geluiddempers op de motoren. Ze zouden uiterst zorgvuldig worden beladen om op de hoogte van Abbottabad en bij de verwachte temperatuur de best mogelijke prestatie te kunnen leveren. Als ze een maand wachtten, was het begin zomer en dus warmer. Dat betekende dat de toestellen het zwaarder zouden krijgen. Dan moesten de plannen waarschijnlijk worden bijgesteld: meer helikopters of minder SEALS. McRaven had alles al klaarstaan in Jalalabad. Zodra Obama groen licht gaf konden ze vertrekken.

Het andere alternatief was de luchtoptie, zoals ze werd genoemd. De enig overgebleven mogelijkheid was wat Cartwright had voorgesteld: één raket van een drone. Die kon worden afgevuurd zodra de Stapper zich liet zien.

Als één ding duidelijk was, dan was het wel dat deze missie van het grootste belang was, niet alleen voor Amerika – Osama bin Laden was al negen jaar een open wond, en die zou nu eindelijk kunnen genezen – maar ook voor het presidentschap van Obama. Begin april zou hij formeel aankondigen dat hij een tweede ambtstermijn ambieerde, en het was bepaald niet zeker dat hij in november zou gaan winnen. De economie wilde maar niet uit het dal klimmen, en dat had hem veel populariteit gekost. Zijn relatie met het Congres was nooit goed geweest en verkeerde in een impasse nadat bij de tussenverkiezingen in november de Democratische meerderheid in het Huis van Afgevaardigden was verdwenen en die in de Senaat drastisch was verkleind. Hij was uitgemaakt voor spilzieke, ouderwetse cryptosocialist, en dat in een tijd waarin de Verenigde Staten enorme schulden hadden en de Republikeinen dure eden zwoeren om elke belastingverhoging te verhinderen en eindelijk een eind te maken aan de veel te zwaar opgetuigde overheid. De bruggenbouwer Obama – toen hij zijn ambt aanvaardde, had hij gezegd dat hij dat hoopte te worden – zorgde nu vooral voor polarisatie.

Een deel van de negatieve reacties kwam nog steeds voort uit het idee dat hij op de een of andere manier niet authentiek was. Niet echt een Amerikaan. Sommige mensen dachten dat werkelijk. Die beweerden dat zijn Hawaïaanse geboortebewijs een vervalsing was. Of dat hij geen christen was, ook al zei hij zelf van wel en ook al bevestigde hij dat doordat hij al twintig jaar naar de kerk ging. Nee, hij was een stiekeme moslim. Het waren verdachtmakingen waar de meeste mensen niet in trapten – er waren overweldigende bewijzen dat het verzinsels waren. Maar ze kleurden wel de perceptie van aarzelende stemmers, die vermoedden dat Obama wel degelijk niet authentiek was, maar dan op een subtielere manier. Dat hij door zijn linksige achtergrond, elitaire studie aan Harvard, en internationale, interraciale verleden niet veel had met de principes die al tijden het fundament waren van de Amerikaanse politiek. Dat hij meer geloofde in een krachtige overheid dan in individuele vrijheid. Dat hij niet echt geloofde in het experiment dat Amerika was, en in de grondwet van dat land, maar meer tendeerde naar de sociaaldemocratie van Europa, die liever wilde dat maatschappij en economie werden aangestuurd door de overheid. Door intelligente mensen zoals hij. Zijn optreden was 'cool', jawel, maar daar had hij in dit verband juist last van. Bij zijn pogingen om de financiële crisis van 2008 te keren had hij enorme bedragen uitgegeven. Dat beleid was weliswaar een voortzetting van dat van zijn voorganger, en de meeste deskundigen waren van mening dat het voor een deel met succes was bekroond, maar het economische herstel verliep traag, het consumentenvertrouwen liep terug, de begrotingstekorten waren griezelig hoog en Obama leek vastbesloten om ze nóg hoger te maken. Zijn grootste triomf, de hervorming van de gezondheidszorg, leek hem in politiek opzicht eerder te schaden dan te helpen. Veel mensen zagen hem nu als een stiekeme socialist, of op zijn minst een progressief die voor een grote overheid, hoge overheidsuitgaven en hoge belastingen was. De nieuwe gezondheidszorg was het zoveelste peperdure sociale programma, terwijl het land op een bankroet afstevende omdat er zo veel andere dure programma's waren, beweerden de critici. Het werd weggezet als ongrondwettelijk, als een bewijs van Obama's verborgen, on-Amerikaanse agenda. Zijn meest verbeten tegenstanders hadden zo veel twijfel gezaaid over zijn ongewone afkomst en jeugd dat de president het noodzakelijk had geacht om het complete dossier vrij te geven dat in 1961 was opgemaakt in het Kapi'olani Maternity and Gynecological Hospital in Honolulu om zo te bewijzen dat hij voldeed aan de allereerste voorwaarde om in het Witte Huis te komen: als Amerikaan geboren zijn. Op wat marginale figuren na wilde iedereen nu wel geloven dat hij een echte Amerikaan was, maar veel mensen dachten nog steeds dat hij Amerika wilde ombouwen tot een soort Europees land.

De effectiefste weerlegging van deze gevoelens van achterdocht was misschien wel de manier waarop hij het er als opperbevelhebber van afbracht. Obama had Amerika effectief en agressief verdedigd. Tijdens zijn verkiezingscampagne had hij behendig verbanden weten te leggen met de politieke carrière van een andere jonge, charismatische, resolute Democraat van een halve eeuw geleden, en had hij de steun weten te verkrijgen van diens broer, senator Edward Kennedy, enige maanden voor diens dood; en hij had zelfs krachtige bijval gekregen van Caroline Kennedy, die hem vergeleek met haar vader. Maar nu liep Obama het gevaar om te véél op JFK te gaan lijken – een geweldige spreker en een elegante jonge leider, maar met weinig benul van wat er nodig was om leider van een land te zijn. Na de moord op Kennedy had Lyndon Johnson de erfenis van Camelot veiliggesteld. Dankzij zijn praktische inzicht in hoe politieke macht werkt en zijn greep op het Congres waren de wetten tot stand gekomen die Kennedy er zelf niet door had weten te krijgen. De dood van bin Laden zou een prestatie zijn waar zelfs Obama's ergste criticasters niet omheen konden. Het was het enige gebied waar de president beslissingen kon nemen en kon optreden zonder bemoeienis van buitenaf, zeker omdat de operatie geheim moest worden gehouden. De zwaarste kritiek op zijn optreden als opperbevelhebber was afkomstig van voormalige aanhangers van hem. Obama had beloofd om het militaire detentiecentrum in Guantánamo Bay te sluiten, een symbool van wat hij zag als het misbruik dat Bush maakte van zijn macht, maar daarna had het Congres zich met succes verzet tegen zijn voornemen om de gevangenen over te brengen naar gevangenissen in de Verenigde Staten. Als het ging om de echt belangrijke zaken had hij de beloften ingelost die hij tijdens de campagne had gedaan. Hij had de Amerikaanse betrokkenheid in Irak teruggebracht en zou die kort daarop volledig beëindigen. Dat genoot brede steun. In eerste instantie had hij dertigduizend extra militairen naar Afghanistan gestuurd, maar later was hij tot de conclusie gekomen dat het onwaarschijnlijk was dat pogingen om daar een goed functionerende centrale regering te vestigen zouden slagen, en had hij in stilte besloten om het over een andere boeg te gooien en ook daar de Amerikaanse militaire aanwezigheid goeddeels te beeindigen. Hij was onder vuur komen te liggen omdat hij zich niet onmiddellijk met de revolutie in Libië had bemoeid en later omdat de Amerikaanse betrokkenheid vrij gering bleef, maar het had er alle schijn van dat de door de NAVO geleide steun aan de opstandelingen – zijn critici noemden het 'leiden vanuit de achterhoede' – een slimme zet was. In een land dat meer dan genoeg had van twee lange oorlogen was er weinig of geen verzet tegen Obama's minimalistische, pragmatische gebruik van militaire slagkracht. Zelfs de Republikeinse uitdagers, die onderling aan het uitmaken waren wie de kans zou krijgen om hem eind 2012 te verslaan en zich geen kans lieten ontgaan om Obama van alles voor de voeten te werpen, hadden het vrijwel nooit over de nationale veiligheid.

Bin Laden te pakken nemen zou de bekroning zijn van zijn beleid. Een emotionele én strategische mijlpaal.

'Volgens mij zouden de mensen in Amerika het heel bevredigend vinden dat we kunnen doorzetten,' zei de president tegen me. 'Dat we geen dingen op hun beloop laten. Dat vond ik belangrijk. Toen ik mijn ambt aanvaardde boekten we al belangrijke vorderingen tegen hooggeplaatste doelwitten binnen al Qaida. De luitenants, kapiteins en generaals werden de een na de ander uitgeschakeld, dus we hadden het idee dat we de organisatie behoorlijk aan het uithollen waren. Als we ook nog de topman te pakken kregen, konden we al Qaida strategisch verslaan. Maar zolang bin Laden nog op vrije voeten was, was het volgens mij mogelijk dat ze weer aan kracht zouden winnen.'

Uiteraard zou het ook politieke voordelen hebben. Niemand die betrokken was bij de manier waarop Obama leidinggaf aan het plan om met bin Laden af te rekenen dacht ook maar één ogenblik dat die aanpak politiek bepaald was, maar dat een succes hem politiek goed van pas kwam, was zeker waar. En het leed ook geen twijfel dat een mislukking hem politiek zou schaden. Ondanks alle grote woorden van Bush had die het niet kunnen doen. Obama was een kundig politicus. In alles wat hij deed of zei, zat een berekenend element, ook als hij keek naar wat de inzet was. Niemand had daar een beter begrip van dan hij. De man achter de aanslagen van 11 september doden of gevangennemen – dat zou elke Amerikaan aanspreken, ongeacht zijn politieke voorkeur. Het was iets wat de politiek oversteeg, en dat in een tijd waarin dat nog maar zelden gebeurde. Voor een president waren er maar weinig prestaties die daarmee te vergelijken waren. Als ze bin Laden te pakken kregen zou dat al Qaida niet volledig vernietigen, en het zou evenmin het einde betekenen van terroristische aanvallen, maar het zou wel een enorme stap in de goede richting zijn. Eindelijk zou een pijnlijk nationaal trauma kunnen worden afgesloten. Eigenlijk was het volmaakt. Hij had vanaf het eerste begin gezegd dat dit de juiste militaire reactie was en dat hij het zou doen als hij de kans kreeg. Officieel had Obama nog geen besluit genomen over het complex in Abbottabad. Hij had ook tegen niemand iets gezegd. Maar de mensen die elke dag met hem te maken hadden verwachtten dat hij iets zou doen. En dat hij, omdat hij alle vertrouwen had in McRaven, voor een aanval met troepen zou kiezen.

Het was wel de optie waaraan de grootste risico's kleefden. Er kwamen netelige problemen bij kijken. Bij de luchtoptie was dat niet het geval. Een van de interessantste vragen was wel wat ze moesten doen als bin Laden niet werd gedood, maar gevangengenomen. Dankzij het succes van de door Obama geïnitieerde inzet van steeds meer drones viel bijna geen doelwit nog levend in handen van de Amerikanen. Dat voedde speculaties dat het Obama niet te doen was om al Qaida-aanhangers op te pakken, maar om hen te doden, en zelfs dat jsoc opdracht had gekregen om geen gevangenen te maken.

'In feite achtten we, gezien zijn toewijding aan de zaak, de kans heel klein dat hij zich zou willen overgeven,' legde Obama mij uit. 'We wisten ook dat er altijd een kans was dat hij een bomvest om zou doen en zou proberen een stel van onze mensen met zich mee te nemen. Dus onze houding was: zich overgeven kan hij alleen als hij naakt op de grond ligt. Was dat het geval geweest, dan zouden we hem hebben gearresteerd. Ik wil hier niet ingaan op de details van hoe het vervolgens zou zijn verlopen, maar we zouden hem hebben meegenomen en hier voor de rechter hebben gebracht.'

Al met al was daar heel weinig kans op. Maar als dat toch gebeurde? Als bin Laden zich daadwerkelijk overgaf? Als ze hem te pakken kregen, wat moesten ze dan met hem?

Wat deed je met hooggeplaatste terroristen? Het was al jaren een hoogoplopende politieke controverse. Het Congres had niets gedaan om het probleem op te lossen. Bush had ze meestal opgesloten – Khalid Sheik Mohammed en Abu Zubaydah zaten in Guantánamo – en had vage uitspraken gedaan over militaire tribunalen. Maar anderen, zoals Richard Reid, die een bom in zijn schoen had gehad, en Faisal Shahzad, die op Times Square een aanslag had willen plegen met een busje (en wiens verraad aan de eed die hij had afgelegd toen hij Amerikaans staatsburger werd bin Laden tegen de borst stuitte), waren gearresteerd en berecht en zaten nu een levenslange gevangenisstraf uit. Toen minister van Justitie Eric Holder meedeelde dat hij van plan was om Khalid Sheik Mohammed in Manhattan voor de rechter te brengen, was er zo'n storm van protest opgestoken dat de regering nog diezelfde maand bakzeil had moeten halen. Nu zou hij door een militair tribunaal worden berecht, in Guantánamo.

In het onwaarschijnlijke geval dat bin Laden zich overgaf, zag Obama mogelijkheden voor een normaal proces.

'We hebben het gehad over de juridische en politieke aspecten, over het Congres en of we hem niet beter naar Guantánamo konden sturen in plaats van hem gewoon te berechten,' vertelde de president me. 'We hebben een aantal scenario's doorgesproken. Maar ik was van één ding overtuigd: als we hem levend in handen zouden hebben gekregen, zou ik sterke argumenten hebben gehad om hem gewoon te berechten. Een correcte juridische procedure zou ons beste wapen zijn tegen al Qaida. Op die manier zou hij ook geen martelaar kunnen worden.'

Als bin Laden in de cel zat, zou dat hem, Obama, misschien het politieke kapitaal opleveren dat Khalid Sheik Mohammed hem níét had opgeleverd. Misschien kwam juist daarmee een eind aan alle onzekerheid over wat ze met topterroristen aan moesten en kwam er een juiste oplossing. Als die terroristen voor een rechter en een jury werden gebracht, en ze alle rechten kregen die andere verdachten ook kregen, zou dat, meende Obama, aantonen dat Amerika zich ook bij de ergste criminelen aan de regels van de wet hield. Bin Laden zou zich niet kunnen voordoen als een heldhaftige deelnemer aan een heilige strijd, maar zou te kijk staan als de onwetende fanaticus en massamoordenaar die hij was.

En Obama voegde daaraan toe: 'Toen we onze plannen klaar hadden verwachtten we eigenlijk maar één ding. Als hij er was zou hij strijdend ten onder gaan.'

De mannen van McRaven oefenden op 7 april voor het eerst. Dat deden ze op een afgelegen stuk grond in de uitgestrekte bossen rond Fort Bragg, waar een nauwkeurige kopie van het huis in Abbottabad was gebouwd. Mullen en Vickers maakten deel uit van een groep mensen van het Pentagon en de CIA die kwamen kijken.

De eerste keer oefenden de SEALS op het meest kritieke deel van de missie: de nachtelijke aanval op het complex en het grote huis. Ze arriveerden met twee stealth-versies van de Black Hawk. De ene eenheid liet zich aan touwen uit de helikopter zakken en zette van boven de aanval in. De tweede liet zich op het terrein buiten het huis zakken en werkte van onderen naar boven. Het afzetten duurde maar negentig seconden. Daarna vlogen de Black Hawks weg terwijl de SEALS hun werk deden en kwamen daarna weer terug om hen op te pikken. De snelheid en de coördinatie waren indrukwekkend. En daarna deden ze het nog een keer.

Een deel van de reden dat McRaven de SEALS een demonstratie van hun kunnen liet geven was dat hij indruk wilde maken. Ze hadden dit soort dingen zo vaak gedaan dat ze het bijna geblinddoekt konden. Hij had zijn mensen persoonlijk uitgekozen uit SEAL Team Six. Het was een dreamteam van mensen die in duizenden aanvallen hadden laten zien dat ze mentaal sterk waren en iets koelbloedig en intelligent aan konden pakken, niet alleen als alles volgens plan verliep, maar ook als er iets verkeerd ging. Essentieel was dan dat je snel inschatte hoe belangrijk de vergissing, het defect of wat dan ook was, en vervolgens de missie bijstelde. Het talent waar alles om draaide was aanpassingsvermogen, zelfstandig kunnen denken en intelligente beslissingen kunnen nemen. Dit waren mannen die keer op keer in gevechtsomstandigheden hadden bewezen dat ze dat in huis hadden. Het was eigenlijk niet nodig om nog te oefenen, maar je kunt een oefening ook voor een ander doel gebruiken. McRaven wilde de bezoekers laten zien hoe goed ze waren, hoe snel, hoe trefzeker. Hij wilde hen uit de eerste hand getuige laten zijn van de snelheid en coördinatie van zijn SEALS, hun het geluid laten horen van de rotorbladen en de ontploffende flitsgranaten en de vuurwapens – hoe zou het een tegenstander van deze mannen te moede zijn? Hij wilde dat ze kennismaakten met deze mannen, hun uitrusting en wapens aanraakten en met hen praatten. Hij wilde dat ze er een idee van kregen hoe professioneel en ervaren ze waren en hoeveel zelfvertrouwen ze hadden. En met al die dingen moesten ze terug naar het Witte Huis. 'Meneer de president, ze hebben een oefening gedaan waar we steil van achteroversloegen.'

SEAL Team Six was kort daarvoor naar de Verenigde Staten teruggekeerd. De mannen in deze eliteteams werden voortdurend gerouleerd. Het grootste deel van de afgelopen tien jaar waren ze ingezet in Irak of Afghanistan, steeds voor een periode van drie tot vier maanden. Het tempo lag hoog: iedere nacht een missie, en soms twee of drie op een nacht. Elke eenheid beschikte over haar eigen operationele hulpeenheid, administratie en logistieke on-

dersteuning en vormde daarmee één geheel, en ook deze onder-
steunende mensen waren zorgvuldig uitgekozen. Tijdens operaties leefden ze doorgaans gescheiden van conventionele troepen,
hetzij op eigen vooruitgeschoven bases, hetzij in een afgesloten
deel van een grotere basis. Ze namen hun werk dodelijk serieus.
Overdag rustten ze uit, maakten hun wapens schoon, sportten en
bereidden zich voor op de volgende missie. Ze hadden hun eigen
tv, en ook internet, maar met veel strengere beperkingen dan de
meeste militairen. Het tempo lag hoog, de discipline was strak.
Daarna gingen ze naar huis om een beetje tot rust te komen, en
vervolgens kwamen ze weer in actie. Als ze dat deden was dat het
enige waaraan ze dachten.

Het was een veeleisend, maar uiterst bevredigend bestaan. De
mannen die in deze eenheden wisten te komen bleven er ook.
Vaak hadden ze moeite om zich aan een ander bestaan aan te passen. De vaardigheden die ze bezaten waren niet meteen inzetbaar
bij ander werk. En als je al jaren meegaat op missies waarbij het
gaat om leven of dood – missies waarbij de adrenaline door je lijf
giert en je je leven waagt, schiet om te doden, en waarbij soms
goede vrienden van je omkomen – en als je zeker weet dat dat
werk essentieel is voor de veiligheid van je land, dan valt het niet
mee om iets te vinden wat daaraan kan tippen. Elke dag werk je
met mensen die de top zijn in wat ze doen en oogst je de stilzwijgende bewondering van iedereen die je tegenkomt, ook al hebben
mensen maar een heel vaag idee van wat je doet. Daar is niets mee
te vergelijken.

seals zijn gemiddeld tien of meer jaar ouder dan andere militairen. Meestal zijn ze begin dertig en hebben ze eerst jaren gediend bij gewone eenheden. Een paar zijn in de veertig, en dat
krikt de gemiddelde leeftijd op naar vierendertig. Er worden
grappen gemaakt dat het grootste gevaar niet is dat je op loopt
tegen een kogel van de vijand, maar dat je een hernia oploopt.
Ze zijn in heel veel dingen goed, maar vooral in wat in Abbotta-

bad nodig zou zijn: een doelwit raken, snel en hard, in een fractie van een seconde de juiste beslissing nemen over schieten of niet schieten, onderscheid maken tussen vriend en vijand, strijder en non-combattant. Meestal doen ze hun werk in het donker, met nachtzichtbril op, maar de laatste jaren gaan ze ook wel overdag op pad, deels voor de variatie en deels omdat er snel moest worden gereageerd op informatie die binnenkwam, vóór de vijand maatregelen kon treffen.

Toen ze werden opgeroepen voor oefeningen, net nadat ze naar hun land waren teruggekeerd, hadden ze meteen door dat er iets bijzonders aan de hand moest zijn. Toen de mannen hoorden dat ze op jacht gingen naar bin Laden, barstten ze in gejuich uit.

Daarna kwamen ze in Nevada weer bij elkaar voor een tweede serie oefeningen. De temperatuur en de hoogte daar, ruim duizend meter, waren vergelijkbaar met de omstandigheden in Abbottabad. Weer kwamen Mullen en Vickers en de anderen uit Washington over om te kijken. Dit keer wilden ze het aanvliegen in Pakistan nabootsen. Bij de echte missie zouden de helikopters anderhalf uur in de lucht zijn voor ze bij Abbottabad waren. Ze zouden heel laag en heel snel moeten vliegen om de Pakistaanse radar te ontwijken. De planners moesten heel precies weten waartoe de helikopters op die hoogte en bij die temperatuur in staat waren. Hoeveel konden ze meenemen zonder dat dat hun vliegvermogen aantastte? In eerste instantie was gedacht dat het kon zonder tussentijds bij te tanken, maar dat werd te krap. De helikopters zouden bij aankomst vrijwel door hun brandstof heen zijn. Er moest dus een plek worden gezocht om bij te tanken. In Nevada namen ze het hele scenario door. Ook hier was het complex nagebouwd, maar een stuk primitiever. In Fort Bragg hadden ze al keer op keer op de bestorming geoefend. In Nevada stonden er geen gebouwen, maar zeecontainers, en in plaats van een stenen muur was er een prikkeldraadomheining. Maar ze oefenden dan ook niet op het bestormen van het gebouw, maar op het inzetten van de helikopters. Alles verliep volgens plan. De Black Hawks deden het prima.

Ook nu wilde McRaven indruk maken op Mullen en Vickers en de anderen. Obama moest ervan worden doordrongen hoe groot zijn vertrouwen was in zijn mannen en de missie. De beste manier om dat over te brengen was laten zien wat je kon. En vertrouwen was de sleutel die de opdracht naar de SEALS kon laten gaan.

Het alternatief, de drone, was namelijk heel verleidelijk, vooral omdat het stukken minder riskant was. Deze optie bood een soort magische kogel: een kleine raket die kon worden afgevuurd door een al even kleine drone. Niemand van de bij de missie betrokken mensen wilde er iets over zeggen, maar het wapen zou wel eens een nieuw ontwerp van Raytheon kunnen zijn, gps-gestuurd, ongeveer even lang en dik als de onderarm van een man. In het Witte Huis was generaal Cartwright er een warm voorstander van. De raket was ontworpen om minder bijkomende schade te veroorzaken, altijd een onvermijdelijk gevolg van luchtaanvallen. Hij kon een individu of een voertuig raken zonder in de omgeving schade te veroorzaken. Hij heette simpelweg STM (Small Tactical Munition), woog maar een kilo of zeven, had een lading van ruim twee kilo en kon worden afgevuurd door een drone die niet veel groter was dan een modelvliegtuig, klein genoeg om niet door de luchtverdediging van een land te worden opgemerkt. Het was een 'fire and forget'-raket, wat inhield dat je na het lanceren niets meer kon doen. Hij ging op de ingevoerde coördinaten af en ontplofte daar. De Stapper had de gewoonte om elke dag op dezelfde plek een ommetje te maken, en dus was Cartwright er vrij zeker van dat hij bij de aanval om zou komen en dat het waarschijnlijk bij deze ene dode zou blijven. Er liepen geen Amerikaanse eenheden gevaar. Als de raket zijn doel miste of de Stapper bleek niet bin Laden te zijn, dan had er in Abbottabad een onverklaarbare explosie plaatsgevonden. Niemand zou weten wat er was gebeurd. En als bin Laden wel omkwam, zou Pakistan niet zomaar woedend kunnen reageren. Ze zouden tot hun gêne moeten toegeven dat de meest gezochte terrorist ter wereld niet alleen jarenlang veilig in Pakistan had gewoond, maar ook nog eens op korte afstand van Islamabad, en op maar anderhalve kilometer van de militaire academie van het land.

Het wapen was nog nooit op het slagveld ingezet, al was de gebruikte technologie – drones en raketten – allesbehalve nieuw. Het enige verschil was het formaat. Maar wilde je alles inzetten op één schot, en dat met een raket die nog nooit in de praktijk was gebruikt? Zo had je geen zekerheid meer. Op zijn volgelingen en alle mensen die net zo dachten als hij had bin Laden nog steeds enorm veel invloed, ook al was hij in geen jaren gezien. Als er geen bewijs was dat hij dood was kon de organisatie in theorie met verklaringen en uitspraken blijven komen, geld binnenhalen en aansporen tot acties, alsof hij nog in leven was. Obama zou dan de derde Amerikaanse president zijn die hem door zijn vingers had laten glippen. Ondanks alle argumenten voor een raket kwamen de plannenmakers toch steeds weer bij deze twee dingen uit. Als die raket nu eens zijn doel miste? En als hij doel trof, hoe wist je dan zeker dat het bin Laden was?

De enige manier om dat wél zeker te weten, dat werd steeds duidelijker, was er een groep militairen heen sturen en hem meenemen, dood of levend.

Maar daarbij konden er heel veel dingen fout gaan. Het recente verleden was bezaaid met voorbeelden van rampzalige mislukkingen. De missie in Iran was daar een schoolvoorbeeld van. Die omvatte een lange tocht naar een stad in een ander land, met midden in de woestijn een plek waar moest worden bijgetankt, en een doelwit in een stedelijk gebied, met overal potentiële vijanden – de overeenkomsten waren bijna griezelig. Dat fiasco was een enorme klap geweest voor Defensie, een gênant voorval voor heel het land, en het had Carter zijn herverkiezing gekost. Het achttien uur durende vuurgevecht dat was gevolgd op het neerhalen van twee helikopters in Mogadishu, op 3 oktober 1993, had de regering-Clinton zo gechoqueerd dat die zich nog jaren daarna had onthouden van het inzetten van militaire machtsmiddelen. Dat had rampzalige gevolgen gehad, zoals het niet-ingrijpen bij de massamoord op honderdduizenden Tutsi's in Rwanda, in 1996. In Iran was Eagle Claw op een echec uitgelopen, in Mogadishu was ze een succes geworden, alleen hadden de Verenigde Staten na een bloedig vuurgevecht besloten om zich uit Somalië terug te trekken. Bij elke bijeenkomst waarop scenario's ter sprake kwamen was gesproken over een van beide missies, of over allebei.

Er was één grondoptie waarbij er geen problemen te verwachten waren. Als bin Laden er niet was, konden de SEALS misschien gewoon weer vertrekken, zonder dat er doden of gewonden vielen en zonder dat er alarm werd geslagen. Niemand zou precies weten wat er was gebeurd. Aan alle andere opties zaten duidelijk negatieve kanten. Zelfs als de missie perfect verliep – bin Laden dood of gevangen, en geen militaire confrontatie met de Pakistanen – zou er nog een prijs te betalen zijn: Pakistan zou zeker woedend reageren, en de relatie tussen de twee landen zou voorlopig zijn verziekt. Wat er allemaal mis kon gaan, was een eng lange lijst: dode SEALS, dode Pakistanen, gênante toestanden, een propagandazege voor bin Laden en al Qaida, een slag voor het militaire prestige van de Verenigde Staten en voor de CIA.

Vertrouwen, daar draaide dus alles om. Als Obama besloot om het plan van McRaven te volgen, dan was dat omdat het zelfvertrouwen van de admiraal besmettelijk was.

De laatste vergadering werd op donderdag 28 april gehouden, weer in de Situation Room. Volgens allerlei verhalen moest Obama door een muur van verzet en twijfel van zijn hoogste adviseurs heen breken, maar in werkelijkheid was er brede steun voor de missie.

In de zwartleren stoelen om de tafel zaten Obama, vicepresident Joe Biden, minister van Defensie Robert Gates, minister van

Buitenlandse Zaken Hillary Clinton, voorzitter van de Chefs van Staven Michael Mullen, vicevoorzitter James Cartwright, John Brennan, Thomas Donilon, Director of National Intelligence James Clapper, Leon Panetta, de directeur van de CIA en zijn adjunct, Michael Morell. McRaven was er niet bij. Hij en zijn SEALS waren naar de basis van JSOC in Jalalabad vertrokken om twee dagen later de missie te kunnen beginnen. Bij alle vergaderingen gold: als je niet in Washington was, deed je niet mee. Een satellietverbinding kon, maar dan kon er aan beide kanten door technici worden meegeluisterd en liep de geheimhouding gevaar. Hoge medewerkers van de aanwezigen zaten op de kleinere leren stoelen in het zaaltje.

Iedereen had het gevoel dat het geheim niet lang meer geheim kon blijven. De afgelopen vier maanden waren er allerlei plannen gemaakt, en dus was ook het aantal mensen dat op de hoogte was gegroeid. Inmiddels waren dat er honderden. Het was onvermijdelijk dat vroeg of laat een van hen in de fout zou gaan, of zich iets zou laten ontvallen. Iemand zou iets zeggen tegen een ander, of om de een of andere reden het nieuws laten uitlekken. Als ze niet met nieuwe maan gingen, moesten ze een hele maand wachten op de volgende kans. Als ze militairen stuurden moest het nu.

Het was een drukke week geweest voor het Pentagon en de CIA. De dag daarvoor had Obama meegedeeld dat generaal David Petraeus, die sinds juli van het jaar daarvoor het commando had gehad in Afghanistan, het leger na zevenendertig jaar zou verlaten en directeur van de CIA zou worden, en dat Panetta, die de leiding had gehad van de zoektocht naar bin Laden, minister van Defensie zou worden, als opvolger van Bill Gates, die al maanden daarvoor had gezegd dat hij ging aftreden. Petraeus was pas kort daarvoor ingelicht over het geheim, omdat bij de versterkte interventie-eenheid die Obama wilde voor als het misliep troepen van hem waren betrokken, en ook de luchtsteun van hem moest komen. Weken eerder, op de dag voor de eerste oefening van McRavens mannen in Fort Bragg, had Obama de admiraal zijn vierde ster verleend en hem gepromoveerd tot hoofd van het Special Operations Command.

Obama had zoals gewoonlijk van alles aan zijn hoofd. Defensie assisteerde nog steeds met de enorme reddingsoperatie in Japan, dwong boven Libië samen met de Europese bondgenoten een vliegverbod af en hield in Egypte, Jemen, Syrië, Bahrein en Jordanië in het oog hoe de protesten of volksopstanden verliepen. Obama had, zonder succes, geprobeerd India zover te krijgen dat het voor elf miljard dollar aan Amerikaanse gevechtsvliegtuigen kocht. Een serie tornado's had enorme schade aangericht in Kentucky, Alabama, Louisiana en Tennessee, zodat de federale overheid hulp moest bieden. De dag voor de vergadering had de president een persconferentie gehouden over alle 'idiotie', zoals hij zelf zei, over de plek waar hij was geboren, en zijn geboortebewijs vrijgegeven.

Brennan had Mike Leiter van het Counterterrorism Center gevraagd om in de week voor de vergadering met een ploeg mensen alle gegevens over Abbottabad door te spitten. De vergadering begon dus met Leiters conclusies. Die waren ontnuchterend. Leiter zei tegen Obama dat zijn groep maar 40 procent zekerheid had dat bin Laden in het complex aanwezig was. Een ervaren analist schatte die kans zelfs op niet meer dan 10 procent, een getal dat zover onder de andere percentages lag en ook nog zo laat binnenkwam dat mensen nerveus begonnen te lachen. Maar, zei Leiter, ook 40 procent was nog 38 procent beter dan alles van de afgelopen tien jaar. Dat maakte het vertrouwen er niet groter op. Obama vroeg of de schatting was gebaseerd op nieuwe of andere informatie. Dat was niet het geval. Leiter en zijn mensen hadden naar dezelfde informatie gekeken als iedereen. Obama vroeg hem om het verschil te verklaren. Waarom lag het percentage zo veel lager dan dat van 'John', de leider van het bin Laden-team van de CIA, die steeds voor 95 procent zeker was geweest dat bin Laden in

Abbottabad zat? Leiter wist dat niet bevredigend uit te leggen en dus verdween zijn rapport in feite in de prullenbak. Wat Obama betrof was de zekerheid net zo groot als daarvoor: 50 procent. Leiters analyse verpestte de stemming een beetje, maar had weinig invloed op dit laatste overleg.

Een voor een werd iedereen gevraagd om uit drie opties te kiezen: de grondaanval, de raket of niets doen. Daarna moest hij zeggen waarom hij voor deze optie koos. De president zei dat hij niet meteen een eindbeslissing zou nemen, maar wel ieders mening wilde horen. Bijna iedereen sprak zich uit voor een aanval door de SEALS.

De enigen die tegen waren, waren Biden en Gates, en de volgende ochtend had Gates zich bedacht.

Biden was rechtdoorzee, net als altijd. 'Mijn mening is dat we niet moeten gaan,' zei hij. 'We moeten eerst te weten zien te komen of hij het is.'

De vicepresident was zoals altijd een berekenende politicus. Of Obama nu koos voor het inzetten van SEALS of voor de drone, het kon hem zijn herverkiezing kosten als dat mislukte, en er waren allerlei manieren waarop dat kon mislukken. Dat was iets wat Biden meenam in zijn afweging, en hij zag er absoluut geen been in om bij dit soort vergaderingen tegen de consensus in te gaan. Obama moedigde dat ook aan. In dit geval was hij het zelfs oneens met zijn hoogste adviseur op dit gebied, Tony Blinken, die bij deze vergadering niet om zijn mening werd gevraagd, maar die eerder tegen Obama had gezegd dat hij sterk voor de grondoptie was.

Gates sprak zich met kalm gezag tegen die grondoptie uit. Hij wilde het met de raket proberen. Hij erkende dat dat niet mee zou vallen en dat ze bij de luchtoptie nooit de zekerheid zouden hebben dat het bin Laden was. Maar hij was in 1980 analist bij de CIA toen de missie in Iran mislukte. Hij had zelfs in de Situation Room gezeten toen de helikopter op de vooruitgeschoven basis in de woestijn in botsing kwam met de C-130 en er een gigantische explosie had plaatsgevonden. Dat was iets wat hij niet nog een keer wilde meemaken. Hij was zichtbaar geschrokken toen hij voor het eerst hoorde dat McRaven van plan was om de helikopters bij te tanken in een afgelegen gebied buiten Abbottabad, net als bij de aanval op Teheran in 1980. Deze missie had zo veel weg van die mislukking dat hij er niet aan durfde. Hij noemde ook het lange vuurgevecht in Mogadishu. Hij herinnerde zich hoe pijnlijk het verlies aan mensenlevens en het gezichtsverlies geweest waren voor Carter en Clinton, en hij was bang dat dat opnieuw zou gebeuren. Als minister van Defensie wist hij ook beter dan de anderen hoe belangrijk de relatie met Pakistan was voor de logistiek van de oorlog in Afghanistan: de enorme stroom benzine en materieel die de Amerikanen daar elke dag weer nodig hadden liep via Pakistan. Als de toch al zo lastige relatie met Pakistan werd opgeblazen zou die essentiële aanvoerlijn waarschijnlijk worden verbroken. Er stond heel veel op het spel, zei hij, en de informatie dat bin Laden zich in het complex bevond was nog steeds allesbehalve betrouwbaar. Het waren allemaal indirecte aanwijzingen, dat had de presentatie van Leiter eens te meer duidelijk gemaakt. Als de aanval een fiasco werd zou dat enorme repercussies hebben: een heel SEAL-team dood of in gijzeling genomen, een breuk met Pakistan, aanvallen op de Amerikaanse ambassade in Islamabad... En dus zei hij tegen Obama dat hij opteerde voor de drone. Als bin Laden de Stapper was maakten ze een goede kans hem te pakken te krijgen. Als dat niet het geval was, of als ze misten, was dat jammer, maar de kosten zouden niet echt hoog zijn. Dat was zijn advies, en dankzij zijn lange ervaring en grote reputatie woog het zwaar.

Cartwright was het met Gates eens, maar dat viel te verwachten. Hij was met de drone-optie gekomen, en na nog wat proeven had hij er alle vertrouwen in dat de kleine raket zou doen wat ze ervan verwachtten. Het was de simpelste en minst riskante aanpak. Ook Leiter was voor de raket. Hij wist allesbehalve zeker dat de Stapper bin Laden was, maar sprak zich toch uit voor deze optie.

Alle anderen waren voor het sturen van de SEALS. Eerst leek het of Clinton tegen was. Ze had Obama jaren daarvoor aangevallen omdat hij had gezegd dat hij zonder overleg met Pakistan daar zou toeslaan als er een kans was om zo bin Laden te elimineren, en nu ze minister van Buitenlandse Zaken was zou zij het grootste deel van de politieke fall-out te incasseren krijgen als hij besloot in te grijpen. Ze zette gedetailleerd de overwegingen voor en tegen uiteen. Waarschijnlijk zou een missie met SEALS kwalijke gevolgen hebben voor de relatie met Pakistan, maar ze verwachtte dat die relatie wel zou blijven bestaan, omdat ze eerder op wederzijdse afhankelijkheid berustte dan op vriendschap en vertrouwen. Als de relatie op de klippen kon lopen doordat ze achter bin Laden aan gingen, zei iemand, was ze toch al ten dode opgeschreven. De spanning steeg toen Clinton aan haar conclusie begon. Die was verrassend. Ze konden de kans om bin Laden te pakken te nemen niet laten lopen. Het was te belangrijk voor het land; belangrijker dan de risico's die het met zich meebracht. Stuur de SEALS.

Admiraal Mullen, de hoogste militaire adviseur van de president, gaf een gedetailleerde powerpointpresentatie voor hij met zijn oordeel kwam. De oefeningen waarvan hij getuige was geweest hadden het beoogde effect gehad. Mullen zei dat hij zo veel vertrouwen had in de SEALS dat hij voorstander was van het inzetten van grondtroepen.

Brennan, Donilon, Clapper, Panetta en Morell waren dat met hem eens. Brennan geloofde al tijden dat bin Laden in het complex zat ondergedoken. Als ze hem hadden gevonden moesten ze achter hem aan. De directeur van de CIA was zeer uitgesproken in zijn steun voor de missie. Dat was logisch. Vanaf het eerste begin was dit een CIA-project geweest, en de analisten die voor hem werkten wilden zo graag in actie komen dat ze zich verraden zouden hebben gevoeld door hun chef als hij hen nu niet steunde.

Het voormalige Congreslid zei tegen Obama dat die zichzelf één vraag moest stellen: 'Hoe zou de gemiddelde Amerikaan reageren als hij wist dat we de beste kans sinds Tora Bora hadden om bin Laden uit te schakelen, maar dat we niks hebben gedaan?' Door SEALS in te zetten konden ze bewijzen dat het echt bin Laden was. En als het een ander was, was een betrekkelijk geruisloze aftocht mogelijk.

Niet alle aanwezige adviseurs werd om hun mening gevraagd, maar in de weken daarvoor had iedereen duidelijk gemaakt hoe hij erover dacht. Bijna iedereen was voor het inzetten van helikopters. En kort daarop zou de man die met de meest overtuigende argumenten daartegen was gekomen, van mening veranderen.

Toen twee onderministers van Gates, Michael Vickers en Michèle Flournoy, hoorden wat hij had betoogd, zat dat hun niet lekker. Niemand wist nog hoe het besluit van de president zou uitvallen, maar ze hadden alle reden om aan te nemen dat de mening van hun baas zwaar zou meewegen. Ze hadden het er onderling even over of ze wel maar hem toe moesten gaan. Gingen ze dan niet hun boekje te buiten? Zou hij niet boos worden? Maar ze vonden beiden dat het hun plicht was, en dus liepen ze vrijdagochtend meteen naar zijn werkkamer, gingen met hem om een tafel zitten en praatten een vol uur op hem in.

'Chef, we vinden dat je ongelijk hebt,' zei Flournoy.

Net als veel andere betrokkenen, legde ze uit, was ook Gates vrij laat op de hoogte gebracht. Zij en Vickers hadden veel meer tijd gestoken in alle vragen rond de missie dan hij. Volgens hen wist hij niet echt hoe goed doordacht McRavens plan was. Ze namen nog een keer het eigenlijke plan door, en daarna het plan voor het geval het misging én het plan voor als ook dat plan misging, om te laten zien hoe goed de missie was voorbereid. Ze zongen de lof van McRaven. Ze hadden te maken gehad met generaals en admiraals die zich als deskundig zagen op hun vakgebied, en terecht, en die hun stekels opzetten als een bureaucraat, een burger nog wel, twijfels uitte over hun goed doordachte plannen, of achteraf met kritiek kwam. Maar bij McRaven was er geen sprake van een groot ego of van grote emotionele betrokkenheid. Meteen vanaf het begin begreep hij al dat bij zo'n belangrijke missie een hoop mensen uit het Pentagon, het Witte Huis en de CIA over zijn schouder mee zouden kijken, met vragen zouden komen en op zoek zouden gaan naar fouten. Flournoy bewonderde een eigenschap van McRaven die niet bij elke hoge militair aanwezig was: de bereidheid om toe te geven dat hij niet alles wist. Soms reageerde hij op een goede vraag met: 'Daar heb ik niet over nagedacht, maar dat ga ik wel doen. Ik kom erop terug.' En dat deed hij dan vervolgens ook. Hij stond, en ook dat was ongewoon, open voor suggesties en had zijn oorspronkelijke plan behoorlijk bijgesteld naar aanleiding van dingen die door Obama en anderen gezegd waren. Flournoy en Vickers hadden ook gezien hoe zorgvuldig McRaven zijn mensen uitzocht. Hij koos mannen uit die net terug waren, en maandenlang, de ene nacht na de andere, hun vaardigheden hadden aangescherpt. Anders dan Vickers had Gates niet met die mannen gepraat, en had hij dus geen idee van hun rijpheid en ervaring. Gates had het allemaal niet echt van nabij meegemaakt, en dus had hij niet het vertrouwen dat hij en Flournoy wel hadden.

Daarnaast betoogden ze dat hij niet goed had nagedacht over de negatieve kanten van de drone-optie. Dat was geen 'clean', vrijwel risicoloos alternatief. Ze trapten geen van beiden in Cartwrights optimisme over de kans dat een kleine raket het doelwit zou raken. Dat doelwit stond niet stil. De raket was na het afvuren niet meer bij te sturen. Hij was nog nooit echt gebruikt, alleen ingezet bij proeven. Je krijgt één kans, zeiden ze tegen Gates, en als je mist, kun je het schudden en verdwijnt bin Laden weer. Stel je de kritiek voor die dan los zou barsten: *Jullie krijgen een unieke kans en die verknal je door een nog nooit ingezet wapen te gebruiken?*

Na dat uur belde Gates met Donilon in het Witte Huis en vroeg hem of hij tegen Obama wilde zeggen dat hij van mening was veranderd. Obama vernam pas nadat hij zijn besluit had genomen dat Gates zijn mening had herzien, maar toen hij het hoorde sterkte dat hem in zijn vastberadenheid. Uiteindelijk waren dus alle adviseurs van Obama, op Biden na, voor onmiddellijk ingrijpen. Twee, Cartwright en Leiter, wilden de drone gebruiken. Alle anderen steunden McRaven.

Maar de donderdag ervoor wist Gates nog niet dat hij zich zou bedenken. De vergadering was in het begin van de avond afgelopen. De vicepresident, de minister van Defensie en de vicevoorzitter van de Chefs van Staven waren tegen. Hun stemmen wogen zwaar, en het was bepaald niet zeker wat Obama zou doen.

'Morgen laat ik jullie mijn besluit weten,' zei Obama.

Maar de president vertelde me dat zijn besluit eigenlijk al na de vergadering vaststond. Hij dacht er al maanden over na. Het inzetten van SEALS bood duidelijke voordelen, en naar zijn inschatting wogen die zwaarder dan de risico's. Een raket kon zijn doel missen. Met grondtroepen had je zekerheid, als je een drone gebruikte niet. Was bin Laden daar, dan wisten ze het meteen en zouden ze hem dood of levend meenemen. Als ze hem uitschakelden zonder dat te kunnen bewijzen, of, nog erger, zonder dat zelf zeker te weten, deed dat sterk afbreuk aan hun succes. Het was een uitgelezen kans om een punt te zetten achter de grote tragedie van 11 september en al Qaida een dodelijke slag toe te brengen. Tel daarbij nog op het vertrouwen dat Obama in McRaven had en de vrijwel unanieme steun van zijn adviseurs, en de beslissing was duidelijk.

Er was nóg een dwingende reden om er de SEALS op af te sturen. Als bin Laden zich jaren op deze plek verborgen had gehouden, was het heel goed mogelijk dat daar veel waardevolle informatie te vinden was, misschien wel van het soort waardoor de Verenigde Staten al Qaida nog verder konden ontmantelen. Obama kende de logica achter F3EAD. De enige manier om de persoonlijke gegevens van bin Laden te kunnen gebruiken, was mensen sturen die ernaar op zoek konden gaan.

Hoe onvermijdelijk zo'n aanval misschien ook was, de risico's waren groot – voor de mannen die hem moesten uitvoeren, voor het bondgenootschap met Pakistan, voor de reputatie van de strijdkrachten en inlichtingendiensten van de Verenigde Staten en voor zijn presidentschap.

Tussen donderdagavond en vrijdagmorgen nam hij de hele zaak keer op keer in gedachten door. Net als tien jaar geleden, toen hij nog in de senaat van de staat Illinois zat, bleef hij veel later op dan Michelle en zijn dochters. Die waren om tien uur al naar bed. Hij bleef nog drie uur op en neer benen en nadenken in de Treaty Room, het vertrek dat fungeerde als de woonkamer van het gezin en het privéwerkvertrek van de president. Aan de wanden hangen Henry Ulkes portret van Ulysses S. Grant, een groot schilderij waarop Théobald Chartran William McKinley heeft uitgebeeld terwijl hij een vredesverdrag met Spanje tekent, en een schilderij van George P. Healy, waarop Abraham Lincoln tegen het einde van de Burgeroorlog overlegt met zijn militaire adviseurs. In zo'n kamer voel je overal het gewicht van de geschiedenis.

'Het was een kwestie van nog één keer diep ademhalen en nagaan of er iets was waar ik niet aan gedacht had,' vertelde Obama me. 'Is er nog iets wat we moeten doen?'

De vragen bleven hem achtervolgen, ook toen hij die avond de slaap probeerde te vatten. Met nog langer wachten wonnen ze volgens hem niets en riskeerden ze alles. Het was niet waarschijnlijk dat ze betere informatie over het complex zouden krijgen. Uiteindelijk kwam het erop neer of hij vertrouwen had in McRaven. Hij had hem in 2008 voor het eerst ontmoet, toen hij met een aantal andere leden van het Senate Foreign Relations Committee een reis door Irak had gemaakt. David Petraeus had in Bagdad een diner georganiseerd en ook de commandant van JSOC uitgenodigd.

Als president had hij veel vaker met hem te maken gehad, vooral de afgelopen vier maanden.

'Het was net of ik McRaven goed had leren kennen,' zei Obama. 'En de SEALS. Natuurlijk wist ik door Irak en Afghanistan dat ze prima in staat waren om nachtaanvallen uit te voeren. We hadden het complex nagebouwd. We hadden er experimenten mee gedaan. Ze hadden erop geoefend. McRaven wekt echt vertrouwen. En ik had een heel stel kritische vragen gesteld. Zoals ik het inschatte zouden we een maand, of twee of drie maanden later niet beter voorbereid zijn geweest. We zouden dan ook niet meer zekerheid hebben gehad of bin Laden zich daar bevond. We moesten alleen nog bepalen wanneer we de trekker overhaalden.'

Vrijdagmorgen, nog voor het telefoontje van Gates, en voor hij naar het South Lawn liep om daar aan boord te gaan van een helikopter voor een bezoek aan de zuidelijke staten om daar de schade in ogenschouw te nemen die door een tornado was aangericht, stuurde hij een e-mail naar Donilon met het verzoek om om acht uur in de Diplomatic Room te zijn.

Donilon, McDonough en chef-staf Bill Daley zaten te wachten in de grote, formeel ingerichte zaal toen Obama binnenkwam. Hij had een donkerblauw windjack aan. Het uitzicht uit het vertrek behoort tot de spectaculairste die het Witte Huis te bieden heeft: een glooiend gazon, de wachtende presidentiële helikopter en in de verte het Washington-monument.

'We doen het,' zei Obama. 'Ga de formele opdracht maar opstellen.'

8

Eindspel

1 EN 2 MEI 2011

De mannen van McRaven zaten in Jalalabad, op alles voorbereid. Toen de opdracht van Obama die middag binnenkwam – het is in Afghanistan achtenhalf uur later dan in Washington – wisten ze dat ze op zijn vroegst de volgende avond, zaterdag 30 april, konden vertrekken.

De meeste leden van het zorgvuldig uitgezochte team behoorden tot het Red Squadron van SEAL Team Six. Sinds de aanval is meer dan een jaar verstreken. Slechts één van de mannen die aan de missie hebben deelgenomen, heeft zich er in het openbaar over uitgelaten. Ik heb met geen van de deelnemende SEALS gesproken. Mijn verslag van de aanval is gebaseerd op interviews met de president, hoge mensen bij de CIA; bronnen bij JSOC, het Witte Huis en het Pentagon; op gesprekken met SEALS die niet hebben meegedaan; en op het boek *No Easy Day*, dat een van de deelnemende SEALS heeft geschreven onder het pseudoniem Mark Owen.

De keus viel op de SEALS omdat hun commandant beschikbaar was en de commandant van Delta Force, de met de SEALS vergelijkbare eenheid van het leger, dat niet was. Nadat het besluit was gevallen om JSOC aanzienlijk uit te breiden had McRaven drie jaar daarvoor de organisatie opgesplitst. Delta bleef actief in Irak, terwijl de SEALS nu werkten vanaf Forward Operating Bases, bases in de delen van Afghanistan waar het hardst werd gevochten. Een van de redenen waarom de keus op de SEALS viel, zeiden diverse hoge medewerkers van het Pentagon, was dat dit team de afgelopen jaren met succes meer dan tien geheime missies in Pakistan had uitgevoerd. Ze waren eraan gewend om missies te doen terwijl hoge officieren over hun schouder meekeken en meeluisterden via een liveaudio- en videoverbinding. De mannen noemden het 'General TV'. Soms lieten die commandanten op afstand zich meeslepen door wat ze zagen en begonnen ze hun mensen te sturen als speelden ze een videogame. 'Naar links! Naar rechts!'

De eigenlijke commandant, de man die ze binnen het complex zouden volgen, was een kleine, gespierde marineofficier van achter in de dertig met bruin haar en een gebeeldhouwd gezicht. Als Hollywood ooit iemand zoekt om de rol te spelen zal het niet meevallen om het origineel te overtreffen. Hij was een soort legende geworden, zelfs binnen deze eenheid, en had tien jaar gevechtservaring. Het werk was voor hem zo'n routine geworden dat hij erover praatte zoals een ervaren voorman praat over een gebouw waaraan hij werkt. Hij had een stoïcijnse manier van doen. Als hij een van zijn zeldzame grapjes maakte duurde het even voor de anderen dat doorhadden. Sommige van de mannen die hij zou aanvoeren waren ouder dan hij, maar dat waren er niet veel. Het team zou worden vergezeld door een tolk die Pashtu sprak en een getrainde hond, de Mechelse herder Cairo. De tolk, een man van middelbare leeftijd die voor deze missie had geleerd om zich aan een touw uit een helikopter te laten zakken, en de hond zouden nieuwsgierigen bij het complex vandaan houden terwijl de SEALS hun werk deden. Zoals de mannen altijd deden voor ze op missie gingen keken ze hun uitrusting en wapens na, maakten ze schoon en smeerden ze, keken ze of laservizieren en nachtkijkers goed functioneerden en liepen ze riemen, harnassen en helmen na. De kazerne in Jalalabad was voor iedereen een vertrouwde plek. Het was al jaren hun tweede thuis.

Iets waar ze zelden over praatten, maar wat wel voortdurend in hun gedachten was, was gevaar. In heel Afghanistan waren kleine vooruitgeschoven bases vernoemd naar makkers die bij operaties waren gesneuveld, vrienden van deze mannen. Die beschikten over evenveel kennis en vaardigheid als zij, en toch waren ze in een aluminium kist naar huis teruggekeerd. Overal op de bases hingen aan muren en op prikborden foto's van de doden, en dan vooral van leden van de special forces. Het waren heel andere foto's dan die van de andere gevallenen, jongens van achttien, negentien, twintig van reguliere eenheden, die waren omgekomen door bermbommen of bij een mortieraanval op een patrouille. De mannen van de special forces waren ouder, en op de foto's hadden ze vaak een baard en droegen ze dezelfde kleren als de plaatselijke bevolking. Op officiële portretten was hun uniform bezaaid met lintjes en medailles. Dit waren de echte beroepsmilitairen. Voor de meesten gold dat dit de carrière was waarvoor ze gekozen hadden. Ze waren anders dan de jongere mannen, die maar al te snel een reden wisten te vinden waarom een ander wel was geraakt en zij niet: een verkeerde beslissing, een zwak ogenblik, een reactie die net niet snel genoeg was. Deze mannen wisten beter. Je trainde en oefende en dan ging je aan het werk met anderen die net zo goed waren als jij, en desondanks vielen er soms toch doden. Deze missie, de aanval inzetten op bin Laden, was er een waar iedereen sinds 11 september wel eens aan had gedacht. Het was een missie waaraan iedereen wel mee wilde doen.

Achter deze groep zaten de mannen en helikopters en vliegtuigen waarvan McRaven hoopte dat hij ze niet nodig zou hebben. Drie Chinooks, zo groot als een oplegger, met vlakke rotoren voor en achter. Er stonden ook jagers stand-by, en AWACS om hen de goede kant op te sturen, naar Pakistaanse jagers en luchtdoelbatterijen. Als het zover kwam zou het bevel over de hele operatie van McRavens Joint Operating Center in Jalalabad overgaan naar het Theater Command Center in Kabul, waar Petraeus het bevel voerde.

Petraeus was pas een paar weken daarvoor over de operatie ingelicht door generaal Cartwright en de commandant van CENT-

COM. De wapens en de mannen onder zijn bevel zouden alleen worden ingezet als het misliep, en dus was hij enkele dagen geleden in detail bijgepraat door McRaven. Van zijn medewerkers was niemand op de hoogte van de missie. Petraeus was al twaalf jaar bij bin Laden betrokken, want hij had op het asfalt van de Pope Air Force Base gestaan toen daar de lichamen arriveerden van de Amerikaanse zeelui die waren omgekomen bij de aanval op de Cole. Hij had deelgenomen aan de discussies binnen de regering-Clinton waarbij werd besloten om kruisraketten in te zetten tegen doelen in Soedan en Afghanistan. Hij zat bij deze operatie op de eerste rij, maar als alles goed ging zou hij alleen maar hoeven toekijken.

Op zaterdagmiddag belde Obama McRaven op. Hij vertelde de admiraal dat hij enorm veel vertrouwen had in hem en zijn mannen.

'Ik wens u en hun het allerbeste toe,' zei de president. 'Breng hun mijn persoonlijke dank voor hun diensten over.'

En hij voegde er nog iets aan toe dat eigenlijk vanzelf sprak: 'Ik zal deze missie met de grootste belangstelling volgen.'

Uren later die zaterdag ging Ben Rhodes in zijn kleine kamertje in het Witte Huis achter de computer zitten… en kreeg geen letter op het scherm. Vroeg of laat zou Obama het Amerikaanse volk en de rest van de wereld moeten inlichten over wat er gebeurd was of nog steeds gebeurde in Pakistan. Rhodes moest een passende tekst opstellen, of het nu een succes of een mislukking was geworden.

George Little, een medewerker Publiciteit van de CIA, had net een paar uur met medewerkers van de president zitten praten. Alle mogelijkheden die ze konden bedenken waren de revue gepasseerd. Ze hadden alle draaiboeken voor contacten met de pers en het publiek doorgenomen, en ook welke staatshoofden dienden te worden ingelicht en in welke volgorde. Er werden ruwe versies van de teksten geschetst. Eén voor een snelle missie. Erin en eruit. Dat was het beste scenario. Als ze daar aankwamen en bin Laden was er niet en ze wisten weg te komen zonder dat er al te veel gedonder van kwam, zouden ze elke betrokkenheid ontkennen. Dan zou het een geheime operatie blijven: officieel was er niets gebeurd. Maar als het nou eens een zootje werd? Ook dan waren er allerlei opties. Een zootje met bin Laden dood, een zootje met bin Laden gevangen, een zootje zonder bin Laden. Elke optie zou een eigen tekst krijgen. Ze produceerden samen vele pagina's aan teksten.

Terwijl het hoofd van Rhodes nog omliep van alle mogelijkheden probeerde hij aan een eerste ruwe versie te beginnen. Hij wilde beginnen met het positiefste scenario en wist een eerste regel te bedenken. Maar toen stokte het. *Ik kan het niet. Misschien breng ik wel ongeluk.* Als hij een toespraak schreef dat ze bin Laden hadden uitgeschakeld en dat zou later niet waar blijken te zijn, was dat vreselijk. En als hij schreef dat het mislukt was, terwijl... Hij kon zich er niet toe zetten. Als het moest zou hij het doen, maar hij ging het pas doen als het echt moest. Hij gaf het op en bereidde zich voor op het Correspondents' Dinner.

De avond daarvoor was even gepraat over de timing. Het diner was een uiterst chic gebeuren, een van de belangrijkste evenementen van het jaar in Washington. Beroemdheden uit Hollywood en befaamde sporters zouden acte de présence geven, talloze journalisten en ook de top van de regering. De voornaamste attractie was elk jaar weer de president, die een geestig praatje hield, vol zelfspot en plagerige uithalen naar de pers. Als Obama ja zei tegen de missie, dan zou die waarschijnlijk op hetzelfde ogenblik plaatsvinden als het diner. Hoe zou het overkomen als de president grappen maakte terwijl de mannen hun leven waagden? En als er nou eens iets misliep en iedereen op stel en sprong van tafel moest? Dan had elke journalist in Washington meteen door dat er iets aan de hand was. Maar als ze met zijn allen besloten om niet bij het diner aanwezig te zijn, wist elk persbureau natuurlijk óók dat er iets ging gebeuren.

Toen iemand voorstelde om McRaven te vragen de missie met een dag uit te stellen, was Clinton het zat.

'We laten een operationele beslissing niet afhangen van het Correspondents' Dinner,' zei ze.

Dat zette een punt achter het gesprek. Obama zei tegen Donilon: 'Tom, als de missie toevallig samenvalt met het diner zeg je maar dat ik last heb van mijn maag en me helaas even moet terugtrekken.'

Het hele gesprek over wat ze met het diner moesten bleek achteraf overbodig. De meteorologen van McRaven verwachtten die zaterdag mist in de omgeving van Abbottabad, en hij besloot de missie een dag uit te stellen. Nu zouden ze zondag gaan.

En dus verkleedden op dit spannendste ogenblik van Obama's presidentschap hij en zijn medewerkers zich voor het feest.

Rhodes was zo zenuwachtig dat hij eerst besloot om niet te gaan, maar toen bedacht hij zich. Als hij thuisbleef zou hij alleen maar geobsedeerd op en neer lopen. Het diner zou afleiding bieden. Maar het was wel vreemd: van de honderden aanwezigen waren een stuk of tien mensen op de hoogte. Ze probeerden allemaal van harte mee te doen om de spanning van zich af te zetten en dat lukte ook aardig, behalve als ze iemand zagen die óók op de hoogte was. Toen Michael Morell Rhodes zag, grijnsde hij flauwtjes. Rhodes moest erom lachen.

Obama maakte zijn reputatie dat hij altijd het hoofd koel hield volledig waar. Als hij al gespannen was, dan liet hij daar niets van merken. Hij maakte de mensen aan het lachen met grappen over de langdurige twist over zijn afkomst en over zijn soms wat messianistische image. Hij had, zei hij, unieke beelden van zijn geboorte, die hij zelf ook nog nooit had gezien. Het bleek een fragment te zijn van *The Lion King*, een tekenfilm van Disney, met de geboorte van de toekomstige koning op de Afrikaanse vlakte. De wolken wijken uiteen en uit de hemel valt een bundel licht op de leeuwenwelp. 'Zo is het begonnen,' grapte Obama. En toen legde hij 'aan de mensen die alleen maar naar Fox tv kijken' uit dat de video een grapje was, iets voor kinderen. 'Als u me niet gelooft gaat u maar naar Disney. Daar hebben ze de lange versie.' Hij nam Donald Trump op de hak, de publiciteitsgeile onroerendgoed-magnaat, die ook een reality-tv-programma presenteerde en zich ooit had opgeworpen als presidentskandidaat voor de Republi-keinen. Trump eiste al weken op hoge toon een bewijs dat Obama Amerikaans staatsburger was. De president insinueerde dat Mi-chele Bachmann, die veel kritiek op hem had en zich misschien kandidaat ging stellen voor de Republikeinse voorverkiezingen, in Canada was geboren.

De mensen lachten.

'Ja, Michele,' zei hij. 'Zo begint het.'

Iedereen deed zijn best om het de zondag daarop een heel ge-wone dag te laten lijken. Obama vertrok zoals elke week naar de Andrews Air Force Base om daar te gaan golfen, maar dit keer speelde hij maar negen holes. Zijn voornaamste medewerkers en de leden van het kabinet arriveerden gespreid, en met hun bevei-ligers op enige afstand, want een serie zwarte suv's bij de ingang trok altijd aandacht. Er mocht niet op de gebruikelijke plekken worden geparkeerd. De rondleidingen in de West Wing waren die zondag geschrapt. Dat wekte de achterdocht van George Ste-phanopoulos, een journalist van abc die jarenlang voor president Clinton had gewerkt en het ritme van het Witte Huis kende. Toen hij chef-staf Bill Daley vroeg wat er aan de hand was, zei die dat er iets was met de riolering. De rondleidingen op zondag waren populair bij stafleden van het Witte Huis, die zo familieleden en vrienden konden laten zien waar ze werkten. Gasten van buiten de stad planden een bezoek wel eens om zo'n rondleiding heen; vandaar dat er teleurgesteld werd gereageerd. Obama's persoon-lijke secretaresse had er die zondag een gepland, voor de acteurs van een succesvolle film, *The Hangover*, die voor het gala van zaterdag naar Washington waren gekomen. Zondagmorgen vroeg belde ze Rhodes op.

'Mag ik bij wijze van uitzondering toch komen?' vroeg ze.

'Nee,' zei Rhodes. Geen uitzonderingen.

De leden van de National Security Council kwamen om acht uur bijeen; anderen om negen uur.

In Jalalabad, een halve wereld verder, was het al laat in de middag. McRaven had de missie zo getimed dat ze om één uur in de ochtend in Abbottabad zouden aankomen. Dan zou het in het complex en in de wijk eromheen het rustigste zijn en konden zijn mannen maximaal gebruikmaken van het duister om hun werk te doen, naar Khala Dhaka te vliegen om daar bij te tanken en het land te verlaten. Dat betekende dat ze om elf uur van hun basis in Afghanistan zouden vertrekken. Doordat ze naar het oosten vlogen, wonnen ze een halfuur. De nettovliegtijd naar het doelwit was dus geen twee, maar anderhalf uur. Dat hield in dat ze zouden vertrekken als het in Washington half drie in de middag was, en om ongeveer vier uur de aanval zouden inzetten. McRaven had de hele nacht een iPad voor zich met daarop alle tijdzones, dit om verwarring te voorkomen.

De aanvallers bereidden zich voor. In het Witte Huis gebeurde hetzelfde. Belangrijke medewerkers van Obama werden naar het Witte Huis ontboden. Daar hoorden ze voor het eerst wat er stond te gebeuren. Jay Carney, zijn perssecretaris, was een dag op stap met zijn kinderen en zag de e-mail van Rhodes pas een uur nadat die was verstuurd op zijn telefoon. Hij stuurde het bericht door naar Dan Pfeiffer, de directeur Communicatie.

'Weet jij wat er aan de hand is?' vroeg hij.

Pfeiffer zei dat hij hetzelfde bericht had ontvangen, en nee, ook hij wist niet wat er gaande was.

In de Situation Room en de kleinere vertrekken eromheen waren mensen bezig om videoverbindingen aan te leggen. Panetta, die in een zaal in Langley zat en officieel de leiding had, zou op een groot scherm het commentaar doorgeven van McRaven in Jalalabad. Hoog boven Abbottabad, veel te hoog en te klein om aandacht te trekken, hing een Sentinel, een drone met stealth-eigenschappen en een sterke lens, die livebeelden van de aanval zou doorsturen. Marshall 'Brad' Webb, een luchtmachtgeneraal met een crewcut en een borst vol lintjes, was aan het kijken of de videoverbindingen naar de Sentinel en McRaven het deden. Toen Donilon hoorde dat Webb van plan was om de beelden door te schakelen naar de Situation Room stak hij daar een stokje voor. Hij wilde niet dat Obama rechtstreeks met McRaven kon communiceren en live kon zien wat er gebeurde. Dat kon de indruk wekken dat hij zich tot in detail met de aanval bemoeide. Webb moest de rechtstreekse verbindingen maar in een van de kleinere kamers houden.

Om twaalf uur kwamen de belangrijkste mensen bij elkaar om de plannen voor de laatste keer door te lopen. Obama liet zich heel even zien. Hij had zijn witte golfhemd en blauwe windjack aan. Iedereen kreeg een document met daarin vier mogelijke resultaten en een lijst van mensen die, afhankelijk van hoe het zou aflopen, moesten worden gebeld.

Het zou waarschijnlijk een lange nacht worden, en dus werd er een kleed gelegd over de tafel in een van de kleinere vertrekken. Daarop werd een enorme schaal gezet met sandwiches, zakjes chips en stukken wortel, en daarnaast een grote bak ijs, met blikjes frisdrank en flesjes water erin. De mensen van de National Security Council besteedden het grootste deel van de middag aan het doorspreken van hun 'Playbook', een grote ordner met een draaiboek voor nog veel meer mogelijkheden. Als er iets misgaat, wie belt dan wie? Hoeveel informatie willen we na de missie aan de pers kwijt, om uit te leggen waarom we in actie zijn gekomen? Als er problemen ontstonden, welke landen konden dan het beste worden benaderd voor steun? Wie kon het beste contact opnemen met welke topman in Pakistan? Wie had de beste persoonlijke relatie? Admiraal Mullen, om maar een voorbeeld te noemen, had een uitstekende relatie met generaal Kayani van het Pakistaanse leger. Wie kon de nodige invloed uitoefenen als de SEALS klem kwamen te zitten? Moest de president telefonisch overleg plegen met de leider van een ander land als het misliep? Hoe het ook ging, ze zouden Pakistan een hoop uit te leggen hebben. *Dit is de reden waarom we de ongebruikelijke stap hebben gezet om deze informatie niet aan u door te spelen. Dit is de reden waarom we niet met u hebben samengewerkt.*

De scenario's bij succes waren gemakkelijker. Er waren veel meer pagina's gewijd aan een mislukking.

De president kwam om half drie terug. Hij had nog steeds zijn witte golfhemd en blauwe jack aan.

In Kabul bracht generaal Petraeus een onverwacht bezoek aan de controlekamer van JSOC.

'Weet jij al wat er gaande is?' vroeg hij aan kolonel Bill Ostlund, de verbindingsofficier voor JSOC.

'Er lopen op dit moment negen operaties en ik denk dat er vannacht nog wel een paar bij komen,' zei Ostlund. Zijn mensen volgden de operaties die vanuit het hoofdkwartier in Jalalabad werden aangestuurd, voor het geval er problemen ontstonden die de aandacht van het opperbevel vereisten. Een helikopterongeluk of iets waarbij burgerdoden vielen. Het aantal dat hij noemde was heel normaal.

De kolonel wist niets af van de missie in Abbottabad, maar hij vermoedde al een paar dagen dat er iets aan zat te komen. McRaven had een kort bezoek aan Jalalabad gebracht en voor hij bij Petraeus was binnengelopen, had hij de kolonel gevraagd wanneer er voor het laatst op afluistermicrofoons was gecontroleerd.

'Ik weet niet of dat ooit is gebeurd, admiraal,' zei Ostlund, en hij maakte een grapje over het leger, dat anders dan de special forces relatief open was over allerlei dingen. 'Generaal Petraeus zal zijn raam wel open hebben staan, met buiten een Afghaan die alles hoort.'

McRaven schoot in de lach, maar vroeg Ostlund toen of die buiten wilde blijven tijdens zijn gesprek met Petraeus. Dat was ongebruikelijk: Ostlund was bij alle gesprekken met de admiraal aanwezig geweest, ook de heel vertrouwelijke, met het hoofd van de plaatselijke CIA-afdeling en Petraeus. Hij concludeerde dus dat er iets heel bijzonders aan zat te komen, en omdat Petraeus zelden bij hem langskwam vermoedde hij dat het vannacht zou gebeuren.

Nu zei Petraeus tegen Ostlund: 'Zeg maar tegen je mensen dat ze weg mogen. Dan kunnen we even praten.'

Toen de andere aanwezigen naar buiten liepen, zei Petraeus: 'Blijf maar een flink tijdje weg.'

'Wat denk jij dat er aan de hand is?' vroeg hij toen ze alleen waren.

Ostlund dacht aan een missie om Bowe Bergdahl te bevrijden, een Amerikaanse militair die bijna twee jaar eerder in handen van de taliban was gevallen. Of aan bin Laden. Hij wilde daar nog Ahman al-Zawahiri aan toevoegen, de Nummer Twee van al Qaida, maar wist niet meer hoe je die naam uitspreekt.

'Het is de tweede,' zei Petraeus.

Ze zaten naast elkaar in het grote, raamloze vertrek, aan het hoofd van een U-vormige tafel met ongebruikte computers erop, tegenover een muur waaraan acht plasmaschermen hingen. Ze kregen geen videobeelden binnen van de aanval, omdat de CIA de leiding had, maar konden wel live de gesprekken volgen tussen het hoofdkwartier van JSOC, de CIA en het Witte Huis.

Petraeus pikte Ostlunds toetsenbord in en begon vragen te tikken aan allerlei personen. Toen hij een vraag stelde aan admiraal McRaven sprak hij hem aan met 'Bill'. Ostlund verschoot van kleur. De vraag kwam van zijn computer, en hij sprak zijn meerderen meestal niet met hun voornaam aan.

'Generaal,' vroeg hij, 'kunt u er even bij zeggen dat die vragen van u komen?'

Na een laatste bericht van Panetta – 'Eropaf, en neem bin Laden te grazen. En als hij er niet is maak je als de sodemieter dat je wegkomt!' – zette McRaven de operatie in gang.

De twee stealth-Black Hawks stegen om precies elf uur in de avond op van het vliegveld van Jalalabad. Ze waren verduisterd en allebei uiterst nauwkeurig beladen. Alle seals waren voorzien van hun volledige uitrusting: woestijncamouflage, helm, nachtkijker, handschoenen (om zich snel langs een touw te kunnen laten zakken) en harde kniebeschermers (om zich beter op één knie te kunnen laten zakken en zo te schieten). Ze hadden allemaal een boekje bij zich met foto's van de mensen die ze in het complex konden aantreffen. Ze waren gewapend met diverse types pistolen en automatische geweren met een korte loop en een geluiddemper. Ze waren maar lichtbewapend omdat het complex niet zwaar werd verdedigd. Misschien zouden ze ter plekke wel gewapende tegenstanders aantreffen, maar het zouden er niet veel zijn. De snelle aanval van de volledig op elkaar ingespeelde seals zou gepaard gaan met veel lawaai en plaatsvinden in het donker, terwijl ze met hun nachtzichtbrillen even goed konden zien alsof het dag was – al met al waren ze overweldigend in het voordeel.

Tien minuten na vertrek gingen de helikopters over een serie ruige bergtoppen heen en waren ze in Pakistan. Op hetzelfde ogenblik stegen in Jalalabad drie grote Chinooks op. Eén zou net voor de grens met Pakistan landen. De andere twee zouden verder vliegen naar de verzamelplaats buiten Abbottabad, maar via een andere route dan de Black Hawks. Die gleden net het brede Mardandal in, een eind ten noorden van Peshawar. Ze vlogen snel en laag.

De mensen van JSOC noemden zich graag 'de punt van de speer', en de twee helikopters die naar het oosten raasden waren dat zeker. Zij waren het eindresultaat van een enorme krachtsinspanning die negenenhalf jaar had geduurd, en nog langer als je de hele geschiedenis van special operations meeneemt. Bij de inzet die sinds 11 september 2001 was geleverd om Osama bin Laden en zijn groep fanatieke moordenaars te vinden waren twee presidenten en hun regering betrokken geweest en vele duizenden leden van militaire en civiele inlichtingendiensten; in ploegendienst werkende CIA-analisten hadden de oude spionagenetwerken weer opgetuigd en de gecombineerde informatie verwerkt die was vergaard met satellieten, vliegtuigen en elektronische afluisterapparatuur, en die afkomstig was van een waslijst aan bureaus en onderafdelingen; er waren drones ontwikkeld, en veilige technieken voor livetelecommunicatie, en geavanceerde computersoftware; strategieën en tactieken waren aangescherpt. Als de uitspraak klopt dat een land bij elke oorlog opnieuw moet leren hoe de strijd moet worden gevoerd, dan waren deze SEALS aan boord van hun Black Hawks het antwoord van Amerika op de uitdaging van 11 september. En nu hadden ze het belangrijkste doelwit van die oorlog op de korrel.

McRaven zat in een grote, rechthoekige, raamloze kamer met wanden van multiplex, omringd door computers met mensen erachter, en met tegenover zich een hele wand videoschermen. Op een van de monitoren zou de aanval te zien zijn zoals de Sentinel die waarnam, maar voorlopig waren er nog geen beelden. Op een tweede werd de positie van de helikopters grafisch weergegeven. Even was het spannend toen de twee kleinere helikopters het Pakistaanse luchtruim binnenvlogen, een kwartier later gevolgd door de twee Chinooks, maar de Pakistaanse luchtverdediging sloeg geen alarm. McRaven had alle apparatuur tot zijn beschikking waarover de Verenigde Staten beschikten en kon daarom exact nagaan wat de Pakistanen deden. Toen er een aantal minuten was

verstreken, werd duidelijk dat die niets deden. Amerikaanse eenheden waren al eerder in het Pakistaanse luchtruim geweest, bij
geheime missies in de tribale grensgebieden, en dus hadden ze
er alle vertrouwen in gehad dat ze ook nu onopgemerkt zouden
blijven, maar het was toch een hele opluchting toen het lukte. De
admiraal had een point of no return vastgesteld: daar voorbij zou
de missie altijd doorgang vinden, ook als de Pakistanen wakker
werden. Kort daarop passeerden ze dat punt. Het zou nog een uur
duren voor de verduisterde helikopters in Abbottabad arriveerden; nu konden ze alleen maar afwachten. McRaven wist dat hij
nu alleen hoefde in te grijpen als er iets verkeerd ging.

Op het grote scherm in de Situation Room in het Witte Huis
vertelde Panetta af en toe waar de helikopters zich nu bevonden.
Een van Obama's assistenten zei: 'Dit gaat wel een tijdje duren.
Misschien wilt u wel wat anders doen dan afwachten wat er gebeurt.'

'Nee, ik blijf hier kijken,' zei Obama. Meer dan negen jaar eerder had hij in een kamer vol andere mensen gekeken naar de beelden van de aanslagen van 11 september. Nu zou hij in een al even
volle andere kamer getuige zijn van het laatste bedrijf.

Biden was net zo rusteloos als altijd. Hij liep de zaal in en uit, en
toen hij merkte dat de livebeelden van McRaven en de Sentinel in
een ander zaaltje te zien waren ging hij daar zitten kijken. Webb
zat aan het hoofd van de tafel over zijn laptop gebogen.

In Jalalabad zat McRavens sergeant-majoor naast de admiraal.
Hij communiceerde via een chatlijn met Webb en anderen. Opeens keek hij op.

'Hé, admiraal,' zei hij. 'De generaal zegt dat de vicepresident net
komt binnenlopen.'

Kort daarop was ook minister Gates er.

McRaven wist dat het gonzende geklepper van de Black Hawks
ongeveer twee minuten voor ze op hun bestemming waren hoor-

baar zou zijn. De helikopters hadden stealth-technologie die hen moeilijk zichtbaar maakte voor radar, en ze waren ook stiller dan de conventionele modellen, maar als ze pal boven je hingen maakten ze toch wel heel veel herrie. De Black Hawks vlogen het complex vanuit het noordwesten aan. Ze waren zichtbaar in de sneeuwerige beelden van de Sentinel.

Daarna ging het allemaal heel snel.

Iedereen reageerde geschrokken toen de eerste helikopter niet boven het complex ging hangen om de SEALS aan touwen te laten afdalen en dan aan hun aanval te laten beginnen, maar abrupt opzij schoot, met zijn staart de muur van het complex raakte en binnen die muur op de grond belandde. Dit was duidelijk niet goed.

De piloot had wel geprobeerd om zijn Black Hawk te laten doen wat er in het aanvalsplan stond, maar zijn helikopter wilde niet en begon onbeheersbaar weg te glijden. Na de missie zouden experts tot de conclusie komen dat dat kwam door de muur om het complex heen: daardoor werd de lucht onder de op vol vermogen draaiende motoren van de helikopter sneller warm dan verwacht. Bij de oefeningen in Nevada was het doelwit voorzien van een omheining van prikkeldraad, en toen hadden ze daar uiteraard niets van gemerkt. Maar nu was de luchtdichtheid te gering voor het exact berekende gewicht van de helikopter. Die kon alleen in de lucht blijven als hij zich voortdurend verplaatste, dus toen de piloot wilde gaan hangen viel de Black Hawk uit de lucht.

Maar de Night Stalkers van het 160th Special Operations Aviation Regiment die de helikopters besturen waarmee special forces naar hun doelwit worden gebracht, zijn op hun gebied het beste van het beste wat het leger te bieden heeft. En ze trainen op krankzinnige voorvallen zoals dit. De piloot van de Black Hawk reageerde snel en deskundig. Hij zocht een vlak stuk terrein om zijn toestel in een beheerste noodlanding aan de grond te zetten. Hij draaide de staart die kant op en raakte opzettelijk de bovenkant van de westelijke muur. De helikopter schoot met zijn neus naar voren en klapte met zijn buik tegen de grond. Het was een harde landing, maar het toestel bleef rechtop, en dat was essentieel. Dankzij zijn snelle ingrijpen was de Black Hawk niet op zijn zijkant beland – iets wat rampzalig had kunnen uitpakken, want als de nog draaiende rotoren de grond raken kan het toestel alle kanten op worden geslingerd. Maar nu had de neus zich in de grond geboord. De SEALS zaten in de veiligheidsgordels, op stoelen die waren ontworpen voor een harde landing. De ene seconde gleed het toestel nog over de grond, de volgende hing het in een hoek van vijfenveertig graden, met de staartrotor op de muur.

Niemand die in het Witte Huis naar het kleine scherm keek waarop de beelden van de Sentinel te zien waren kon zien wat er was gebeurd, of zelfs dat de helikopter met zijn neus voorover hing en met zijn staart op de muur. Ze konden alleen maar zien dat hij binnen de muur lag. En ze wisten dat dat niet het plan was.

Martelende ogenblikken gingen voorbij terwijl McRaven contact zocht met zijn mannen. Bij elk gesprek over wat er met deze missie verkeerd kon gaan was er gepraat over de helikopter die in 1980 in de Iraanse woestijn het vrachtvliegtuig had geraakt en was ontploft, en over de twee Black Hawks die in 1993 boven een overvol Mogadishu waren neergehaald. En nu, in de eerste seconden van de missie, was er weer een Black Hawk neergegaan.

Obama had tot dusver het advies van Donilon opgevolgd. Hij werd indirect op de hoogte gehouden van het verloop van de missie. Hij praatte met Panetta via de videoverbinding in de Situation Room en liet anderen bijhouden wat er over de video- en chatlijnen in de andere kamer binnenkwam, maar toen de helikopter tegen de grond sloeg stond hij meteen op en liep hij naar de zijkamer waar Webb zat.

Clinton stond in de andere kamer, bij het eten, samen met Ben Rhodes, en zag hem weglopen.

'Ben, vind je het een goed idee dat hij dit allemaal ziet?' vroeg ze.

'Hij gaat geen leidinggeven of zo,' zei Rhodes. 'Het zijn alleen maar beelden die binnenkomen.'

Webb zat aan het hoofdeind van een grote tafel. Hij stond op toen Obama binnenkwam om hem zijn plaats af te staan, maar die gebaarde dat dat niet nodig was.

'Ik pak deze stoel hier in de hoek wel even,' zei hij. 'Ik wil dit zien.'

Webb meldde over de chatlijn dat Obama nu in zijn kamer zat.

In Jalalabad zei McRavens sergeant-majoor: 'Admiraal, de president is net binnen komen lopen.'

Clinton liep achter Obama aan en ging op een van de stoelen rond de tafel zitten. Ook andere mensen kwamen het kleine vertrek in om te zien wat er zou gebeuren.

In Jalalabad had McRaven uiteraard van alles aan zijn hoofd. Hij had geen tijd om zich zorgen te maken of naar het scherm te kijken of dingen uit te leggen aan de mensen in Washington. Hij hoorde al snel dat niemand aan boord van de helikopter gewond was geraakt en dat de SEALS zich opmaakten voor de aanval op het huis. Al zijn mannen hadden keer op keer bewezen dat ze tegenslagen snel konden opvangen. Daar waren ze ook op uitgekozen. Met tegenslagen kreeg je heel vaak te maken. Het kwam eigenlijk bijna nooit voor dat een plan de eerste paar minuten van een aanval overleefde. McRaven had eerder helikopters verspeeld. Hij had diverse opties.

Michael Morell, die in Langley zat te kijken, samen met Panetta, andere topmensen van de CIA en leden van het bin Laden-team, voelde even paniek in zich opkomen toen de helikopter neerging. Maar wat hem en alle anderen meteen geruststelde was de reactie van McRaven. De admiraal leek niet geschrokken. Hij leek eigenlijk niet eens verbaasd.

'Zoals u ziet is er binnen de muren een helikopter neergegaan,' zei hij tegen Panetta. 'Mijn mannen zijn op dit soort dingen voorbereid.'

In het Witte Huis was nog steeds niet duidelijk wat er was gebeurd. Obama's gezicht stond zorgelijk. Een fotograaf van het Witte Huis nam een foto die beroemd zou worden: een kamer vol mensen – Webb in het midden in zijn blauwe uniform, zijn blik omlaag gericht op de videobeelden en op de chatlijn op zijn laptop om te zien wat er was gebeurd; Obama in de hoek, met gefronst voorhoofd; Donilon achter Webb, zijn armen over elkaar, met naast hem admiraal Mullen en Bill Daley; Clinton met haar hand voor haar mond; een somber kijkende Gates en Biden; medewerkers langs de muren. En allemaal kijken ze naar het scherm, dat niet op de foto te zien is.

Obama was bloednerveus. Hij wist dat de risico's enorm waren, vooral voor de mannen in de helikopter, maar ook voor het land, zijn regering en voor hem. Hij had tegen zichzelf gezegd dat hij bereid was om een mislukking te aanvaarden, maar nu hij zich dat live zag voltrekken… Later zou hij zeggen dat het de langste minuten van zijn leven waren, misschien met uitzondering van de keer dat zijn jongste dochter met meningitis naar het ziekenhuis moest en hij moest afwachten wat de artsen ervan zeiden.

Toen de eerste helikopter neerging week de tweede Black Hawk af van zijn koers en landde buiten het complex, in een pas ingezaaide akker. Eigenlijk had hij heel even moeten blijven hangen om de tolk, de hond en vier SEALS af te zetten, waarna hij op het dak van het huis had moeten landen. Voor de toeschouwers was het net of het hele plan in duigen lag.

Maar plotseling stroomden er SEALS uit beide helikopters, zowel binnen het complex als erbuiten. De aanval was ingezet. Het neergaan van de Black Hawk had maar heel weinig tijdverlies veroorzaakt. In Washington slaakte iedereen een zucht van opluchting. Wat er ook gebeurd was, de missie ging door. Met zijn harde

Texaanse accent gaf McRaven een van de twee Chinooks die in een rivierbedding bij Kala Dhaka stonden te wachten opdracht om door te vliegen naar Abbottabad.

De SEALS uit de eerste helikopter liepen snel langs de binnenkant van de muur. Ze bliezen een metalen deur op die toegang bood tot het huis. De mannen uit de tweede helikopter, buiten de muur, bliezen een gat in die muur. De lichtflitsen waren te zien op het scherm. De mannen liepen nu op het huis af en gingen naar binnen.

De verwanten van bin Laden vertelden later dat iedereen wakker was geworden van een harde klap. Een van bin Ladens volwassen dochters rende van de eerste naar de tweede verdieping, maar kreeg opdracht om terug te komen. Bin Laden zei tegen zijn vrouw Amal dat ze de lichten niet aan moest doen. Dat zou ook onmogelijk zijn geweest, want agenten van de CIA hadden vlak voor de aanval de stroomvoorziening naar de hele wijk afgesloten. In het donker waren de SEALS in het voordeel. In het donker wachtte bin Laden samen met Amal wat er zou gebeuren.

Een groep SEALS drong de garage van het kleine huis binnen. Ze hadden huizen meegemaakt die voorzien waren van boobytraps, en mensen die explosieven op het lichaam droegen. Als ze mensen tegenkwamen schoten ze meteen. Er werd heel even geschoten, maar in het wilde weg en ineffectief; waarschijnlijk door Ibrahim Saeed Ahmed, de koerier 'Ahmed de Koeweiti'. De SEALS beantwoordden het vuur, waarbij ze Ahmed doodden; zijn vrouw, achter hem, werd in haar schouder geraakt.

Andere SEALS drongen het grote huis binnen en doorzochten het methodisch, kamer voor kamer. Abrar Ahmed, de broer van de koerier, bevond zich in een slaapkamer op de begane grond, met zijn vrouw Bushra. Beiden werden doodgeschoten.

Verder het grote huis in. Kamer in, kamer uit. Ze liepen door twee grote opslagkamers en een keuken. Niemand wist hoe het huis in elkaar zat. Toen ze bij een metalen deur achterin kwamen, die een trap naar de eerste verdieping afsloot, plakten ze daar een kleine lading springstof op, bliezen hem uit zijn hengsels en gingen de trap op. Bin Ladens zoon Khalid, een slanke jongeman van drieëntwintig met een baard en gekleed in een wit T-shirt, werd boven aan de trap doodgeschoten. Ze kwamen op de eerste verdieping jammerende vrouwen en huilende kinderen tegen. Die vormden geen bedreiging. De SEALS wisten het nog niet, maar er was nog maar één volwassen man over, en hij bevond zich in een slaapkamer op de tweede verdieping.

Eigenlijk had de helft van de SEALS op het dak moeten landen en zo via het balkon de tweede verdieping moeten binnendringen. Dan zouden ze meteen op bin Laden zijn gestuit, op hetzelfde ogenblik dat de twee Ahmeds werden doodgeschoten. Nu moest bin Laden vijftien lange minuten wachten, in het donker. De SEALS gingen methodisch te werk. Hun geweren waren voorzien van geluiddempers. Bin Laden moet het geweervuur van Ahmed hebben gehoord, gevolgd door geschreeuw en gehuil en het geluid van de metalen deuren die werden opgeblazen. Wellicht hoorde hij ook het doffe 'plop' van de van geluiddempers voorziene geweren van de SEALS. En al die geluiden kwamen steeds dichterbij. De enige ramen op de tweede verdieping waren op het noorden. De eerste helikopter was aan de westkant van het terrein neergekomen en de tweede was ten zuiden van het complex geland, en dus kan hij niet exact hebben geweten wie de aanvallers waren. Misschien dacht hij dat het een Pakistaanse eenheid was. De SEALS bliezen de deur bij de trap op. Hij zal hebben gehoord dat ze de trap op kwamen, naar zijn kamer.

De SEALS, drie man sterk, kwamen naar boven, op hun hoede, elkaar dekkend, alle kanten op kijkend. Volgens een van deze SEALS zag de voorste een lange, baardige, donkere man met een bidmutsje op, Hij was op traditionele Pakistaanse wijze gekleed, met een knielang hemd over een pyjama-achtige broek. Een of meer SEALS vuurden op hem. De man sloeg achterover. De SEAL liep naar voren, met de andere twee vlak achter zich. In de slaapkamer zag hij dat twee vrouwen zich over bin Laden bogen, die een dodelijke wond in zijn hoofd had. De eerste SEAL duwde de twee vrouwen ruw weg. De andere twee schoten bin Laden nog een paar kogels in de borst.

Het treffen was binnen een paar seconden voorbij. Amal had een kogel in haar been. Op een plank in de slaapkamer lagen wapens, maar die had Bin Laden niet gebruikt. Zijn identiteit was onmiskenbaar, ondanks het groteske gat in de rechterkant van zijn voorhoofd: de architect achter 11 september was het beruchtste gezicht ter wereld geworden.

McRaven hoorde: 'Voor God en vaderland. Geronimo. Geronimo. Geronimo.' Het woord 'Geronimo' maakte deel uit van een gecodeerde checklist waarmee het verloop van de missie werd aangegeven. Het betekende dat de kritieke mijlpaal bereikt was: ze hadden bin Laden te pakken. McRaven gaf het onmiddellijk door aan Panetta. Bij de CIA en in het Witte Huis ontstonden schokgolven van opwinding, en in Kabul, waar Petraeus en Ostlund meeluisterden, was dat niet anders. Petraeus sloeg voldaan met zijn vuist in zijn hand.

In het Witte Huis, in het hoekje van het kleine, overvolle zaaltje, hoorde Obama: 'Geronimo geïdentificeerd.'

De president wist dat die identificatie nog niet helemaal zeker was, en dus wilde hij het ook nog niet helemaal geloven. Opluchting, opwinding, voldoening – hij blokkeerde het allemaal. Voor hem betekende het alleen dat de SEALS zich nu terug konden trekken, en dat kon inhouden dat ze in een vuurgevecht verwikkeld zouden raken. Een helikopter was half neergestort, er waren explosies geweest. Als de Verenigde Staten de SEALS bij hun terugtocht moesten beschermen – de luchtmacht had jagers paraat – kon het ergste nog komen. Toen Obama het bericht hoorde dacht hij: 'Als de bliksem weg daar.'

Maar nadat het bericht van McRaven was binnengekomen, bedacht hij dat hij niet gericht had gevraagd of bin Laden gevangen was genomen of gedood, en dus vroeg hij: 'Ga eens na of Geronimo EKIA (Enemy Killed in Action) is.'

Het antwoord kwam meteen: 'Roger, Geronimo EKIA.' McRaven gaf het door aan Panetta en het Witte Huis.

'Zo te zien hebben we hem,' zei Obama. Hij kon het nog maar half geloven.

Het tijdsverloop tussen de twee berichten zou later voor enige verwarring zorgen. In sommige verslagen was te lezen dat de SEALS bin Laden hadden gevonden, achtervolgd en een paar minuten later hadden doodgeschoten. Het vinden en doodschieten was gebeurd in de paar seconden die het de drie SEALS had gekost om de kamer binnen te dringen. Sinds de landing van de helikopters waren achttien minuten verstreken.

McRaven zei tegen Panetta: 'Ik krijg door dat het Geronimo is, maar het is nog maar een voorlopig bericht. Onbevestigd. Temper al te hoge verwachtingen.' Hij legde uit dat bij SEALS die aan zo'n inval meededen de adrenaline door de aderen gierde. En ze zagen alles door een nachtzichtbril. Het waren professionals, maar toch... 'Reken voorlopig op niks. Pas als ze terug zijn hebben we zekerheid.' McRaven dacht langs dezelfde lijnen als Obama toen hij tegen Panetta en alle andere toeschouwers zei: 'Er zijn daar nog steeds SEALS zonder vervoer.'

Op de videobeelden was te zien dat de SEALS het huis uit kwamen. Ze dreven de niet-gewonde vrouwen en kinderen naar een hoek van het terrein, bij de beschadigde helikopter vandaan. Bin Ladens lichaam werd met zijn voeten vooruit de trap af gesleept, waarbij een bloedig spoor werd getrokken. Een van zijn dochters zou later zeggen dat zijn hoofd op elke trede bonkte. Een verdieping lager ritsten ze hem in een lijkzak. De SEALS deden hun werk methodisch. Obama vond dat het allemaal te veel tijd kostte. Iedereen maakte zich zorgen over een Pakistaanse reactie. De president wilde zijn mannen in de lucht hebben.

De commotie binnen het complex had echter maar weinig aandacht getrokken. De tolk, met onder zijn traditionele lange hemd een kogelwerend vest, stuurde de paar mensen weg die kwamen kijken. Hij zei streng in het Pashtu dat er een veiligheidsoperatie gaande was en dat ze naar huis moesten gaan. Dat hij Cairo, de hond, bij zich had, hielp mee. De mensen liepen weg. McRaven, die zorgvuldig volgde wat de Pakistaanse legerleiding deed, zag niets wat erop wees dat die was gealarmeerd.

Maar er was nog veel te doen, binnen het huis en erbuiten. Boven waren SEALS gehaast bezig om bin Ladens papieren en computer in te pakken. Diskettes, memorysticks, alles wat bruikbare informatie zou kunnen opleveren ging mee. Amal, bin Ladens jongste vrouw, werd de trap af geholpen en naar buiten gebracht. Ze schold de Amerikanen in het Arabisch uit. Alle vier de mannen die in het complex hadden gewoond, en een van de vrouwen, waren dood. De andere vrouwen en de kinderen werden met tiewraps geboeid. De vrouwen dachten dat ze zouden worden meegenomen. Toen een Arabischsprekende SEAL hun vragen stelde zeiden de vrouwen dat de SEALS 'de Sjeik' hadden gedood. Een van de kinderen bevestigde dat het inderdaad ging om bin Laden.

De Chinook die door McRaven was opgeroepen landde met veel lawaai buiten de muren. De gecrashte Black Hawk werd van explosieven voorzien. De geheime elektronica werd met een hamer kapotgeslagen. Uit de Chinook kwam een hospik, die de lijkzak openritste, met wattenstaafjes bloedmonsters nam en met naalden wat beenmerg verwijderde om er later een DNA-test mee te kunnen doen. Twintig minuten gingen voorbij voor het lichaam naar de Black Hawk werd gedragen. Een van de monsters beenmerg ging mee met de Chinook. Ook alle papieren en andere zaken die uit het huis waren meegenomen, werden over de twee helikopters verdeeld.

Eindelijk zagen de toeschouwers in het Witte Huis de Black Hawk ontploffen toen de springladingen werden geactiveerd. De

SEALS die zich daarmee hadden beziggehouden, renden naar de Chinook. Beide helikopters stegen op. Ze lieten een fel brandende Black Hawk achter, een verbijsterde groep geboeide vrouwen en kinderen en vier lijken. Een foto van wat vermoedelijk het bebloede lijk van Khalid bin Laden was zou een paar dagen later op internet verschijnen.

Ook nu de helikopters in de lucht waren verdween de spanning nog niet. Eerst vlogen ze in noordelijke richting, naar Kala Dhaka, waar de tweede Chinook nog stond, en werd de Black Hawk bijgetankt. Vijfentwintig minuten later stegen ze op voor de terugtocht naar Jalalabad. Een reactie van de Pakistanen bleef uit. Toen de Pakistaanse luchtmacht uiteindelijk twee F-16's de lucht in stuurde was de groep alweer veilig terug in Afghanistan.

Ze landden om drie uur plaatselijke tijd in Jalalabad. Er was niemand gewond geraakt. Ze hadden een helikopter verspeeld, maar tot een militaire confrontatie met Pakistan was het niet gekomen. En ze hadden Osama bin Laden gedood.

De SEALS wisten het zeker, maar het Witte Huis en de wereld wilden meer bewijzen. McRaven onderbrak zijn verslag twintig minuten om het asfalt op te lopen en zijn mannen te begroeten. De lijkzak werd uitgeladen en opengeritst. Er werden foto's gemaakt en meteen doorgestuurd naar Washington en Langley. De man was een uur en veertig minuten dood, en hij was in het gezicht geschoten, en dus was dat opgezwollen en vervormd.

McRaven had een vraag voor het bin Laden-team in Langley: 'Hoe lang is die vent?'

'Tussen de 1.90 meter en de 1.93 meter,' was het antwoord.

Lang was de dode zeker, maar niemand had een meetlint, en dus ging een SEAL die precies 1.93 meter lang was ernaast liggen. Het lijk had dezelfde lengte.

De president was naar boven gegaan nadat de helikopters waren opgestegen. Hij vroeg of hij kon worden gewaarschuwd zodra ze waren geland. Vroeg op de zondagavond keek hij met een paar medewerkers naar de doorgestuurde foto's.

Toen Rhodes de foto's zag herkende hij bin Laden meteen, ondanks zijn verwonding. Dit was de man die vijftien jaar eerder een persconferentie had belegd om de Verenigde Staten de oorlog te verklaren, en sindsdien een bloedig spoor had getrokken. Rhodes dacht: óf het is bin Laden, óf het is een 1.93 meter lange, tengere man met een donkere huid en een lange baard die als twee druppels water op hem lijkt en die ondergedoken heeft gezeten, met om zich heen het gezin van bin Laden, en beschermd door leden van al Qaida.

Het was bin Laden.

Toen McRaven weer terug was op zijn post vroeg Obama: 'Wat denkt u?'

'Zonder DNA kan ik het niet met honderd procent zekerheid zeggen,' zei de admiraal. 'Maar ik weet het vrijwel zeker.' Hij zei dat de debriefing van zijn mannen net was begonnen, maar dat ze uit wat er door de vrouwen was gezegd konden opmaken dat ze de juiste man te pakken hadden gekregen. Hij herhaalde: 'Meneer de president, ik ben er nagenoeg zeker van dat we bin Laden hebben gedood.'

Toch had Obama nog de neiging een slag om de arm te houden. Wat kon er erger zijn dan mee te delen dat je de oprichter en leider van al Qaida had gedood en dan later je woorden te moeten inslikken? Toen Panetta, Morell en 'John', de leider van het bin Laden-team, in het Witte Huis arriveerden, nam Morell met Obama de details door van de gezichtsanalyse door de CIA. Op basis daarvan waren ze in Langley tot de conclusie gekomen dat er 95 procent kans was dat het bin Laden was. Obama vroeg hoe het stond met de DNA-analyse, want die zou nog meer zekerheid bieden, maar Morell zei dat de resultaten daarvan op zijn vroegst maandagochtend zouden binnenkomen.

Zou het dus niet beter zijn om te wachten? Waarom zou je risico lopen? Het was vroeg in de avond. In de Situation Room vroeg Obama of ze die avond al met de mededeling moesten komen dat bin Laden was gedood, of dat ze beter konden wachten op de DNA-analyse. Kon het geheim een geheim blijven? Iedereen was het erover eens dat dat niet zo was – niet met twitter en e-mail en internet en kabeltelevisie, de vuurzee en de lijken in Abbottabad; met bin Ladens vrouwen en kinderen, die nu wel in handen van de Pakistanen zouden zijn; en met de blijdschap die inmiddels van Jalalabad was uitgewaaierd naar Kabul en verder. Wat voor afwijkende versies van het verhaal zouden naar buiten komen als het Witte Huis niets zei? Met wat voor samenzweringstheorieën zouden de mensen aan komen zetten?

'Het is pas echt waar als wij zeggen dat het waar is,' zei Obama. 'We moeten het bevestigen als we het kunnen bevestigen, maar ons niet onder druk laten zetten om dat voortijdig te doen.'

Ongeacht het tijdstip waarop het Witte Huis met een verklaring kwam, moest er contact worden opgenomen met Pakistan om alles uit te leggen. Niemand wist hoe dat land zou reageren. De aanval was onmiskenbaar een schending geweest van de Pakistaanse soevereiniteit, en dat de Verenigde Staten, een bondgenoot nog wel, geen hulp hadden gevraagd of vooraf hadden overlegd, was een ernstig affront. Maar zoals Obama later tegen mij zei: 'Op die manier konden we de repercussies van bin Ladens dood beter opvangen. Als de onzekerheid nog twee of drie dagen aanhield zou de Pakistaanse soevereiniteit in het brandpunt van de belangstelling komen te staan.'

En dus belde admiraal Mullen met generaal Kayani. De chef van het Pakistaanse leger wist inmiddels natuurlijk dat er een Amerikaanse helikopter in Abbottabad lag, maar het was daar vroeg in de ochtend en niemand wist precies wat er gebeurd was. Mullen vertelde dat de Verenigde Staten een missie hadden uitgevoerd waarbij bin Laden was gedood.

'Gefeliciteerd,' zei Kayani.

Daarna verliep het gesprek gesmeerd. Er zouden ongetwijfeld problemen ontstaan tussen de twee landen, maar de generaal leverde al meteen een bijdrage aan de besluitvorming rond de vraag wanneer ze met een verklaring moesten komen.

'Ik heb een probleem,' zei hij, 'en dat is dat er al verhalen de ronde doen over Amerikaanse helikopters en een aanval in Pakistan, maar dat niemand precies weet wat er is gebeurd. Het zou heel prettig zijn als jullie met een verklaring kwamen.'

Dat gaf de doorslag. Ze zouden nog die avond met een verklaring komen. Rhodes zette zich aan de tekst die hij de avond daarvoor niet uit zijn vingers had weten te krijgen. Anderen pakten het draaiboek dat was opgesteld voor een succesvolle missie en begonnen wereldleiders te bellen. Obama belde persoonlijk zijn voorgangers Bush en Clinton op, die zelf ook al jacht hadden gemaakt op bin Laden, en ook de Britse premier Cameron, wiens land daarbij Amerika's trouwste bondgenoot was geweest.

Jay Carney en zijn medewerkers begonnen journalisten te benaderen, vooral over de mail, en zeiden dat het Witte Huis met een bijzondere verklaring zou komen. 'Hier wil je bij zijn, maar ik kan niet vertellen waarom.' De meesten vermoedden dat Gadaffi was gedood. Een van zijn zoons was de dag daarvoor omgekomen. Niemand dacht aan bin Laden.

Maar het nieuws lekte wel uit. Twitteraars in Abbottabad hadden het al uren over helikopters en vreemde explosies. Sohaib Athar, een Pakistaanse computertechnicus, kwam met een tweet toen de helikopters boven het complex verschenen: 'Helikopter hangt om 1 uur boven Abbottabad (komt niet vaak voor).' Minuten later twitterde hij over een zware explosie, die de ruiten deed trillen van het huis waar hij zat. Er waren ook andere tweets, maar niemand wist precies wat er gebeurd was, tot Keith Urbahn, de voormalige chef-staf van Donald Rumsfeld, die onder Bush minister van Defensie was geweest, twitterde: 'Ik hoor net uit betrouwbare bron dat ze Osama bin Laden hebben gedood. Godsamme.' Urbahn liet kort daarop volgen: 'Weet niet of het waar is, maar laten we het hopen.' Dat was een uur voor Obama in de East Room met zijn verklaring kwam, en het nieuws verspreidde zich razendsnel.

In het Witte Huis werd Carney geattendeerd op de televisiebeelden van een honkbalwedstrijd in Philadelphia, tussen de Phillies en de Mets. Een uitverkocht stadion scandeerde: 'USA! USA! USA!' Het was kwart voor elf in de avond. De omroeper had net meegedeeld dat er berichten waren dat bin Laden was gedood.

Maar zoals Obama al had gezegd, zou dat pas waar zijn als de Verenigde Staten het bevestigden. En dus veranderde hij achter zijn bureau in het Oval Office nog wat details aan de tekst die Rhodes had geschreven en liep toen naar de East Room om hem uit te spreken. Aan de andere kant van de straat, op Lafayette Square, waren groepen mensen al aan het feestvieren. En ook hier riepen ze: 'USA! USA! USA!'

Om vijf over half twaalf verscheen de president op de televisie. Hij liep over het rode tapijt naar het podium en stak van wal.

'Goedenavond. Ik kan het Amerikaanse volk en de wereld berichten dat de Verenigde Staten een operatie hebben uitgevoerd waarbij Osama bin Laden is gedood, de leider van al Qaida, en een terrorist die verantwoordelijk is voor de dood van duizenden onschuldige mannen, vrouwen en kinderen.'

Hij vertelde over de aanslagen van 11 september. Die waren, zei hij, 'de zwaarste aanval die het Amerikaanse volk ooit te incasseren heeft gekregen'. Daardoor waren ze 'in ons nationale geheugen gebrand'. Hij vertelde over de vele jaren dat bin Laden uit handen van de Amerikanen had weten te blijven. De president was trots op zijn eigen bijdrage aan die zoektocht, en citeerde de opdracht die hij kort na zijn ambtsaanvaarding aan Panetta had gegeven om de top van al Qaida 'de hoogste prioriteit' te geven. Hij had het over het verdrijven van de taliban, maar noemde Irak niet. Een deel van zijn bijdrage was gelegen, vond hij zelf, in het bijstellen van de onjuiste prioriteiten van Bush.

Toen, augustus vorig jaar, na jaren intensief speurwerk van onze inlichtingendiensten, kreeg ik te horen dat we mogelijk een aanwijzing hadden waar bin Laden zich bevond. Er was allerminst zekerheid over, en het duurde nog vele maanden voor we die zekerheid hadden. Ik heb herhaaldelijk met mijn veiligheidsadviseurs overlegd toen steeds meer erop wees dat bin Laden zat ondergedoken in een complex dat diep in Pakistan lag. De vorige week kwam ik tot de conclusie dat we genoeg wisten om tot actie over te gaan en gaf ik toestemming voor een missie om Osama bin Laden uit te schakelen.

Vandaag hebben de Verenigde Staten onder mijn leiding een gerichte operatie uitgevoerd tegen het complex in Abbottabad. Een klein team Amerikanen heeft daarbij uitzonderlijke moed en kundigheid getoond. Niemand van hen is gewond geraakt. Burgerdoden zijn zo veel mogelijk vermeden. Na een vuurgevecht hebben ze bin Laden gedood. Zijn lichaam is meegenomen.

Hij merkte op dat de dreiging van aanvallen door al Qaida niet voorbij was en beloofde de strijd voort te zetten. Verder benadrukte hij eens te meer dat de Verenigde Staten niet in oorlog waren met de islam en wees hij erop dat ook Bush dat keer op keer had gezegd. Hij beschuldigde bin Laden van iets waarover die zich ook zelf zorgen had gemaakt: zijn ongewilde nalatenschap. 'Bin Laden was geen leider van moslims, hij was een massamoordenaar van moslims. Al Qaida heeft in vele landen, waaronder het onze, honderden moslims vermoord. Zijn dood zou moeten worden toegejuicht door iedereen die gelooft in vrede en menselijke waardigheid.' Obama bedankte voor...

... de onvermoeibare inzet van talloze deskundigen op het gebied van inlichtingenwerk en contraterrorisme. Het Amerikaanse volk ziet hun werk niet en weet niet hoe ze heten. Maar deze avond hebben zij voldoening van hun werk en heeft dankzij hen het recht gezegevierd.

Wij danken de mannen die deze operatie hebben uitgevoerd, want zij zijn karakteristiek voor de professionaliteit, vaderlandsliefde en ongekende moed van diegenen die ons land dienen. En zij maken deel uit van een generatie die sinds die dag in september het zwaarste deel van die last moet dragen.

Obama sloot zijn verklaring af door de eendracht in herinnering te roepen die na de aanslagen van 11 september over het land was gekomen en zich nu weer heel even manifesteerde: 'Laten we ons voor de geest houden dat we deze dingen niet kunnen doen vanwege onze rijkdom of onze macht, maar vanwege wat we zijn: één natie, onder God, ondeelbaar, met vrijheid en gerechtigheid voor iedereen. Dank u. Moge God u zegenen. En moge God de Verenigde Staten van Amerika zegenen.'

Voor het Witte Huis was de nacht nog niet voorbij. In de werkkamer van Carney, in de West Wing, hielden Michael Morell, Mike Vickers en John Brennan een telefonisch groepsgesprek met een aantal journalisten. Morell, die op 11 september in het gezelschap van Bush was geweest en een sleutelfiguur was geworden bij de jacht op bin Laden, wilde geen antwoord geven op gedetailleerde vragen over die jacht, maar vatte wel samen hoe ze Ahmed de Koeweiti hadden weten te vinden.

'We hebben in de loop van de jaren heel veel arrestanten verhoord,' zei hij. 'En daarna was het een kwestie van alle stukjes info aan elkaar plakken. Zo kregen we een beeld van het netwerk van de koeriers. We hadden belangstelling voor een van die koeriers, en via hem kwamen we op het spoor van dat complex. Maar het beeld is dus uit heel veel stukjes opgebouwd en daarna op allerlei manieren verder ontwikkeld.'

Hij prees de samenwerking tussen de CIA en Defensie:

'Deze militaire operatie van CIA en Defensie samen is duidelijk een groot succes geworden. Het is een bewijs van de geweldig collegiale manier waarop inlichtingendiensten en militairen al sinds 11 september samenwerken. De CIA is de mensen die deze operatie hebben uitgevoerd ongelooflijk dankbaar. We weten dat de strijd tegen al Qaida doorgaat, ook nu we Osama bin Laden hebben gedood.'

Vroeg in de ochtend waren ze klaar. Morell vertrok om half een uit het Witte Huis. Hij hoorde de grote mensenmenigte aan de andere kant van de straat 'USA! USA! USA!' scanderen, en toen hoorde de man die zijn hele leven aan het inlichtingenwerk had gewijd iets wat hij nooit had verwacht te horen. De mensen begonnen 'CIA! CIA! CIA!' te roepen. Hij liep naar zijn auto om naar zijn gezin te rijden. De afgelopen twee maanden had hij zestien uur per dag gewerkt zonder dat hij zijn vrouw kon vertellen waarom. Die middag had zijn dochter, die hij negen jaar daarvoor even had gezien aan het eind van ook een heel lange dag, voor het laatst meegedaan aan een optreden van haar schoolkoor. Toen hij zondagmorgen om zes uur vertrok had zijn vrouw gevraagd of hij erbij kon zijn.

'Ik kan echt niet,' zei hij.

'Het is de laatste keer dat ze meedoet,' zei ze.

'Ik kan gewoon niet,' zei hij, zonder uit te kunnen leggen waarom. Ze was niet blij geweest.

Eerder die avond, toen Obama besloot om met een verklaring te komen, had hij haar gebeld. Het optreden van het koor was allang voorbij.

'Zet de tv eens aan,' zei hij. 'Dan snap je waarom je me twee maanden niet hebt gezien.'

Nu wilde hij graag naar huis.

Het was al twee uur in de ochtend toen Carney en Rhodes het Witte Huis verlieten. De perssecretaris had in zijn kamer een koelkast staan met een paar biertjes erin, en die hadden ze feestelijk soldaat gemaakt. Het geschreeuw aan de overkant van de straat ging nog steeds door. Tot hun verbazing was de menigte zelfs zo aangegroeid dat de beveiliging het niet verantwoord vond om hen per auto te laten vertrekken. En dus liep Rhodes naar huis.

Het was net oudjaar. Op straat liepen horden mensen te dansen en te roepen en te zingen. Overal toeterende auto's. Jonge vrouwen stonden rechtop in hun cabrio met hun armen te zwaaien en te juichen. Het bracht al zijn herinneringen terug aan 11 september, toen hij aan de rand van Brooklyn vol afgrijzen had gezien hoe de torens ineenzegen. De meeste feestvierders waren rond de twintig; waarschijnlijk waren het studenten uit Georgetown of van de George Washington University. Dat betekende dat ze op die dag nog maar kinderen waren.

Rhodes zelf was nu tweeëndertig. Al Qaida en bin Laden hadden als een zwarte schaduw over hun leven gehangen. Nu was die schaduw weg. Op zijn eigen manier deed hij al vanaf het begin aan die strijd mee. Hij was geen militair. Hij had niet zijn leven gewaagd in de strijd, zoals veel anderen van zijn generatie. Hij had zijn vinger niet aan de trekker, zoals de moedige SEALS die de missie hadden uitgevoerd, maar hij had aan de strijd wel al zijn talenten bijgedragen. Hij had zijn leven een andere wending gegeven door geen romans te gaan schrijven, maar voor Lee Hamilton te gaan werken, door mee te schrijven aan het rapport van de 9/11 Commission, door voor Obama te gaan werken en vorm te geven, eerst in zijn hoofd en later op papier, aan zijn gedachten over de oorlog, over wie de vijand was en waarom de strijd tegen die vijand niet alleen essentieel was voor de veiligheid van het land, maar ook rechtvaardig en eervol. Van die dag in Brooklyn tot het moment waarop hij de eerste aanzet schreef van datgene wat Obama zou gaan zeggen over de dood van bin Laden, was de strijd tegen bin Laden bepalend geweest voor Rhodes. Het was het verhaal van zijn jonge leven. En toen hij die nacht naar huis liep vond hij dat hij gewonnen had.

9
Smetjes

LENTE 2011

Het opsporen en doden van bin Laden was hoe je het ook wendde of keerde een uitzonderlijke prestatie. President Obama had alle reden om trots te zijn. Maar op wiens conto kon dat succes worden geschreven? In zijn toespraak die avond zwaaide Obama lof toe aan de talloze mensen van de inlichtingendiensten die er een decennium of nog langer hun beste krachten aan hadden gewijd. En hij bedankte de SEALS, die hun leven hadden gewaagd en de operatie feilloos hadden uitgevoerd. Hij bedankte ook bondgenoten, die al jaren een bijdrage leverden aan de jacht op en het ondervragen van al Qaida-figuren en noemde daarbij zelfs Pakistan, ondanks het feit dat de soevereiniteit van dat land was geschonden en het zich best geschoffeerd kon voelen omdat het niet in de missie was gekend. Maar de president reserveerde een groot deel van het krediet voor zichzelf.

'En dus heb ik kort na mijn aantreden Leon Panetta geïnstrueerd...'

'Ik heb mij laten informeren...'

'Ik heb meermalen met mijn veiligheidsadviseurs overlegd, en daarbij hebben we...'

'Vandaag hebben de Verenigde Staten, onder mijn leiding...'

Het was allemaal waar. Obama verdiende lof omdat hij van de zoektocht naar bin Laden een topprioriteit had gemaakt, omdat hij behoedzaam een aanval had laten voorbereiden waarbij er geen of zo weinig mogelijk onschuldige slachtoffers waren gevallen en in Abbottabad minimale schade was aangericht, en omdat hij bereid was geweest om een groot risico te nemen, niet alleen voor de mannen die de operatie uitvoerden, maar ook voor zijn presidentschap en reputatie. Het is misschien niet meer dan eerlijk dat Obama, die zijn verantwoordelijkheid voor de negatieve gevolgen zou hebben genomen als de missie verkeerd was afgelopen, de volle buit binnenhaalde nu ze met succes was bekroond.

Maar zijn mensen in het Witte Huis kwamen al snel aanzetten met overdrijvingen en onwaarheden die niet nodig waren. Ze deden wat de spindoctors van beroepspolitici doen: het verhaal zo draaien dat ze zelf in een positief daglicht komen te staan.

Bijna meteen begonnen kleine onjuistheden het verhaal aan te kleven, smetjes die het waarheidsgehalte geen goed deden. Na de verklaring van Obama zei John Brennan op de bank in het kantoor van Carney: 'De Amerikaanse eenheid heeft een vuurgevecht geleverd. Osama bin Laden bood verzet.' En even later zei hij dat de mannen in het complex 'zeker vrouwen hadden gebruikt als menselijk schild'. De dag daarop ging hij nog verder en zei hij dat bin Laden zelf zijn vrouw als menselijk schild had gebruikt. Het was een poging om de leider van al Qaida af te schilderen als laf en hypocriet. 'Osama woont in een complex dat een vermogen heeft gekost en verschuilt zich achter vrouwen, achter menselijke schilden. Daaruit blijkt hoe vals het verhaal is dat hij al jaren uitdraagt. Hij stuurt er andere mensen op uit om de jihad te voeren, terwijl hij veilig in zijn luxueuze huis zit.'

Obama's vaak geuite stelling dat al Qaida dé vijand was en zijn opdracht aan zijn inlichtingendiensten om van het opsporen van bin Laden een topprioriteit te maken zijn vaak aangehaald als dé aanzet voor het succesvolle laatste bedrijf, na jaren vruchteloos werk. Maar in gesprekken met mij gebruikten diverse hooggeplaatste mensen binnen de regering de term 'beperkte bandbreedte' om uit te leggen dat ook een hoge prioriteit terzijde kan worden geschoven of zelfs kan worden vergeten, en meer specifiek dat door de twee oorlogen die Bush was begonnen de jacht op bin Laden naar de achtergrond was verdrongen. Obama had hetzelfde gezegd, vooral in toespraken tijdens de verkiezingscampagne: Bush 'was niet goed naar de bal blijven kijken'.

Al in de eerste stadia van de operatie had Obama gezegd dat de SEALS klaar moesten staan om zich met geweld een weg naar buiten te banen, dat ze dus geen verdedigende posities moesten innemen en wachten tot de Verenigde Staten hen via onderhandelingen vrij zouden weten te krijgen. Dat was een riskante beslissing, die om de juiste redenen werd genomen. Voor de president woog de veiligheid van de Amerikaanse militairen zwaarder dan het in stand houden van de diplomatieke relatie met Pakistan. De eerste opzet van admiraal McRaven was een andere geweest. Nu konden er aan Pakistaanse zijde doden vallen en vliegtuigen neergehaald worden. Deze beslissing maakte een andere opzet nodig, met meer eenheden die in geval van nood te hulp konden komen, en dus ook andere opties. Na de operatie zouden assistenten van Obama zeggen dat juist daardoor de missie een succes werd, ook na het gecontroleerd neerstorten van de eerste Black Hawk. Alleen omdat Obama een steviger versie van McRavens eerste opzet wilde, zeiden ze, had die een Chinook met een snelle interventie-eenheid klaarstaan.

In de weken na de operatie bleek uit een analyse van buitgemaakte documenten – tenminste, zo presenteerden leden van de CIA en medewerkers van de regering het – dat bin Laden niet de geïsoleerde, irrelevante figuur was die hij volgens velen was geworden, maar vanuit zijn schuilplaats juist actief zijn organisatie had aangestuurd; dat hij plannen aan het bedenken was om Obama en Petraeus te vermoorden, om maar wat te noemen, en de drijvende kracht was achter verdere aanvallen op het Amerikaanse vasteland.

En verder had je nog vicepresident Biden met zijn speciale talent voor opgeklopte verhalen. Hij noemde de aanval 'het stoutmoedigste plan dat in vijfhonderd jaar was bedacht'. Volgens Biden had Obama moedig ja gezegd tegen het plan, terwijl op Leon Panetta na iedereen het hem had afgeraden. Obama, zei hij, had een 'ruggengraat van staal'.

Al deze verhalen doken op in verslagen van de aanval en van wat er daarna was gebeurd. Het was geen gecoördineerd plan, gewoon een cumulatief verschijnsel. Als je alles op een rij zet, komt het volgende beeld naar voren: een stoutmoedige president geeft kort na zijn aantreden Defensie een nieuwe prioriteit – er moet jacht worden gemaakt op bin Laden. Er wordt nieuw leven geblazen in de ingezakte pogingen om hem te vinden, en daardoor worden er aanwijzingen ontdekt en nagetrokken. Zo komt men erachter dat bin Laden niet in een grot in de bergen woont, maar als een soort miljonair in een luxueuze woning in een welgestelde buitenwijk in Pakistan. Aangestuurd door de president verandert het leger zijn plan om zich bij ontdekking in feite aan de Pakistaanse autoriteiten over te geven en zet het voldoende extra eenheden klaar om zich met geweld een weg naar buiten te vechten. Juist dat gegeven bleek de redding van de missie, omdat een reservehelikopter beschikbaar was toen de Black Hawk neerstortte. De president, omringd door adviseurs die tegen de aanval waren of er ernstige twijfels over koesterden, ging daar moedig tegenin en gaf opdracht tot een van de gedurfdste militaire operaties uit de geschiedenis. De dappere SEALS doodden bin Laden tijdens een vuurgevecht binnen het complex, ook al probeerde hij zich achter zijn vrouw te verschuilen. Uit buitgemaakte documenten bleek dat bin Laden nog steeds zeer actief was als leider van de terreurorganisatie, en niet een op een zijspoor geraakte, geïsoleerde figuur.

Er zijn dingen waar in dit verhaal, maar het zijn er maar een paar.

Laten we beginnen met de opdracht van Obama aan Panetta en Leiter in mei 2009, en het onvoorbereide gesprekje in het Oval Office. De net gekozen president maakte duidelijk dat voor hem de jacht op bin Laden en al-Zawahiri de hoogste prioriteit had. Maar veranderde dat eigenlijk wel iets? Een hooggeplaatste functionaris van een van de veiligheidsdiensten zei dat dat niet het geval was. 'We deden al alles wat in ons vermogen lag, en jarenlang.'

Hij zei wel dat dankzij de poging van Obama om meer vaart te zetten achter de zoektocht er nu regelmatig door de diverse afdelingen werd gerapporteerd, en voegde eraan toe dat door de actieve betrokkenheid van directeur Panetta 'mensen gerichter bezig zijn. Als je elke keer rapport moet uitbrengen, trek je er nog wat harder aan. Maar ik denk eigenlijk niet dat de doorbraak daaraan te danken was. De middelen waarover we beschikten, veranderden niet. De jacht op de leiders van al Qaida heeft nooit te lijden gehad van een gebrek aan middelen.'

Van een afstand bezien is het spoor dat uiteindelijk naar Abbottabad leidde niet het resultaat geweest van het anders opzetten van de zoektocht, maar van gestaag doorwerken en analyseren. Elke 'doorbraak', zoals het door diverse bronnen genoemde pseudoniem 'Ahmed de Koeweiti', de ontdekking van diens ware identiteit, in 2007, en de plek waar hij zat, in 2010, en het volgen van het spoor naar Abbottabad, was het resultaat van gestaag, geduldig, onopvallend combineren en deduceren, vele jaren achtereen. Niet één doorbraak leek belangrijk, tot bij het complex heel veel lijnen bleken samen te komen. Tot dat moment was Ahmed de Koeweiti niet meer dan een van vele duizenden mogelijke aanwijzingen, opgeslagen in een enorme en nog steeds groeiende database. Een veel opmerkelijker prestatie was dat al deze losse feitjes met elkaar in *verband* werden gebracht, en zelfs toen leidde het spoor alleen nog maar naar de woning van een man die ervan werd verdacht dat hij ooit koerier en helper van bin Laden was geweest. Omdat de CIA al negen jaar elke aanwijzing natrok werd het complex gevonden, en omdat analisten heel goed hadden nagedacht over hoe zijn bestaan er nu uit zou zien – weinig bewaking, zijn gezin om zich heen, plus een paar vertrouwde helpers – vonden ze het complex zo interessant. De redenering dat bin Laden is gevonden doordat Obama in 2009 de zoektocht nieuw leven inblies is maar tot op zekere hoogte juist. Bij de weg naar het succes bleek elke beslissing die genomen werd de juiste te zijn. Het was een factor. Obama verdient er lof voor. Maar de grotere waarheid is dat het opsporen van bin Laden te danken is geweest aan grootschalig en gestructureerd inlichtingen vergaren en analyseren. Dat begon al onder president Clinton, en kreeg veel meer vaart onder Bush, na 11 september. Die inzet zou doorgaan, zolang het nodig was. Het kostte net geen tien jaar. Het valt niet mee om in de wijde wereld een man te vinden als hij niet gevonden wil worden, en dat slim aanpakt.

Opgemerkt dient dat er bij dat opsporen gebruik is gemaakt van marteling, of op zijn minst van brute ondervragingstechnieken. De eerste twee keer dat de naam Ahmed de Koeweiti viel, was bij hardhandige verhoren waaraan Mohamedou Ould Slahi en Mohamed al-Qahtani werden onderworpen. De derde keer, toen Khalid Sheik Mohammed ten onrechte zei dat hij niet meer actief was, was tijdens een van de vele keren dat er op hem waterboarding werd toegepast. Hassan Ghul gaf aan hoe belangrijk de Koeweiti was tijdens geheime verhoren in een niet nader aangeduid detentiecentrum van de CIA. Het is niet bekend welke methoden werden toegepast op Ghul, maar de CIA vroeg wel toestemming aan Justitie om dwang toe te passen. Het is simplistisch om te denken dat een bruut ondervraagde arrestant opeens met een essentieel feit op de proppen komt, maar we zullen ook nooit weten of deze onthullingen ook zonder een harde aanpak zouden zijn gedaan, al lijkt dat vooral bij al-Qahtani, die lange tijd hardnekkig weerstand bood, onwaarschijnlijk. Marteling zal misschien geen beslissende rol hebben gespeeld en zelfs niet van beslissende invloed zijn geweest, maar maakte wel deel uit van het verhaal.

De verhalen dat bin Laden een gerieflijk bestaan leidde in

een luxueus huis sloegen niet alleen de plank mis, maar misten ook een veel belangrijker punt. Het gebouw in Abbottabad was groot in vergelijking met andere huizen daar, maar er woonden dan ook acht volwassenen en bijna twintig kinderen. Bin Laden leidde een bestaan dat een stuk minder welvarend was dan dat van een Amerikaans gezin uit de middenklasse. Er zijn gevangenissen in de Verenigde Staten waar je beter woont – al mag je nergens met drie vrouwen samenwonen. Aanmerkelijk veelzeggender was dat hij zich voor iedereen moest verstoppen, zelfs voor zijn eigen verwanten en naaste buren. Pablo Escobar, de cocaïnekoning van Colombia, die in de jaren tachtig en begin jaren negentig de beruchtste misdadiger van zijn tijd was en werd gezocht door zijn eigen land en door Amerikaanse special forces, zat het grootste deel van die tijd openlijk in Medellín, de stad waar hij vandaan kwam en waar hij door veel mensen werd vereerd. Mannen die door de Verenigde Staten als terroristen worden beschouwd, leven op dit ogenblik openlijk in gebieden in Afghanistan en Pakistan waar ze door hun stam of omgeving worden vereerd. Voor bin Laden was er geen plek waar velen hem vereerden. Al Qaida is nergens een populaire beweging geworden, niet in zijn eigen Saoedi-Arabië en evenmin in de rest van de Arabische wereld. Er waren aanhangers, ja, genoeg om een boze menigte op de been te brengen als er spotprenten verschenen van de Profeet of als er door een lachwekkende dominee in Florida een koran werd verbrand, maar vergeleken met de miljoenen Arabieren die in de lente van 2011 de straat op gingen om stemrecht te eisen was al Qaida niet veel meer dan een kleine, gewelddadige sekte. Bin Ladens 'Natie' van gelijkgestemde moslims was een verzinsel. Als hij zijn gezicht had durven laten zien in Pakistan, een moslimland, zou hij zijn verraden, misschien omdat mensen dat een goede zaak vonden, en anders wel voor de vijfentwintig miljoen dollar die op zijn hoofd was gezet. Het is mogelijk dat het inderdaad zo gegaan is, want de CIA heeft niet het hele verhaal verteld en wil niet zeggen of iemand de beloning heeft opgeëist.

Obama's besluit om meer eenheden in gereedheid te houden voor het geval de SEALS zich een weg naar buiten moesten vechten, was niet van beslissend belang. Bij elke JSOC-missie staat er een snelle interventie-eenheid klaar om in te grijpen. McRaven zou altijd twee Chinooks naar Pakistan hebben gestuurd om steun te verlenen en brandstof mee te nemen.

Obama's beslissing om de missie zo zwaar op te tuigen dat een gewapend treffen met Pakistan kon worden gewonnen, zegt heel wat over de verslechterende relatie met dat land. Zoals een van de hoofdrolspelers tijdens de vergadering van 28 april zei: als de relatie zo kwetsbaar was dat ze door deze operatie onherstelbaar zou worden beschadigd, had ze het sowieso niet lang uitgehouden. Na de moeilijke onderhandelingen om de door de CIA ingehuurde Ray Davis vrij te krijgen voelde Obama er duidelijk weinig voor om te moeten onderhandelen over meer dan twintig SEALS. Tegen mij zei hij: 'Als ze daar vastzaten, als een speelbal van de Pakistaanse binnenlandse politiek, zou het wel eens heel moeilijk kunnen worden, dacht ik.' McRaven stuurde al jaren mannen naar Noord- en Zuid-Waziristan. Officieel waren zulke operaties niet toegestaan, maar ze werden door Islamabad oogluikend toegelaten, en dus had hij alle reden om te geloven dat er wel iets geregeld kon worden als zijn mannen in Abbottabad klem kwamen te zitten. Bij het afwegen van wat er allemaal mis kon gaan kwam hij tot de op zich alleszins redelijke conclusie dat dode Pakistanen schadelijker zouden zijn voor de Verenigde Staten dan een ploeg SEALS die ergens werden betrapt waar ze niet hoorden te zijn. Obama kwam tot een andere afweging. En achteraf werd de missie zo bekwaam uitgevoerd dat de hele vraag niet ter sprake kwam.

Toen Obama besloot om tot de operatie over te gaan ging hij niet in tegen het advies van zijn topmensen. Er was op 28 april vrijwel unaniem steun voor ingrijpen. Alleen Biden vond dat er moest worden gewacht, en Cartwright en Leiter wilden bin Laden raken met een door een drone afgevuurde kleine raket. Dat wilde ook Gates, maar hij bedacht zich de ochtend daarop. Alle andere assistenten en adviseurs, ministers en stafleden, vooral zij die het dichtst bij het proces van analyseren en plannen maken zaten, waren ondubbelzinnig vóór een operatie. Wat betreft Bidens op-schepperige 'vijfhonderd jaar': dat zegt meer over wat de vicepre-sident wist van militaire geschiedenis dan over het risico dat aan de operatie verbonden was.

Het is de moeite waard om even in te gaan op een gewaagde operatie van eenendertig jaar daarvoor, al was het alleen maar omdat zij zelden als zodanig wordt gezien. Toen president Carter besloot tot een riskante missie om meer dan vijftig Amerikaanse gijzelaars in Iran te bevrijden, gaven de mannen die eraan deel-namen zichzelf maar 20 procent kans op succes. De gevolgen van de mislukking – acht doden, negen maanden gevangenschap voor de gijzelaars, het verlies van Carter bij de volgende verkiezingen – laten pijnlijk duidelijk zien wat voor gok het was. Toch zou Mitt Romney, Obama's tegenstander bij de verkiezingen van 2012, een gratuite sneer uitdelen aan Carter, in een poging om Obama's be-sluit van een beetje van zijn glans te beroven. Hij zei 'dat iedereen in het Witte Huis tot dit besluit zou zijn gekomen, zelfs Jimmy Carter'. Daar zou je tegenin kunnen brengen dat Romney zelf nee zou hebben gezegd tegen de missie, want hij had in 2007 kritiek geleverd op Obama omdat die ingrijpen overwoog.

Van alle dingen die na de operatie werden aangedikt, was Bren-nans bewering dat bin Laden was omgekomen in een vuurgevecht en dat hij vrouwen als menselijk schild had gebruikt misschien wel het interessantste. Het Witte Huis trok later deze woorden in. De meest logische verklaring van wat Brennan had gezegd, is een combinatie van drie dingen: verwarring in de eerste paar uur, een volledig onnodig verlangen om de moed van de SEALS nog wat aan te zetten en de neiging om een oude tegenstander zo ongunstig mogelijk af te schilderen. Brennan hield zich al bijna vijftien jaar met bin Laden bezig, al sinds hij in de jaren negentig in het Midden-Oosten voor de CIA had gewerkt, en het succes van de missie was voor hem een persoonlijke triomf. Vandaar dat hij zich nu voor een wereldwijd publiek een beetje in de handen wreef. Het was een gênante misstap.

Op basis van wat we van de operatie weten, bevestigd door mijn onderzoek voor dit boek, heeft het er alle schijn van dat op dat eerste ongerichte salvo van Saeed na alle schoten bij deze missie zijn afgevuurd door de SEALS. Van een echt vuurgevecht was geen sprake. De zes mensen die bij de operatie zijn geraakt (vier doden en twee gewonden) waren ongewapend. Let wel: de SEALS waren zich ervan bewust dat er op hen was geschoten. Zonder veel effect, maar toch. Dat was het bewijs dat er binnen het complex mensen waren die over wapens beschikten en verzet konden bieden. De SEALS waren dus bedacht op verdere tegenstand, tot het hele complex in hun handen was. Geen van de andere vijf volwassenen die tijdens de actie werden neergeschoten – van wie er drie werden gedood en twee verwond – waren gewapend. De SEALS gingen met beleid te werk. Geen van de kinderen is geraakt, en maar één van de geraakte vrouwen is gedood. Het is moeilijk om vast te stellen wat er omging in het hoofd van mannen die hun leven waagden bij het bestormen van een huis met onverzoenlijke tegenstanders erin, maar wat we weten lijkt dit uit te wijzen: als de SEALS bin Laden levend in handen hadden willen krijgen, zou dat mogelijk zijn geweest.

Bin Laden zat bijna een kwartier boven in zijn kamer, terwijl de SEALS dichterbij kwamen. Als het huis van springladingen zou zijn voorzien voor een laatste suïcidale explosie – onwaarschijnlijk, gezien de vele kinderen – had hij meer dan genoeg tijd om die te laten ontploffen voor de SEALS bij hem waren. Doordat Amal probeerde zich tussen de aanvallers en haar man in te dringen en daarbij een schotwond opliep, kwamen de verhalen over een menselijk schild in de wereld. Volgens wat er in de pers en in boekvorm verschenen is, en wat door mijn eigen onderzoek is uitgewezen, is bin Laden door een aantal kogels gedood: één in het hoofd, waardoor hij tegen de grond sloeg, en seconden later nog een paar in de borst. Bin Laden gaf zich niet echt over, maar hij bood ook niet echt verzet. Onder de omstandigheden kun je redelijkerwijze stellen dat als de eerste prioriteit van de SEALS zou zijn geweest om hem levend in handen te krijgen, hij op dit moment in een Amerikaanse cel zou zitten en Obama zou beschikken over zijn 'politieke kapitaal' voor het vervolgen van de bedenkers van 11 september.

Waarschijnlijker is dat de SEALS niet van plan waren om bin Laden levend in handen te krijgen, ook al had niemand in het Witte Huis of bij Defensie opdracht daartoe gegeven. Alleen een expliciet bevel zou sterker zijn geweest dan de neiging om meteen te schieten. De mannen die aan de missie meededen, hadden er al heel wat meegemaakt en waren gewend aan geweld en bloedvergieten. Hun eerste gedachte zou zijn geweest om bin Laden onmiddellijk neer te schieten, net als de andere mannen die ze in het complex tegenkwamen.

Maar we kunnen even onze gedachten laten gaan over het andere scenario. Bin Laden in de rechtbank, voor een rechter en een jury, zou voor zijn aanhangers heel wat minder inspirerend zijn geweest dan bin Laden de martelaar. Misschien zou hij bij een verhoor geen duimbreed hebben toegegeven, maar vaak zijn binnen een illegale organisatie de oudere, met meer macht beklede figuren eerder geneigd tot compromissen dan hun ondergeschikten. Als hij besloot te praten tegen zijn ondervragers, wist hij meer dan wie ook over al Qaida: hoe de organisatie en de financiën in elkaar staken, wie er lid van waren, van welke methoden ze zich bedienden en wat voor plannen er waren. Er zouden juridische en politieke problemen ontstaan als de Verenigde Staten hem in handen zouden hebben, maar zoals Obama tegen mij zei, was hij van mening dat dat positief zou zijn uitgepakt. Dus hoe voldaan miljoenen Amerikanen ook waren dat de beruchtste terrorist van de wereld dood was en dat het laatste wat hij op aarde zag een SEAL was die een automatisch geweer op hem richtte, een levende, maar ontmythologiseerde bin Laden zou misschien een beter resultaat zijn geweest.

Uit de buitgemaakte documenten bleek dat bin Laden een vastberaden, dwingende briefschrijver was, die nog steeds droomde over het aanrichten van moordpartijen in Amerika, maar ook dat hij duidelijk geïsoleerd was, gefrustreerd en niet op de hoogte van waartoe zijn groep nog in staat was. Hij was door de geschiedenis ingehaald, alleen besefte hij dat zelf nog niet.

Al met al vielen alle pogingen om de dood van bin Laden in een wat gunstiger daglicht te stellen in het niet naast het optreden van Bush op het dek van het vliegdekschip Abraham Lincoln, in 2003, en zijn toespraak onder een reusachtig 'Missie voltooid'-spandoek. Toen legde hij de lat voor presidentieel gezwatel zo hoog dat het niet waarschijnlijk is dat iemand er nog overheen zal komen. Het was een flater die hem ongetwijfeld tot zijn laatste dag het schaamrood op de kaken zal brengen. De missie – de Amerikaanse inval in Irak – was namelijk nog lang niet voltooid. Er zouden nog acht bloedige jaren volgen. In *Decision Points*, zijn memoires, zegt Bush dat de boodschap die hij bij die gelegenheid wilde overbrengen verkeerd is overgekomen, maar komt hij toch tot de conclusie dat het 'een grote fout' is geweest.

Daarnaast verbleekten de smetjes vanuit Obama's Witte Huis. Maar toch liet de manier waarop het met succes omging zien hoe dwaas het is om alle eer voor jezelf op te eisen. Harry Truman zei een keer: 'Het is verbazingwekkend wat je allemaal kunt bereiken als het je niet uitmaakt wie er lof krijgt toegezwaaid.' De keerzijde van die uitspraak is: 'Het is verbazingwekkend hoeveel lof er gaat naar mensen die die lof wel verdienen, maar niet met hun neus vooraan staan.'

De operatie heeft de steun voor Obama onder de Amerikanen duidelijk vergroot. Na zijn toespraak op zondagavond schoot zijn populariteit met bijna 10 procent omhoog. Een jaar later was ze nog steeds iets hoger dan daarvoor. De dood van bin Laden rekende af met het 'onechte' image van Obama, ondanks alles wat zijn Republikeinse opponenten deden. Zijn populariteit bleef ook hoog bij mensen die teleurgesteld waren over zijn beleid. En het haalde een streep door elke poging om hem weg te zetten als pacifist. Hij had een eind gemaakt aan de Amerikaanse militaire betrokkenheid bij Irak en een begin gemaakt met de terugtrekking uit Afghanistan. Daardoor had hij kwetsbaar kunnen zijn voor beschuldigingen dat hij soft was op het gebied van nationale veiligheid. Door de dood van bin Laden kreeg Obama veel krediet als opperbevelhebber. Duidelijk werd ook dat hij in zijn niet-aflatende jacht op kopstukken van al Qaida successen boekte. Die jacht verplaatste zich naar Jemen, maar het aantal aanslagen dat door facties van al Qaida wordt gepleegd loopt gestaag terug. In 2012 schakelden de Verenigde Staten steeds vaker niet-hooggeplaatste strijders uit, en het aantal aanvallen met drones wordt voortdurend minder. We weten het niet zeker, maar dat zou erop kunnen wijzen dat er steeds minder doelwitten zijn. De omvang en inzet van de Amerikaanse inlichtingendiensten zijn níét verminderd.

Drie dagen na de missie zei Obama in een gesprek met *60 Minutes*: 'Het was zeker een van de meest bevredigende weken, niet alleen voor mij sinds mijn aantreden als president, maar ook voor de Verenigde Staten. Bin Laden is natuurlijk een symbool van het terrorisme geweest, en daarnaast was hij een massamoordenaar die zich jaren aan gerechtigheid heeft onttrokken. Veel families van de doden van 11 september hadden denk ik de hoop al opgegeven. En dat we nu met zekerheid kunnen zeggen: "We hebben de man te pakken die duizenden doden in de Verenigde Staten op zijn geweten heeft en die het middelpunt is geweest van een gewelddadige, extremistische jihad", dat is iets waar we volgens mij allemaal heel erg trots op zijn.'

Het elimineren van bin Laden was een daad van leiderschap die niet te vergelijken is met het sturen van een invasiemacht naar Normandië of met het aangaan van de confrontatie met Nikita Chroesjtsjov, op het hoogtepunt van de Koude Oorlog, maar het was een duidelijke militaire overwinning in een tijdperk waarin militaire overwinningen zich niet vaak voordoen. Voor de Amerikanen was het de afsluiting van het verhaal van 11 september, en het symbolische en misschien wel daadwerkelijke einde van al Qaida. De organisatie wankelde al toen de oprichter ervan omkwam, zowel door de revoluties in de Arabische wereld als door de klappen die keer op keer door drones en special forces werden uitgedeeld. Dat was ook de reden dat de dood – het martelaarschap – van bin Laden geen stroom nieuwe rekruten op gang bracht. Als bin Ladens zaak ooit enige romantische aantrekkingskracht had gehad, en dat was vrijwel nooit het geval geweest, dan was die nu verdampt.

Het Westen maakt zich wellicht zorgen over de islamistische regeringen die nu in Egypte en Tunesië zijn gekozen, maar de mogelijkheid om op wettige wijze veranderingen te bewerkstelligen heeft de pijlers weggeslagen onder het geweldadige extremisme. Door de methoden waarvan de groep zich bediende had zij ook potentiële medestanders van zich vervreemd. Ayman al-Zawahiri, de nieuwe leider, was in september 2012 nog op vrije voeten, maar heeft kennelijk weinig benul van organiseren en inspireren.

Bijna een jaar na de operatie vertelde de president mij:

'We hebben de wereld ervan doordrongen, en dat was ook onze bedoeling, dat in militair opzicht de Verenigde Staten met kop en schouders boven iedereen uitsteken, en dat wij dingen kunnen doen die verder niemand kan. We hebben het Amerikaanse volk laten zien dat er overheidsonderdelen zijn die op hun taak zijn berekend. Als we ons echt ergens toe zetten kunnen we bereiken wat we willen.

Toen ik na de dood van bin Laden naar New York ging voor een kleine plechtigheid, om te praten met jongens in een brandweerkazerne die de helft van hun collega's waren kwijtgeraakt, heb ik gepraat met de kinderen van de mensen die op 11 september waren omgekomen, en ook met hun weduwen en weduwnaars. En één ding kwam heel duidelijk over: hoezeer ze het waardeerden dat Amerika hen niet vergeten was, en niet vergeten was wat er was gebeurd. De missie heeft wat problemen opgeleverd. Onze relatie met Pakistan is onder druk komen te staan, en die stond al behoorlijk onder druk. Er zijn spanningen over het feit dat er nog steeds gebieden zijn waar terroristen vrij spel hebben. Dat heeft het afgelopen jaar voor de nodige problemen gezorgd. Het was een van die keren waarbij je vooraf niet zeker weet of het goed zal uitpakken. Maar achteraf kun je zeggen: "Het is goed uitgepakt."'

De al slechte relatie met Pakistan werd een tijdje nog wat slechter, en vervolgens nóg slechter, na een incident in november 2011 waarbij vierentwintig Pakistaanse militairen door Amerikaans vuur omkwamen. Maar de relatie, die, zoals Hillary Clinton opmerkte, eerder was gebaseerd op wederzijdse behoeften dan op vriendschap en vertrouwen, heeft standgehouden. In juli 2012 heeft Pakistan in ruil voor veel dollars de aanvoerroutes naar Afghanistan heropend, en nog steeds zijn Amerikaanse drones actief boven Waziristan.

Pakistan heeft de vrouwen, kinderen en kleinkinderen van bin Laden een jaar vastgehouden en ze toen uitgewezen naar Saoedi-Arabië. Toen ze door agenten van de inlichtingendiensten van dat land en van de CIA werden ondervraagd, vertelden de vrouwen dat bin Laden al zeven tot acht jaar in Pakistan woonde. Hij was vier keer verhuisd voor hij in Abbottabad was neergestreken, en had vier kinderen verwekt. Als we geloof kunnen hechten aan verhalen van de Pakistaanse autoriteiten, was er van een gelukkig gezinsleven geen sprake. De oudste van de drie vrouwen die hij bij zich had, Khairiah, had zo'n hekel aan Amal, de jongste, dat Siham, de derde vrouw, haar ervan beschuldigde dat ze hun man aan de CIA had verraden. Ik heb geen aanwijzingen daarvoor gevonden. Geen van hen had kennelijk iets bruikbaars mee te delen over de nog levende leiders van al Qaida. Het complex is in februari 2012 gesloopt.

Shakil Afridi, de Pakistaanse arts die zich door de CIA liet gebruiken om zo DNA-monsters van kinderen van bin Laden in handen te krijgen, is gearresteerd en berecht voor verraad. Hij heeft drieëndertig jaar gevangenisstraf gekregen. Pakistan beweert dat de straf is opgelegd voor zaken die niets met de CIA uit hebben staan, maar zijn straf is resoluut veroordeeld door de Verenigde Staten, en de Amerikaanse autoriteiten blijven zich inspannen voor zijn vrijlating.

'De man heeft maar één passie, en dat is kinderen gezond houden,' zei een hoge functionaris van een Amerikaanse inlichtingendienst. 'Hij heeft in heel Pakistan klinieken opgezet om kinderen in te enten. We hebben hem de kans geboden om ook in Abbottabad zo'n kliniek op te zetten, een echte, geen nepkliniek. Het geld dat we hem hebben gegeven, is in zijn programma gestopt.'

Een Senaatscommissie besloot om bij wijze van vergelding de hulp aan Pakistan met drieëndertig miljoen te korten, één miljoen voor elk jaar dat zijn straf lang is. Senator John McCain noemde wat hij via de CIA had gedaan 'allesbehalve verraad'.

De vrijdag na de missie vloog Obama naar Fort Campbell in Kentucky om daar kennis te maken met de SEALS en de helikopterpiloten. In eerste instantie waren alleen de SEALS uitgenodigd, maar

McRaven stelde voor om er ook de Night Stalkers bij te betrekken, want de piloten hadden minder waardering geoogst dan de SEALs zelf.

'We kunnen iedereen naar Fort Campbell laten komen,' stelde McRaven uiteindelijk voor. Hij zei dat Obama ook nog kennis kon maken met de 101st Airborne Division, die net was teruggekeerd uit Afghanistan. En dus waren er diverse ontmoetingen, met aan het eind een toespraak van Obama voor meer dan tweeduizend militairen.

Het begon met de SEALs en de piloten die aan de missie hadden deelgenomen. Die kwamen bij elkaar in een grauw klaslokaal op de basis. De president had een cadeau bij zich voor McRaven: een verguld meetlint. Het was hem opgevallen dat toen ze het lichaam van bin Laden wilden meten, de admiraal er geen bij zich had gehad. Wat Obama trof, was hoe 'gewoon' de groep was. Op een paar uitzonderingen na hadden ze weinig weg van de opgepompte helden uit actiefilms. Het was gewoon een groep fit uitziende mannen, van achter in de twintig tot begin veertig. Een paar werden al grijs. Als ze andere kleren hadden aangehad, dacht hij, hadden het bankiers of advocaten kunnen zijn. Wat hen onderscheidde, besefte hij, was niet hun fysieke vaardigheid, maar hun ervaring en hun inzicht.

Voor in het lokaal stond een model van het complex. McRaven had gezegd dat ze gedetailleerd zouden vertellen hoe het gegaan was. Ze wilden hem alles vertellen, alleen niet wie bin Laden had gedood. Dat geheim bleef binnen het team. Obama vroeg er niet naar en het team liet het zo.

Toen nam de helikopterpiloot die zo kundig zijn helikopter had laten neerstorten het woord. Het was een lange, tengere man met donker haar die zo te zien niet gewend was om een grote groep toe te spreken, en zeker niet als ook de president erbij was. Hij beschreef nauwgezet wat er met de helikopter was gebeurd en hoe weloverwogen hij had gehandeld.

'Speelde het weer een rol?' vroeg Obama.

'Ja,' zei de piloot. De lucht was warmer geweest en minder dicht dan ze hadden verwacht. Vervolgens legde hij tot in detail uit waarom de Black Hawk was neergegaan.

Vervolgens kreeg de commandant van de SEALS het woord. Hij was heel serieus, en praatte ook in dit grote gezelschap heel gemakkelijk. Hij begon met een bedankje voor de helikopterpiloot. 'Dat ik hier sta,' zei hij, 'komt door het geweldige werk dat die vent gedaan heeft.' Toen kwam hij met een uitgebreid verslag van de missie en de tien jaar die in de voorbereiding waren gaan zitten. De slagkracht van hem en de andere mannen in het lokaal was in alle jaren dat ze nu in oorlog waren vergroot en verfijnd, zei hij. Hun kundigheid en hun tactieken waren gekocht met de levens van vele mannen met wie ze hadden gewerkt. Hij noemde de bases in Afghanistan die naar die mannen waren vernoemd. Al die mannen, en ook alle mensen met wie ze in de loop van de jaren hadden gediend, maakten eigenlijk deel uit van het team. Daarna legde hij uit dat het succes van de operatie te danken was aan alle leden van het team, en gaf daar voorbeelden bij. Hij noemde de piloot. Hij noemde de tolk, die nieuwsgierigen bij het complex weg had weten te houden.

'Geen idee hoe het zou zijn gegaan als al die mensen naar binnen waren gestormd,' zei hij.

Hij noemde anderen. Hij noemde zelfs Cairo, de hond.

'Hadden jullie een hond bij je?' zei Obama verbaasd.

'Ja, meneer de president. We hebben altijd een hond bij ons.'

'Daar wil ik dan wel eens kennis mee maken,' zei Obama.

'Dan moet u wel wat lekkers meenemen,' zei de commandant streng.

De mannen in het lokaal lachten.

De commandant ging vervolgens in op de details van de aanval. Toen hij begon over de fouten en misvattingen die in de media waren opgedoken, wuifde Obama die weg.

'Zit daar maar niet over in,' zei hij. 'Dat is gewoon Washington en de media. Die flauwekul hoort erbij.'

Weer werd er gelachen.

De commandant vertelde dat het doorzoeken van het huis snel en zonder complicaties was verlopen, en dat hij en zijn mannen verbaasd waren geweest over de grote hoeveelheid potentieel waardevol materiaal op de verdiepingen. Dat was snel in zakken gedaan. Het meest gecompliceerde deel van de operatie, zei hij, was nog wel het bijeendrijven van de vrouwen en kinderen in een uithoek van het terrein terwijl de helikopter van explosieven werd voorzien. Anders waren er misschien gewonden gevallen toen ze het toestel opbliezen.

Na zijn verslag stond Obama op en bedankte iedereen. Hij vertelde dat er bij zijn adviseurs allerlei meningen waren geweest over de vraag of bin Laden nu wel of niet op het complex aanwezig was.

'Maar al in het begin kwam ik tot de conclusie dat het altijd een fiftyfiftykans zou zijn,' zei hij. 'Ik heb besloten om de missie door te laten gaan omdat ik honderd procent vertrouwen had in jullie competentie.' Hij noemde de SEALS 'de beste kleine gevechtseenheid ter wereld'.

Rhodes keek het lokaal rond en bedacht dat die stelling extreem was, maar dat ze best eens waar zou kunnen zijn. Dit waren de toppers van JSOC, man voor man persoonlijk uitgezocht. Na tien jaar permanente actie was het onwaarschijnlijk dat er ooit zo'n ervaren groep militairen was geweest, zeker niet in het recente verleden.

Obama reikte de groep de Presidential Unit Citation uit, de hoogste eer die het land een militaire eenheid kan geven. Daarna schudde hij iedereen de hand. Hij was verrast en geroerd toen de SEALS zelf ook met een geschenk kwamen: een vlag die ze naar Abbottabad hadden meegenomen en daarna hadden laten inlijsten, met de handtekening van alle teamleden erop. Hij heeft hem opgehangen in het woongedeelte van het Witte Huis, op de eerste verdieping.

Toen ik in het Oval Office met de president sprak vertelde hij dat drones een geweldig nieuw instrument waren in de strijd tegen al Qaida, maar dat juist het inzetten van drones risicovol was voor iemand in zijn positie.

'Ik denk dat het opzetten van een politiek raamwerk, met procedures voor en controles op het gebruik van onbemande wapens, nog een hele tijd een uitdaging zal zijn, voor mij en mijn opvolgers, deels omdat die technologie een snelle ontwikkeling doormaakt, ook in andere landen, en je een wapen op afstand gebruikt. Daardoor kom je al snel in de verleiding om te denken dat je zo lastige veiligheidsproblemen op kan lossen, zonder vuile handen te maken.'

Maar bijna even opmerkelijk, zei hij, was de ontwikkeling van kleine, zeer goed geoefende militaire eenheden, zoals de SEALS.

'Bij special forces is het risico dat je ze te pas en te onpas inzet kleiner, omdat daar het menselijke element nog meespeelt. Ze zijn nog steeds iemands vader, iemands man, iemands zoon. Als je ze ergens op afstuurt is er een kans dat ze niet terugkomen. Als opperbevelhebber denk ik daar niet makkelijker over dan wanneer ik een groene rekruut naar Kandahar stuur. Daar denk ik heel serieus en behoedzaam over na, en dat blijft zo. Vanuit breder militair perspectief bezien kunnen we niet gauw overschatten wat special forces allemaal kunnen doen. Special forces zijn heel geschikt voor heel specifieke doelen in moeilijk terrein. Daardoor maken we vaak niet meer de strategische fout om daar grote eenheden op af te sturen. Dat geeft veel meer gedoe. Dus bij terroristische netwerken in landen waar eigenlijk geen overheid meer is, of waar ze zelf niet over dit soort eenheden beschikken, zijn special forces minder zichtbaar, minder gevaarlijk en minder problematisch voor het betrokken land. Maar in laatste instantie loopt het allemaal op niks uit als we niet effectief met andere landen samenwerken, als we op diplomatiek gebied niet handig opereren, en als we ons geen moeite geven om in de moslimwereld een ander imago te krijgen, zodat extremisten minder rekruten trekken. Dit is geen wapen dat overal een antwoord op biedt. Maar ik ben wel blij dat we het hebben.'

Het opsporen en doden van bin Laden was het resultaat van nieuwe kennis en nieuwe vaardigheden, die samen een wapen hebben opgeleverd waarmee dit laatste type oorlog kan worden gevoerd. Ik vroeg Obama wat voor impact de dood van bin Laden op al Qaida had gehad. 'Wat we verwacht hadden,' zei hij.

'Ze hebben geen focus meer, en geen effectieve leiders. En verder hebben we veel van hun operationele mensen uitgeschakeld, dus ze zijn op weg naar een strategische nederlaag. Maar het is heel belangrijk om bij de les te blijven, want al voor de dood van bin Laden zag je een verschuiving van de operationele capaciteit naar AQAP [al Qaida in the Arabian Peninsula] en Jemen, en de oprichting van al Qaida in de Mahgreb. Dus je moet waakzaam blijven en volhouden.

We weten nu dat ook geïsoleerde terroristen schade kunnen aanrichten. Niet in dezelfde mate als 11 september, maar toch schade die pijn doet, en daar moeten we iets aan doen. Dus met de dood van bin Laden zijn niet al onze problemen opgelost. Dat hadden we ook niet verwacht. Maar het was wel heel belangrijk. En ik zal altijd de mensen van de inlichtingendiensten en het leger dankbaar zijn die erbij betrokken waren. Die verdienen alle lof.'

Een paar dagen na de aanval werd een fotoalbum afgeleverd bij het Witte Huis, met foto's van de dode bin Laden. Er woedden heftige discussies over de vraag of de foto's openbaar moesten worden gemaakt, als bewijs voor zijn dood, maar Obama zei resoluut dat daar geen sprake van kon zijn. Dat besluit werd vergemakkelijkt door het feit dat niemand bin Ladens dood betwistte. Amerika zou, zei Obama, niet steeds triomfantelijk op het incident blijven terugkomen.

Het Witte Huis had zondagavond doorgewerkt om het nieuws te kunnen brengen. De manier waarop dat ging vertoonde schoonheidsfoutjes, maar men genoot van de opgetogen reacties in heel het land. In de kleine uurtjes van de maandag waren McRavens mannen bezig met het opruimen van bin Ladens lijk.

Na veel discussie was men tot de conclusie gekomen dat een begrafenis op zee de beste optie was. Dan was er geen graf dat een bedevaartsoord kon worden voor de verblinde aanhangers van de martelaar. En dus was het lichaam gewassen, vanuit alle mogelijke hoeken gefotografeerd en toen met een V-22 Osprey overgebracht naar de Carl Vinson, een vliegdekschip in het noorden van de Arabische Zee.

Het ministerie van Buitenlandse Zaken nam nog wel contact op met de Saoedische regering met het aanbod het lichaam naar bin Ladens vaderland over te brengen, maar bin Laden was daar na zijn dood even onwelkom als bij zijn leven. Toen de Saoedi's hoorden dat het alternatief een begrafenis op zee was, vonden ze dat een goed plan.

De procedure voor een eenvoudige moslimbegrafenis werd aan boord van het vliegdekschip uitgevoerd. Het lichaam werd in een witte wade gewikkeld, met gewichten eraan, zodat het zou zinken.

De laatste serie foto's in het album was niet grotesk, maar eerder op een vreemde manier ontroerend. De begrafenis was op maandag 2 mei, in de ochtend. Een fotograaf van de marine legde alles vast. Op een foto is het in de witte wade gewikkelde lichaam te zien. Op de volgende ligt het op een vlakke plank. De voeten steken al buitenboord. Op de volgende raakt het met een kleine plons het water. Op de volgende is het net onder het wateropper- vlak te zien, als een zinkende witte torpedo. Daarna zijn alleen nog cirkelvormige rimpels in het blauwe water te zien. Op de laat- ste foto is het water kalm. De stoffelijke resten van bin Laden zijn voorgoed verdwenen.

Woord van dank

Ik ga ervan uit dat Osama bin Laden even goed Arabisch sprak als de gemiddelde Amerikaan Engels, en dus heb ik de vrijheid genomen om hier en daar wat onhandig geformuleerde zinnen uit de CIA-vertaling van zijn documenten glad te strijken. De officiële vertalingen zijn te vinden op de website van het Combating Terrorism Center van West Point: www.ctc.usma.edu.

Ik ben gewend om een gedetailleerde bronvermelding op te nemen van citaten, maar in dit geval zou dat niet zinvol geweest zijn, omdat er heel veel mensen niet met naam en toenaam in het boek wilden komen.

Ik heb gebruikgemaakt van twee uitstekende artikelen, 'Getting Bin Laden', van Nicholas Schmidle, dat op 8 augustus 2011 in *The New York Times* is verschenen, en, vooral bij hoofdstuk 4, 'Killer App' van Shane Harris, uit *The Washingtonian* van 31 januari 2012. Iedereen die over bin Laden schrijft is Lawrence Wright dank verschuldigd voor zijn al in 2006 verschenen *The Looming Tower*, en is daarnaast schatplichtig aan Peter Bergen, die zich de afgelopen tien jaar tot dé autoriteit over Obama heeft ontwikkeld. Ik heb dankbaar gebruikgemaakt van Bergens *The Osama bin Laden I Know* (Free Press, 2006), waarin veel mensen over Osama bin Laden vertellen, en van zijn *Manhunt* (Crown Publishers, 2011). In dat boek beschrijft Bergen soms voorvallen die ook ik noem, maar de passages in mijn boek zijn het resultaat van eigen onderzoek en gesprekken, vaak met dezelfde personen.

Een verslag van de dood van bin Laden is verschenen als *No Easy Day*, geschreven door 'Mark Owen', een pseudoniem van een van de drie SEALS die hem hebben doodgeschoten. Hij is de eerste en tot nu toe enige die over zijn ervaringen heeft geschreven. Zijn verslag verschilt in een aantal details van het verhaal dat ik van mijn bronnen bij JSOC had gehoord. Daarin vluchtte bin Laden zijn slaapkamer in, waar hij eerst in de borst werd geschoten. Daarna werd zijn vrouw Amal opzij geduwd en werd hij nog een keer door het linkeroog geschoten. Ik heb ervoor gekozen om de versie van Owen te volgen, die naar mijn inschatting de waarheid beter benadert. Bij mijn research voor dit boek heb ik contact gehad met 'Mark Owen', maar hij koos ervoor om mij niet zijn verhaal te vertellen, en schreef in plaats daarvan zijn eigen verslag van wat er gebeurd is.

Mijn bijzondere dank gaat uit naar mijn zoon Aaron, mijn neef David Keane en hun bedrijf, Wild Eyes Productions, voor alle hulp bij de interviews. Daarnaast ben ik veel dank verschuldigd aan Ben Rhodes, Jay Carney, Dave Moniz en Preston Colson voor hun hulp bij het regelen van de interviews, en verder bedank ik alle mensen van CIA en JSOC die bereid waren om met me te praten, op voorwaarde dat hun naam niet werd genoemd.

De mensen die ik wel kan bedanken zijn: Samira Abdullah Mouhey el-Dein Azzam, Huthaifa Azzam, Tony Blinken, John Brennan, James Clark, Faheem Dashty, Thomas Donilon, Guy Filippelli, Matt Flavin, Michèle Flournoy, Jamal Ismail, Larry James, Peter Jouvenal, Habibullah Khan, Denis McDonough, Hamid Mir, Michael Morell, Asad Munir, Barack Obama, William Ostlund, David Petraeus, James Poss, Samantha Power, Stephen Preston, Nick Rasmussen, Michael Scheuer, Gary Schroen, Kalev Sepp, Michael Sheehan, Michael Vickers en Ahmad Zaidan.